Langenscheidt

Englisch mit System

Das praktische Lehrbuch

von John Stevens

Langenscheidt

Berlin · Madrid · München · Warschau · Wien · Zürich

Bildquellennachweis:
British Tourist Authority: 189
CalTour: 153, 227, 251
Canadian Tourism Commission: 251
Creativ Collection Verlag GmbH: 115, 127, 203, 239
ImageSource Ltd.: 177, 203
John Foxx Images™: 177
MEV Verlag GmbH: 41, 79, 103, 141, 165, 177
PhotoDisc, Inc.: 79, 153, 177

Zeichnungen: Marlene Pohle
Grafik: Ute Weber
Titelgestaltung: Independent Medien-Design
Satz & Litho: kaltnermedia GmbH, Bobingen

Umwelthinweis: Gedruckt auf chlorfrei gebleichtem Papier

Ergänzende Hinweise, für die wir jederzeit dankbar sind, bitten wir zu richten an:
Langenscheidt Verlag, Postfach 40 11 20, 80711 München

www.langenscheidt.de

Druck und Bindung: Stürtz GmbH, Würzburg
Printed in Germany
ISBN 978-3-468-26124-4

11020

Wegweiser

Herzlich willkommen! Sie haben sich dazu entschlossen, Englisch zu lernen – und Sie wollen sich über die bloße Verständigungsmöglichkeit hinaus intensiver mit der Fremdsprache beschäftigen. Dieser Sprachkurs wird Ihnen gründliche Kenntnisse des Englischen vermitteln. Sie werden die häufigsten 1.800 Wörter und alle grammatischen Strukturen kennenlernen, ideale Voraussetzungen also, um auf Englisch Situationen des Alltags schriftlich oder mündlich zu bewältigen. Außerdem können Sie sich mit diesem Kurs auch auf das Level B1 der Europäischen Sprachenzertifikate (TELC) vorbereiten, das Sie beispielsweise bei einer Volkshochschule ablegen können.

Sie haben sich dazu entschieden, zu Hause und wahrscheinlich ohne Lehrer Englisch zu lernen. Weil wir Sie dabei nicht alleinlassen wollen, haben wir das Buch durchgängig klar strukturiert und darauf geachtet, besonders ausführliche und einfache Erklärungen, anschauliche Beispiele und nützliche Lerntipps aufzunehmen. In den folgenden beiden Abschnitten erfahren Sie, wie die Lektionen aufgebaut sind und wie Sie mit dem Buch arbeiten können. Sollten Sie lieber gleich loslegen wollen, überspringen Sie sie einfach.

Wie sind die Lektionen aufgebaut?

Alle Lektionen sind auf dieselbe Art und Weise aufgebaut, so dass Sie sich im Buch leicht zurechtfinden werden. Blättern Sie am besten einmal ein paar Seiten durch, damit Sie einen Eindruck von seinem Aufbau gewinnen.

Auf der ersten Seite finden Sie neben der Lektionsnummer einen Kasten, der Ihnen verrät, was Sie in der Lektion erwartet. Danach geht es richtig los: Jede Lektion beginnt mit einem **Lesetext**, der aus der „echten“ Alltagswelt Großbritanniens oder Nordamerikas kommt und ein Beispiel für eine der vielen Textsorten der geschriebenen Sprache darstellt. Für das leichtere Verständnis haben wir eine Übersetzung hinzugefügt.

In der Rubrik **„What's new?“** *Was gibt es Neues?* wird Ihnen der Grammatikschwerpunkt der jeweiligen Lektion erklärt. Mithilfe der Erklärungen und der Beispiele aus dem ersten Text wird Ihnen schnell deutlich werden, was es hier zu lernen gilt.

Anschließend kommt schon der Haupttext der Lektion, ein **Dialog**, der Sie vor allem mit dem gesprochenen Englisch vertraut macht. Diesen Text finden Sie im Anhang auch übersetzt sowie auf den CDs vertont, so dass Sie Aussprache, Rhythmus und Melodie der englischen Sprache erleben können.
Alle Texte werden selbstverständlich von britischen und nordamerikanischen Muttersprachlern gesprochen.

In der Rubrik **„Vocabulary"** sind alle neuen Wörter aus den beiden Texten der Reihenfolge nach aufgeführt und übersetzt. Um Ihnen bei der Aussprache zu helfen, haben wir in den ersten fünf Lektionen auch jeweils die Lautschrift hinzugefügt. Manchmal finden Sie hinter einem Wort eine kleine Anmerkung, die Ihnen einen Hinweis darauf gibt, dass das Wort in einem spezifischen Kontext verwendet oder einer bestimmten Wortart zugeordnet wird. Die Wortlisten sind zum Teil recht lang. Sie müssen aber nicht alle Wörter gleichermaßen intensiv lernen. Die normal gedruckten Wörter benötigen Sie zwar für das Verständnis des Textes, Sie müssen sie jedoch an dieser Stelle nicht aktiv beherrschen. Die fett gedruckten Wörter dagegen sollten Sie sehr gut lernen. Sie gehören zum festgelegten Wortschatz der Europäischen Sprachenzertifikate (TELC).

Der anschließende **Grammatikteil („Grammar")** macht Sie Schritt für Schritt mit den neuen Strukturen vertraut. Sie müssen sich aber nicht erst durch die ganze Grammatik einer Lektion durcharbeiten, bevor Sie die Übungen machen können. Der gelbe Pfeil hinter den Zwischenüberschriften verrät Ihnen, welche Übungen welchen Grammatikthemen zugeordnet sind. Wenn Sie einen grammatikalischen Begriff nicht verstehen, können Sie ihn in der Liste der **grammatischen Fachausdrücke** auf den Seiten 14–16 nachschlagen.

In **„Language in use"** *Gebrauch des Englischen* zeigen wir Ihnen, wie Sie die Sprache verwenden, um alltägliche Situationen auf Englisch zu meistern. Lernen Sie die Redewendungen gut, und beeindrucken Sie Ihre Gesprächspartner auf Ihrer nächsten Reise durch „waschechtes" Englisch!

Unter **„Useful expressions"** finden Sie weitere nützliche Ausdrücke, die zu den Themen der Lektion gehören. Diese Wörter und Wendungen sollten Sie sich gut einprägen.

Sie können übrigens alle englischen Wörter, die im Buch vorkommen, auch im **Glossar** am Ende des Buchs nachschlagen. Dort finden Sie neben der Übersetzung und der Angabe der Lektion, in welcher das Wort erstmalig vorkommt, auch die Lautschrift für alle Wörter.

Interessante **Informationen** über Land und Leute finden Sie überall dort, wo das Symbol i erscheint.

Am Ende jeder Lektion heißt es Üben, Üben und nochmals Üben. Dazu dienen Ihnen die vielen **„Exercises"**. Durch zahlreiche Übungstypen erhalten Sie die Gelegenheit, den Wortschatz und die neu erlernten grammatischen Strukturen vielfältig und abwechslungsreich zu üben. Die Übungen sollten Sie schriftlich lösen. Sie können das Buch dabei als Arbeitsmaterial benutzen und Ihre Antworten oder Notizen direkt hineinschreiben – in der Regel ist Platz dafür vorgesehen. Die Lösungen aller Übungen sind im Anhang abgedruckt.

Auf den beiden Übungs-CDs, die dem Set beiliegen, bieten wir Ihnen ein abwechslungsreiches **Hör- und Sprechtraining**, das Sie in die verschiedensten Alltagssituationen hineinversetzt. Es ist den Lektionen im Buch direkt zugeordnet.

Zum Set gehört außerdem ein **Wortschatztrainer** auf einer MP3-CD. Darauf finden Sie die Vertonungen des Wortschatzes aus der Rubrik **„Vocabulary"** sowie der Ausdrücke aus der Rubrik **„Useful expressions„**. Mit dem Wortschatztrainer können Sie sich die richtige Aussprache anhören und sich die Wörter und Wendungen abfragen lassen.

Falls Sie nicht das Set, sondern nur das Buch vorliegen haben, können Sie das Audio-Material auch noch nachträglich in Form von MP3-Dateien auf www.langenscheidt.de/mp3 erwerben.

Nach jeweils fünf Lektionen können Sie Ihre Lernfortschritte anhand eines **Tests** überprüfen. Erst wenn Sie sich beim Lösen der Tests wirklich sicher fühlen, sollten Sie sich den nächsten Lektionen zuwenden. Die Auswertung und die Lösungen zu den Tests finden Sie im Anhang.

Wie sollten Sie mit dem Buch arbeiten?

Grundsätzlich gilt hier wie beim Sprachenlernen überhaupt: Nehmen Sie sich nicht zu viele Seiten auf einmal vor. Üben Sie stattdessen lieber täglich. – 30 Minuten reichen schon.

Bevor Sie mit der ersten Lektion beginnen, sollten Sie sich zunächst unseren Einstieg auf der ersten Übungs-CD anhören, der Ihnen einen Eindruck von der Aussprache des Englischen vermittelt. Lesen Sie anschließend die Ausspracheregeln auf den Seiten 12–13 des Buches und sprechen Sie alle Beispiele mehrmals laut nach.

Nun können Sie mit der ersten Lektion beginnen. Lesen Sie den ersten Text und erschrecken Sie nicht vor den vielen unbekannten Wörtern. Bei diesem Text ist es nämlich gar nicht wichtig, dass Sie ihn Wort für Wort verstehen. Es genügt, wenn Sie erkennen, worum es geht. Markieren Sie zunächst einmal alle Wörter, die Sie ohne Hilfe der Übersetzung und ohne Wörterbuch verstehen. Sie werden erstaunt sein, wie viele das sind! Auf diese Weise trainieren Sie nach und nach Ihre Fähigkeit, mit fremdsprachigen Texten umzugehen, ohne jedes Wort zu verstehen.

Ganz anders sollten Sie mit dem Dialog, dem eigentlichen Haupttext jeder Lektion verfahren. Da dieser Text aus der gesprochenen Alltagssprache kommt, ist es wichtig, ihn zu hören, also hautnah mit Melodie und Rhythmus zu erleben. Hören Sie sich den Dialog zunächst ein- oder zweimal ohne Buch an und notieren Sie sich alles, was Sie verstanden haben. Das können einzelne Wörter, ganze Satzteile oder auch nur ein paar Assoziationen sein. Damit Ihnen das Zuhören und Verstehen leichter fällt, haben wir alle Dialoge der zwanzig Lektionen auch in einer etwas verlangsamten Geschwindigkeit aufgenommen.

Vielleicht hilft es Ihnen auch, den Text in mehrere kleine Hör-Etappen zu unterteilen. Hören Sie anschließend den ganzen Dialog noch einmal an. Erst jetzt sollten Sie dabei das Buch vor sich liegen haben. Wenn Sie mithilfe des „Vocabulary" und eventuell auch der Übersetzung das Gefühl haben, den Text gut zu verstehen, sollten Sie ihn laut vorlesen. Setzen Sie dabei ruhig Ihr schauspielerisches Können ein und imitieren Sie unsere Sprecher!

Um die neuen Wörter auch langfristig im Gedächtnis zu behalten, kann es sinnvoll sein, sie aufzuschreiben. Sehr bewährt hat sich dabei eine Lernkartei (Zettelkasten).

Besonders gut lernen Sie den Wortschatz auch mit dem Wortschatztrainer auf der MP3-CD. Wenn Sie einen MP3-Player haben, können Sie so die Zeit unterwegs nutzen, um sich die neuen Wörter und Ausdrücke gut einzuprägen.

Die schriftlichen Übungen im Buch dienen dazu, Grammatik, Wortschatz und die Grundlagen der Aussprache zu üben. Mithilfe des Lösungsschlüssels im hinteren Buchteil können Sie jederzeit überprüfen, ob Sie alles richtig gemacht haben. Um das Hören und Sprechen zu erlernen, sollten Sie regelmäßig mit den beiden Übungs-CDs arbeiten. Bei manchen dieser Hörübungen werden Sie das Buch brauchen, z. B. um etwas anzukreuzen. Alle anderen sollten Sie aber möglichst ohne Buch lösen, denn schließlich geht es bei diesen Übungen ja darum, Hörverständnis und Sprechfertigkeit zu trainieren! Zur Sicherheit finden Sie jedoch im Lösungsteil eine Verschriftlichung des Hörtextes – auf die Sie aber nur im Notfall zurückgreifen sollten.

Viel Spaß und viel Erfolg!

Abkürzungen

Adj	Adjektiv
Adv	Adverb
AE	American English
BE	British English
Bsp.	Beispiel
etw.	etwas
Inf.	Infinitiv
jdm	jemandem
jdn	jemanden
Konj	Konjunktion
örtl.	örtlich
Pl	Plural, Mehrzahl
Präp	Präposition
Pron	Pronomen
Rel.pron	Relativpronomen
Sg	Singular, Einzahl
s.o.	someone *jemand*
s.th.	something *etwas*
Subs	Substantiv
ugs	umgangssprachlich
V	Verb
Verg	Vergangenheit
zeitl.	zeitlich

Inhaltsverzeichnis

Lektionsübersicht

	Texte	Themen / Sprechabsichten	Grammatik
1	**Lesetext** Zeitschriftenartikel: *Is Shopping a German word?* **Dialog** *At a conference in Madrid*	Sich und andere vorstellen Leute ansprechen **Info:** Die Benutzung von Vornamen in der englischsprachigen Welt	Die Artikel *a / an* und *the* Bejahte und verneinte Formen des Verbs *be* Personal- und Possessivpronomen *this, that, these* und *those* Plural und Genitiv von Substantiven
2	**Lesetext** Anmeldeformular: *Registration form* **Dialog** *A phone call*	Telefonnummer und Adresse angeben Buchstabieren, nachfragen und sich entschuldigen **Info:** *Please*	Die Zahlen von 0 bis 1000 Fragen und Kurzantworten mit *be* Fragen mit *can, what* und *where*
3	**Lesetext** Postkarte: *A postcard* **Dialog** *In the street*	Eine Postkarte schreiben Nach dem Weg fragen	*there is / are* *much, many* und *a lot of* Der Imperativ Präpositionen des Ortes Das Stützwort *one*
4	**Lesetext** Zeitschriftenartikel: *A day in my life* **Dialog** *Two jobs*	Tagesablauf und Alltagsaktivitäten Die Uhrzeit Varianten des Englischen	Aussagen und Fragen in der einfachen Gegenwart Stellung adverbialer Angaben Personalpronomen als Objekt
5	**Lesetext** Schüleraufsatz: *Our family's week* **Dialog** *Nothing new*	Freizeitbeschäftigungen Die Wochentage	Aussagen und Fragen in der 3. Person Singular Modalverb *have to* Gerundium nach *like, love, hate* Präpositionen der Zeit

Texte	Themen / Sprechabsichten	Grammatik	
Lesetext Anekdote: *An adventure holiday?* **Dialog** *Holiday disasters*	Eine Geschichte erzählen Urlaubserlebnisse berichten	Aussagen und Fragen in der einfachen Vergangenheit Wortstellung im Nebensatz Relativsätze *have got*	6
Lesetext E-Mail: *No cool cocktail* **Dialog** *What's up with you?*	Momentane Handlungen und Zustände beschreiben Über Berufe sprechen Pläne ausdrücken **Info**: Berufsbezeichnungen	Verlaufsform der Gegenwart Unterschied zwischen einfacher Gegenwart und Verlaufsform der Gegenwart Das Verb *get*	7
Lesetext Wettervorhersage: *Weather forecast* **Dialog** *A helpful landlord*	Gespräche über das Wetter und Wettervorhersagen Wünsche und Bitten mit *'d like* Die Übersetzung von *bitte* Preisangaben **Info**: Das Wetter als Gesprächsthema	Zukunft mit *will / won't* Bedingungssätze Typ 1	8
Lesetext Vorsätze zum neuen Jahr: *New Year's resolutions* **Dialog** *What New Year resolutions?*	Pläne und Absichten ausdrücken Feste, Feiertage und Glückwünsche Telefonieren Monatsnamen und Datum	Zukunft mit *going to* *some, any* und andere Mengenbezeichnungen	9
Lesetext Schlagzeilen: *The biggest and best* **Dialog** *A new apartment?*	Vergleiche Über das Wohnen sprechen Amerikanisches Englisch	Steigerung von Adjektiven Adjektive und Adverbien Adverbien der Art und Weise	10

	Texte	Themen / Sprechabsichten	Grammatik
11	**Lesetext** Unfallbericht: *An accident report* **Dialog** *It wasn't my fault.*	Über Gesundheit sprechen Körperteile und Arztbesuch	Verlaufsform der Vergangenheit Allein stehende Possessivpronomen *mustn't* und *don't / doesn't have to* bzw. *needn't* Die unvollständigen Hilfsverben
12	**Lesetext** E-Mail: *Home-swapping* **Dialog** *Have you been to the States?*	Gute Wünsche und Aufforderungen aussprechen Schenken und sich bedanken **Info:** *Home-swapping*	Das Present Perfect Abgrenzung Present Perfect – einfache Vergangenheit Signalwörter
13	**Lesetext** Bewerbungsschreiben: *A job application* **Dialog** *A job interview*	Bewerbung und Vorstellungsgespräch Nachfrage und Meinungsäußerung **Info:** Arbeitszeugnisse	Verlaufsform des Present Perfect Present Perfect mit *since* und *for* Present Perfect mit *always, all, how long* Das Future Perfect
14	**Lesetext** Kalenderspruch: *Thought for the day* **Dialog** *Bob has lost a bet …*	Essen und Trinken Restaurantbesuch	*used to* und *be used to* Die *-ing*-Form als Gerundium *remember* versus *remind*
15	**Lesetext** Polizeibroschüre: *A police brochure* **Dialog** *You have a burglar alarm, don't you?*	Über Verbrechen sprechen Personen beschreiben Übersetzung von *lassen* **Info:** *Neighbourhood Watch*	Die Modalverben Infinitiv mit und ohne *to* *have something done* Fragen mit und ohne *do* Frageanhängsel
16	**Lesetext** Packliste: *Things to do* **Dialog** *An unusual idea*	Eine Geschichte erzählen Kleidung Reise Panne Landschaft	Paarwörter Reflexive Verben und Pronomen Hilfsverben als „Stellvertreter" Kurzsätze mit *so, neither, nor*

Texte	Themen / Sprechabsichten	Grammatik	
Lesetext Zeitungsartikel: *French pensioner deals kissogram girl knockout blow* **Dialog** *An amazing experience*	Unterwegs mit Bus und Bahn Bezahlen **Info:** Bahnfahren in Großbritannien	Das Past Perfect Partizip Präsens Substantive auf *-er* *every* in Zusammensetzungen	17
Lesetext Quiz: *An American quiz* **Dialog** *A bit of rumba*	Vorschläge und Reaktionen auf Vorschläge Fernsehen und Medien	Das Passiv Verben mit zwei Objekten *hundred, thousand, million*	18
Lesetext Lied: *A song* **Dialog** *In the country*	Hypothesen und Bedingungen aussprechen Ausrufe und höfliche Proteste **Info:** Ortsnamen	Bedingungssätze Typ 2 und Typ 3 Phrasal Verbs	19
Lesetext Bericht: *Incident report* **Dialog** *An emergency call*	Bericht erstatten Informationen erfragen und geben	Indirekte Rede Verben des Sagens, Glaubens und Meinens *lie* und *lay* *say* und *tell*	20

Aussprache, Betonung und Schreibweise

Das englische Alphabet

In Lektion 2 beschäftigen Sie sich ausführlich mit dem englischen Alphabet, während Sie lernen, Name, Adresse und E-Mail-Adresse zu buchstabieren.

Aussprache der Vokale, Diphthonge und Konsonanten

In den Wortlisten dieses Buches gibt die Lautschrift immer die britische Aussprache des betreffenden Ausdrucks wieder. Es werden folgende Symbole verwendet.

[æ]	c**a**t, st**a**nd	zwischen dt. **a** und **ä**
[ʌ]	b**u**s, b**u**t	keine Entsprechung im Deutschen, am ehesten wie ein kurzes **a**
[e]	b**e**st, t**e**st	wie **e** in f**e**tt
[ə]	**a**bout, **a**gain	wie **e** in sing**e**
[ɪ]	**i**t, f**i**t	wie **i** in **i**n
[i]	tax**i**, man**y**	kürzer und offener als [ɪ]
[ɒ]	c**o**ffee, n**o**t	wie **o** in G**o**tt
[ʊ]	g**oo**d, b**oo**k	wie **u** in B**u**tter
[ɑː]	f**a**ther, l**a**st	wie **ah** in S**ah**ne
[iː]	t**ea**, s**ee**	wie **ie** in Kn**ie**
[ɔː]	**a**ll, f**our**	wie **o** in K**o**rn
[ɜː]	w**or**d, f**ir**st	wie **öh** in F**öh**n
[uː]	tw**o**, t**oo**	wie **uh** in Sch**uh**

[aɪ]	n**i**ce, tr**y**	wie **ei** in G**ei**st
[eɪ]	m**a**ke, t**a**ke	nicht wie **Ei**, sondern [e] + [ɪ]
[ɔɪ]	b**oy**	wie **äu** in t**äu**schen
[aʊ]	h**ow**, n**ow**	wie **au** in r**au**
[əʊ]	s**o**, n**o**	keine Entsprechung im Deutschen, Diphthong aus [ə] + [ʊ]
[eə]	th**ere**, th**eir**	wie **ai** in f**ai**r
[ɪə]	h**ere**, w**e're**	wie **ie** in h**ie**r
[ʊə]	t**ou**rist, s**ure**	keine Entsprechung im Deutschen, Diphthong aus [ʊ] + [ə]

[p]	**p**lease, **p**ub	wie **p** in **p**utzen
[b]	**b**ut, **b**us	wie **b** in **b**unt
[f]	**f**ive, **f**ine	wie **F** in **F**uchs
[v]	ha**v**e, lo**v**e	wie **V** in **V**irus
[w]	**w**hat, **w**as	nicht wie deutsch **w**, sondern wie **u** mit gestülpten Lippen
[t]	**T**ony, **t**oo	wie **t** in **t**oll
[d]	**d**o, **d**og	wie **d** in **d**auern
[s]	**s**ay, **s**o	wie **ss** in mu**ss**
[z]	**z**ero, **z**oo	wie **s** in **s**agen
[θ]	**th**ink, **th**ing	wie ein gelispeltes **s** in Ri**ss**
[ð]	**th**is, **th**at	wie ein gelispeltes **s** in **s**ingen
[ʃ]	**sh**ow, **sh**op	wie **Sh** in **Sh**ow
[ʒ]	televi**s**ion	wie **g** in Re**g**ie
[tʃ]	**ch**eese, **ch**at	wie **tsch** in Kla**tsch**
[dʒ]	**G**erman, **j**oke	wie **Dsch** in **Dsch**ungel, aber stimmhaft
[l]	**l**et, **l**ove	wie **l** in **l**assen
[g]	**g**ood, **g**o	wie **G** in **G**eorg
[k]	**c**an, **c**ool	wie **k** in **k**ochen
[ŋ]	si**ng**, wro**ng**	wie **ng** in Me**ng**e

Betonung

Im Englischen wird meist die erste Silbe betont. In der Lautschrift wird die Hauptbetonung durch das Symbol ['] gekennzeichnet, eine Nebenbetonung durch das Symbol [ˌ].

Schreibweise

In der Regel beginnt ein englisches Wort mit einem Kleinbuchstaben. Großgeschrieben werden alle Eigennamen, das Personalpronomen **I**, und das erste Wort eines Satzes bzw. einer Überschrift. Zwischen dem britischen und amerikanischen Englisch gibt es einige sehr wenige Unterschiede in der Schreibweise.

Britisches Englisch	Amerikanisches Englisch
col**ou**r, fav**ou**rite, neighb**ou**r	col**o**r, fav**o**rite, neighb**o**r
cent**re**, kilomet**re**, theat**re**	cent**er**, kilomet**er**, theat**er**
progra**mme**	progra**m**

Grammatische Fachausdrücke

Fachausdrücke	deutsche Bezeichnungen und Erklärungen	Beispiele
Adjektiv	Eigenschaftswort	*die* ***blaue*** *Hose*
Adverb	Umstandswort	***jetzt, hier***
Adverb der Art und Weise	Umstandswort, das ausdrückt, auf welche Art und Weise etwas gemacht wird	*sie spricht* ***langsam***
Adverbiale Angabe, Adverbialbestimmung	Ausdruck, der die Funktion eines Adverbs hat	*am frühen Morgen, hinter der Bank*
Artikel	Geschlechtswort	*der, die, das, ein, eine*
Bedingungssatz	Satz, der eine Bedingung und Folge ausdrückt	*Wenn ich viel Geld hätte, würde ich viel reisen.*
bestimmter Artikel		*der, die, das*
Demonstrativadjektiv	hinweisender Begleiter	***dieser*** *Mann,* ***diese*** *Stadt*
Demonstrativpronomen	hinweisendes Fürwort	*dieser, diese*
direktes Objekt	Ausdruck im 4. Fall (wen oder was?)	*mich, den Mann*
Diphthong	Doppellaut, Doppelvokal	*ei in mein, au in Auto*
Frageanhängsel	angehängte Kurzfrage	*es ist schön,* ***nicht wahr?***
Future Perfect	vollendete Zukunft	*ich werde gegessen haben*
Gerundium	aus einem Verb abgeleitetes Substantiv	*das Rauchen*
Hilfsverb	Verb, das zusammen mit einem 2. Verb in der Grundform steht	*ich* ***will*** *laufen*
Imperativ	Befehlsform	*ruf mich an!*
indirektes Objekt	Ausdruck im 3. Fall (wem?)	*mir, dem Mann*
Infinitiv	Grundform des Verbs	*laufen, rufen*
Intransitives Verb	Verb, das kein Objekt hat	*stehen*

Fachausdrücke	deutsche Bezeichnungen und Erklärungen	Beispiele
Komparativ	1. Steigerungsform des Adjektivs	*größer, besser*
Konjunktion	Bindewort	*da, weil, aber, und*
Konsonant	Mitlaut	*b, c, d, s, t ...*
Modalverb	Verb, das Möglichkeit, Fähigkeit, usw. ausdrückt	*können, müssen*
Nebensatz	untergeordneter Teil eines Satzgefüges, der durch Konjunktion oder Relativpronomen eingeleitet wird	*Wir kommen,* ***wenn wir fertig sind.***
Objekt	Ausdruck im 3. oder 4. Fall (wen oder was?)	*mir, mich, dem Mann, den Mann*
Partizip Perfekt	Mittelwort der Vergangenheit	*gekauft, gegangen, verkauft*
Partizip Präsens	Mittelwort der Gegenwart	*ein* ***laufendes*** *Verfahren*
Passiv	Leideform	*ich werde abgeholt*
Past Perfect	Plusquamperfekt, Vorvergangenheit	*ich hatte geschrieben*
Perfekt	Vollendete Gegenwart	*ich habe angerufen*
Personalpronomen	persönliches Fürwort	*er, du, sie, wir*
Phrasal Verb	Kombination aus Verb + Adverb/Präposition	*get up, look after*
Plural	Mehrzahl	*Tage, Berufe*
Possessivpronomen	besitzanzeigendes Fürwort	*mein, dein, unser*
Präposition	Verhältniswort	*an, zu, über*
Present Perfect	mit dem deutschem Perfekt formähnliche Verbform	*I have eaten*
Pronomen	Fürwort	*ich, du, er, sie*
Reflexives Verb	rückbezügliches Verb	*sich waschen*
Reflexivpronomen	rückbezügliches Fürwort	*er wäscht* ***sich***

Fachausdrücke	deutsche Bezeichnungen und Erklärungen	Beispiele
Relativpronomen	bezügliches Fürwort	*das Buch,* ***das*** *ich lese*
Relativsatz	Nebensatz, der durch ein Relativpronomen eingeleitet wird	*Der Mann,* ***der dort wohnt****, ist ein Bekannter von uns.*
Singular	Einzahl	*Haus, ist*
Subjekt	Ausdruck im 1. Fall	*ich, der Mann*
Substantiv	Hauptwort, Nomen	*Buch, Film*
Superlativ	höchste Steigerungsform	*der* ***schönste*** *Film*
Transitives Verb	Verb, das ein Objekt hat	*stellen*
unbestimmter Artikel	unbestimmtes Geschlechtswort	*ein, eine*
Verb	Zeitwort	*kommen, gehen, machen*
Verlaufsform	englische Verbform, die aus einer Form von **be** + Verb mit der Endung **-ing** besteht	***I am looking***
Vokal	Selbstlaut	*a, e, i, o, u*
Zustandsverb	Verb, das keinen Vorgang bzw. keine Handlung ausdrückt, sondern einen Zustand	*sein, haben*

Unit **1**

In dieser ersten Lektion lernen Sie:

- wie man sich und andere **vorstellt**
- wie man Leute **anspricht**
- die Artikel **a / an** und **the**
- bejahte und verneinte Formen des Verbs **be**
- **Personal**- und **Possessivpronomen**
- **this, that, these** und **those**
- **Plural** und **Genitiv** von Substantiven

Is *Shopping* a German word?

Shopping, Computer, Airbag, Team, Airport, Drink ...
Is this English or German? Or is it English **and** German?
Shopping is an English word. Is it a German word, too?

German has many words from English – often names for new things like *Computer* or *Airbag*. Sometimes German now has two words, for example *Computer* and *Rechner*, or *Team* and *Mannschaft*. In pairs like these, the English word is the new 'modern' word. But what about these words: *Cartoon, Sofa, Taxi*? They are all English words (and German words), but they aren't 'modern' words. *Cartoon*, for example, is 300 years old. It isn't a new word. These words are from other languages. *Cartoon* is from Italian, *Sofa* is from Arabic, *Taxi* is from French. English has words from German, too, for example, *kindergarten* and *hinterland*. Interesting, isn't it?

Ist *Shopping* ein deutsches Wort?

Shopping, Computer, Airbag, Team, Airport, Drink ... Ist dies Englisch oder Deutsch? Oder ist es Englisch **und** Deutsch? *Shopping* ist ein englisches Wort. Ist es auch ein deutsches Wort?

Das Deutsche hat viele Wörter aus dem Englischen – oft Bezeichnungen für neue Sachen wie *Computer* oder *Airbag*. Manchmal hat das Deutsche jetzt zwei Wörter, zum Beispiel *Computer* und *Rechner* oder *Team* und *Mannschaft*. In Paaren wie diesen ist das englische Wort das neue, „moderne" Wort. Aber was ist mit diesen Wörtern: *Cartoon, Sofa, Taxi*? Sie alle sind englische Wörter (und deutsche Wörter), aber sie sind keine „modernen" Wörter. *Cartoon* zum Beispiel ist 300 Jahre alt. Es ist kein neues Wort. Diese Wörter kommen aus anderen Sprachen. *Cartoon* ist aus dem Italienischen, *Sofa* ist aus dem Arabischen, *Taxi* ist aus dem Französischen. Das Englische hat auch Wörter aus dem Deutschen, zum Beispiel *kindergarten* und *hinterland*. Interessant, nicht wahr?

What's new? E1

In der ersten Lektion ist natürlich fast alles neu für Sie. Dennoch haben Sie im Einstiegstext einige Wörter auf Anhieb verstanden, etwa **shopping** *Einkaufen* oder **word** *Wort*. Markieren Sie diese Wörter – Sie werden staunen, wie viele es sind! Wenn Sie so vorgehen, ist es nicht nötig, jedes Wort zu verstehen. In fast allen Lektionen ist der Einstiegstext ein typischer Lesetext, der Ihnen in ähnlicher Form auch in der (englischsprachigen) Realität begegnen könnte. Im Laufe der Lektion werden die neuen Vokabeln und Grammatikstrukturen ausführlich behandelt.

Die Rubrik **What's new?** *Was ist neu?* präsentiert jeweils den Lernschwerpunkt der Lektion. Beginnen wir mit den Basiselementen der englischen Sprache:

Der unbestimmte Artikel *ein* heißt im Englischen **a** [ə], der bestimmte Artikel *der, die, das* heißt **the** [ðə]. Beginnt das darauf folgende Wort mit einem Vokallaut (meist **a, e, i, o** geschrieben) wird **a** zu **an** [ən]. **The** verändert seine Form nicht, wird aber anders ausgesprochen, nämlich nicht mit abgeschwächtem [ə], sondern mit [ɪ].

vor Konsonant	vor Vokal
a German word	**an** English word
the [ðə] German word	**the** [ðɪ] English word

Vorsicht: **u** [juː] am Wortanfang beginnt lautlich meistens mit einem **j** (also einem Konsonanten) und steht daher mit dem normalen Artikel, z. B. **a unit** *eine Lektion*.

Die Formen des Verbs **be** *sein* und die entsprechenden Personalpronomen (*ich, du, er, sie es, wir, ihr, sie, Sie*) heißen wie folgt:

Singular	Plural
I am *ich bin*	**we are** *wir sind*
you are *du bist, Sie sind*	**you are** *ihr seid, Sie sind*
he / she / it is *er / sie / es ist*	**they are** *sie sind*

I am German. *Ich bin Deutsche(r).*
We are a team. *Wir sind eine Mannschaft.*

Im Englischen gibt es kein eigenes Pronomen für die Höflichkeitsform *Sie*. Das Pronomen **you** kann für *du, Sie* oder *ihr* stehen. Beachten Sie auch, dass das deutsche *sie* entweder **she** (Singular) oder **they** (Plural) heißen kann.
They are from other languages. *Sie (diese Wörter) kommen aus anderen Sprachen.*
She is from Germany. *Sie (Tina) kommt aus Deutschland.*

At a conference in Madrid

Bob: Hello. You must be Tina Berger from Germany.
Tina: Yes, that's right.
Bob: Nice to meet you. I'm Bob Walker from the London office.
Tina: Oh yes. Hello.
Bob: Let me introduce you to the rest of the team. This is Juan Vargas from the US office. He's from Texas, but his office is in Florida.
Juan: Hi. Nice to meet you.
Tina: And you, Juan.
Bob: Juan's boss is in New York, she's not here at the conference. And this is Sonia Walker. She's from the Toronto office. Her area is Canada.
Sonia: Hi.
Tina: So you're both Walkers. Are you related?
Sonia: No, we're not related.
Bob: Just colleagues.
Sonia: Not good friends, Bob?
Bob: Friends, too ...
Sonia: Thanks, Bob.
Bob: ... sometimes. Sonia and Juan are our two agents in North America. Their area is very big, but they're very good. They're experts ...
Juan: Thanks for those compliments, Bob.
Bob: ... sometimes.
Juan: Hey!
Sonia: Your English is very good, Tina.
Tina: Well, my mother is English.
Sonia: Oh right.
Tina: Yes. My mother's English and my father's German.
Sonia: I see. Well, welcome to the team.
Tina: Thanks.

Vocabulary

In der Rubrik **Vocabulary** *Vokabular* finden Sie den Wortschatz aus dem Einstiegstext und dem Dialog. Die normal gedruckten Wörter müssen Sie lediglich passiv verstehen. Die fett gedruckten Wörter sollten Sie besonders gut lernen, denn diese werden Sie aktiv anwenden und in den folgenden Lektionen wieder brauchen.

Is Shopping …	
is [ɪz]	*ist*
shopping [ˈʃɒpɪŋ]	*Shopping, Einkaufen*
a [ə]	*ein(e)*
German [ˈdʒɜːmən]	*Deutsch, deutsch; Deutsche(r)*
word [wɜːd]	*Wort*
computer [kəmˈpjuːtə]	*Computer*
airbag [ˈeəbæg]	*Airbag*
team [tiːm]	*Team, Mannschaft*
airport [ˈeəpɔːt]	*Flughafen*
drink [drɪŋk]	*Drink, Getränk*
this [ðɪs]	*dies, diese(r, s)*
English [ˈɪŋglɪʃ]	*Englisch, englisch; Engländer(in)*
or [ɔː]	*oder*
it [ɪt]	*es*
and [ænd]	*und*
an [ən]	*ein(e)*
too [tuː]	*auch*
has [hæz]	*hat*
many [ˈmeni]	*viele*
from *örtl.* [frɒm]	*von, aus*
often [ˈɒf(tə)n]	*oft*
name [neɪm]	*Name, Bezeichnung*
for [fɔː]	*für*
new [njuː]	*neu*
thing [θɪŋ]	*Ding, Sache*
like [laɪk]	*wie*
sometimes [ˈsʌmtaɪmz]	*manchmal*
now [naʊ]	*jetzt, nun*
two [tuː]	*zwei*
for example [fər‿ɪgˈzɑːmpl]	*zum Beispiel*
in *örtl.* [ɪn]	*in*
pair [peə]	*Paar*
these *Pl* [ðiːz]	*diese*
the [ðə]	*der, die, das*
modern [ˈmɒdn]	*modern*
but [bʌt]	*aber*
What about …? [ˈwɒt əˌbaʊt]	*Was ist mit …?*
cartoon [kɑːˈtuːn]	*Cartoon*
sofa [ˈsəʊfə]	*Sofa*
taxi [ˈtæksi]	*Taxi*
they [ðeɪ]	*sie*
are [ɑː]	*sind*
all [ɔːl]	*alle*
aren't (are not) [ɑːnt]	*sind nicht*
year [jɪə]	*Jahr*
old [əʊld]	*alt*
isn't (is not) [ˈɪznt]	*ist nicht*
other [ˈʌðə]	*andere(r, s)*
language [ˈlæŋgwɪdʒ]	*Sprache*
Italian [ɪˈtæljən]	*Italienisch, italienisch; Italiener(in)*
Arabic [ˈærəbɪk]	*Arabisch, arabisch; Araber(in)*
French [frentʃ]	*Französisch, französisch; Franzose, Französin*

kindergarten ['kɪndəgɑːtn]	*Kindergarten*
hinterland ['hɪntəlænd]	*Hinterland*
interesting ['ɪntrəstɪŋ]	*interessant*
..., isn't it? ['ɪzntɪt]	*..., nicht wahr?*

At a conference

at [æt]	*an, auf*
conference ['kɒnfrəns]	*Tagung*
hello [hə'ləʊ]	*guten Tag, hallo*
must [mʌst]	*müssen*
be [biː]	*sein*
Germany ['dʒɜːməni]	*Deutschland*
yes [jes]	*ja*
that [ðæt]	*das, jene(r, s)*
right [raɪt]	*richtig*
that's right [ˌðæts 'raɪt]	*das ist richtig, das stimmt*
nice [naɪs]	*nett, schön*
to [tə]	*zu*
meet [miːt]	*kennenlernen, treffen*
you [juː]	*du, dich, dir, Sie, Ihnen, ihr, euch*
nice to meet you [ˌnaɪs tə 'miːt ju]	*nett Sie / dich kennenzulernen*
I'm (I am) [aɪm]	*ich bin*
office ['ɒfɪs]	*Büro*
oh [əʊ]	*ach, oh*
let [let]	*lassen*
me [miː]	*mich, mir*
Let me introduce you to ... [ˌlet mɪ ˌɪntrə'djuːs juː tʊ]	*Ich mache Sie mit ... bekannt*
rest [rest]	*Rest*
of [ɒv]	*von*
US [ˌjuː'es]	*US-, amerikanisch(e)*
he's (he is) [hiːz]	*er ist*
his [hɪz]	*sein(e)*
hi [haɪ]	*hi, hallo*
boss [bɒs]	*Chef(in)*

she [ʃiː]	*sie*
here [hɪə]	*hier*
her [hɜː]	*ihr(e)*
area ['eərɪə]	*Gebiet*
Canada ['kænədə]	*Kanada*
both [bəʊθ]	*beide*
related [rɪ'leɪtɪd]	*verwandt*
we [wiː]	*wir*
we're (we are) [wɪə]	*wir sind*
not [nɒt]	*nicht*
just [dʒʌst]	*nur, einfach, gerade*
colleague ['kɒliːg]	*Kollege, Kollegin*
good [gʊd]	*gut*
friend [frend]	*Freund(in)*
thanks [θæŋks]	*danke*
our ['aʊə]	*unser(e)*
agent ['eɪdʒənt]	*Vertreter(in)*
North America [ˌnɔːθ ə'merɪkə]	*Nordamerika*
their *Pl* [ðeə]	*ihr(e)*
very ['veri]	*sehr*
big [bɪg]	*groß*
they're (they are) [ðeɪə]	*sie sind*
expert ['ekspɜːt]	*Experte, Expertin*
those *Pl* [ðəʊz]	*jene*
compliment ['kɒmplɪmənt]	*Kompliment*
Hey! [heɪ]	*He! Hallo!*
your [jʊə]	*dein(e), Ihr(e), euer(e)*
Well, ... [wel]	*Nun, ...*
my [maɪ]	*mein(e)*
mother ['mʌðə]	*Mutter*
oh right [ˌəʊ 'raɪt]	*ach so*
father ['fɑːðə]	*Vater*
I see [ˌaɪ'siː]	*hier: ich verstehe*
welcome to ... ['welkəm tʊ]	*willkommen in / bei ...*

Grammar

1. Kurzformen E 2, 3

Bestimmt haben Sie die vielen Apostrophe bemerkt: Einige sehr häufig gebrauchte Wörter werden im Englischen beim Schreiben und Sprechen verkürzt: **am** ▶ **'m**, **are** ▶ **'re**, **is** ▶ **'s**, **not** ▶ **n't**.

I am Bob Walker. ▶ **I'm** Bob Walker. *Ich bin Bob Walker.*
You are both Walkers. ▶ **You're** both Walkers. *Sie heißen beide Walker.*
He is from Texas. ▶ **He's** from Texas. *Er ist aus Texas.*
It is not a new word. ▶ **It isn't** a new word. *Es ist kein neues Wort.*

2. Die Verneinung des Verbs *be* E 4

Meistens kann man das Verb **be** auf zwei verschiedene Arten verneinen (Ausnahme: 1. Person Singular):

Singular		Plural	
I'**m not**	—	we'**re not**	we **aren't**
you'**re not**	you **aren't**	you'**re not**	you **aren't**
he'**s not**	he **isn't**	they'**re not**	they **aren't**
she'**s not**	she **isn't**		
it'**s not**	it **isn't**		

We're not / We aren't related. *Wir sind nicht verwandt.*
She's not / She isn't here at the conference. *Sie ist nicht hier auf der Tagung.*

3. Demonstrativpronomen und -adjektive E 8

Mit den Demonstrativpronomen verweisen Sie auf eine bestimmte Sache oder Person. **This** (Singular) und **these** (Plural) bezeichnen etwas räumlich oder zeitlich Näherliegendes, **that** (Singular) und **those** (Plural) etwas räumlich oder zeitlich Fernerliegendes oder etwas gerade Gesagtes.

	Näherliegendes	Fernerliegendes
Singular	**this** *dies, diese(r, s)*	**that** *das, diese(r, s) da / dort, jene(r, s)*
Plural	**these** *diese*	**those** *diese da / dort, jene*

Thanks for **those** compliments. *Danke für jene Komplimente.*

4. Personal- und Possessivpronomen *E 5, 6*

Jedem Personalpronomen entspricht ein Possessivpronomen, mit dem Sie Zugehörigkeits- oder Besitzverhältnisse ausdrücken können.

Personalpronomen		Possessivpronomen	
I	*ich*	**my**	*mein*
you	*du / Sie*	**your**	*dein / Ihr*
he	*er*	**his**	*sein*
she	*sie*	**her**	*ihr (Singular)*
it	*es*	**its**	*sein*
we	*wir*	**our**	*unser*
you	*ihr / Sie*	**your**	*euer / Ihr*
they	*sie*	**their**	*ihr (Plural)*

Bei folgenden Wörtern besteht wegen (annähernd) gleicher Aussprache Verwechslungsgefahr: **your – you're, their – they're, his – he's.**

5. Der Plural von Substantiven *E 8*

Den Plural von Substantiven bilden Sie in aller Regel durch Anhängen von **-s**. Beachten Sie dabei folgende Besonderheiten der Aussprache und Schreibweise.

Aussprache [s]	Aussprache [z]	Aussprache [ɪz]
nach stimmlosem Laut (z. B. p, t, k)	nach stimmhaftem Laut (z. B. b, d, g oder Vokal)	nach Zischlaut ([s], [ʃ], [z], [ks])
an airport ▸ two airports a drink ▸ two drinks	a word ▸ two words a taxi ▸ two taxis	an office ▸ two offices a language ▸ two languages

Schreibbesonderheit: Nach **s, sh, ch, x** wird **-es** angehängt, z. B. **a boss** ▸ **two bosses.**

6. Der Genitiv *E 7, 9*

Der Genitiv, der Ihnen vielleicht aus Schulzeiten als *2. Fall* bekannt ist, zeigt Besitz oder Zugehörigkeit an. Sie bilden ihn bei Personen durch Anhängen von -s und Apostroph. Im Singular steht der Apostroph vor dem **s**, im Plural danach. Bei Sachen verwendet man dagegen meistens den Genitiv mit **of** *von*.

	Personen	Sachen
Singular	Juan's boss *Juans Chef*	the name **of** this drink *der Name dieses Getränks*
Plural	the two agents' boss *der Chef der beiden Vertreter*	the names **of** these drinks *die Namen dieser Getränke*

Wie Sie in den Texten gesehen haben, steht **'s** in einigen Fällen für den Genitiv, in anderen für **is**. Hier besteht also Verwechslungsgefahr!
Juan**'s** boss is in New York. *Juans Chef ist in New York.*
Juan**'s** from Texas. *Juan ist aus Texas.*

Language in use

England und *Amerika*

Oft spricht man von *England* oder *Amerika*, meint aber *Großbritannien* oder die *Vereinigten Staaten*. Engländer bezeichnen ihre Heimat zwar als **England**, Schotten, Iren und Waliser die ihre jedoch als **Scotland**, **Ireland** und **Wales**. Neutrale Ausdrücke, mit denen man keine Sensibilitäten verletzt, sind **Britain** *Großbritannien* und **the UK** *das Vereinigte Königreich*. Amerikaner und Amerikanerinnen bezeichnen ihre Heimat als **the US, the USA** oder **the (United) States**.

False friends

Vorsicht: Viele Wörter, die im Englischen so aussehen wie im Deutschen, werden dort anders gebraucht. Zum Beispiel *Handy*. Ein Mobiltelefon heißt im Englischen nicht **handy**, sondern **mobile phone** oder **cell phone**. Das englische Wort **handy** gibt es zwar auch, aber nur als Adjektiv mit der Bedeutung *praktisch, griffbereit*. Solche Wortpaare heißen **false friends** *falsche Freunde*, weil sie in die Irre führen. In der Rubrik **Language in use** *Sprachgebrauch* machen wir Sie auch in den späteren Lektionen auf solche Sprachfallen aufmerksam.

Anrede

Im Gegensatz zum Deutschen wird im Englischen kein Unterschied zwischen *Sie* und *du* gemacht: In beiden Fällen verwenden Sie einfach **you**. Das erleichtert den Umgang mit Menschen, denen Sie neu begegnen.

Personenbezeichnungen

Wie Sie vielleicht gemerkt haben, gibt es im Englischen oft keinen Unterschied zwischen weiblichen und männlichen Personenbezeichnungen. So kann **expert** entweder *Experte* oder *Expertin* heißen, **boss** *Chef* oder *Chefin*. Welches Geschlecht gemeint ist, wird erst aus dem Zusammenhang klar.
Juan's **boss** is in New York, she's not here. *Juans Chefin ist in New York, sie ist nicht hier.*
She's / He's **German**. *Er / Sie ist Deutsche(r).*

Idiomatik

Wort-für-Wort-Übersetzungen vom Englischen ins Deutsche und umgekehrt sind häufig nicht möglich. Beide Sprachen haben ihre eigene Art und Weise, bestimmte Sachverhalte auszudrücken. Das nennt man Idiomatik. Hier zwei Beispiele:
It isn't a new word. *Es ist kein neues Wort (wörtl. Es ist nicht ein neues Wort).*
Taxi is from French. *Taxi kommt aus dem Französischen (wörtl. Taxi ist aus Französisch).*

Tipp: Merken Sie sich am besten ganze Ausdrücke.

Useful expressions

Verwandte und Freunde

mother	*Mutter*	parents	*Eltern*
father	*Vater*	child, children	*Kind, Kinder*
brother	*Bruder*	husband	*(Ehe-)Mann*
sister	*Schwester*	wife	*(Ehe-)Frau*
son	*Sohn*	partner	*Partner(in)*
daughter	*Tochter*	friend	*Freund(in)*

Land		**Sprache**	**Nationalität**
Germany	*Deutschland*	German	German
Austria	*Österreich*	(Austrian) German	Austrian
Switzerland	*Schweiz*	(Swiss) German	Swiss
England	*England*	English	English
America	*Amerika*	(American) English	American
Canada	*Kanada*	(Canadian) English	Canadian
Australia	*Australien*	(Australian) English	Australian
France	*Frankreich*	French	French
Spain	*Spanien*	Spanish	Spanish
Italy	*Italien*	Italian	Italian

Sprachen und Nationalitätsadjektive werden immer großgeschrieben.

i Menschen aus der englischsprachigen Welt sprechen sich häufig gleich mit dem Vornamen an, auch wenn sie sich gerade erst kennengelernt haben. Dies ist auch im Berufsleben, z. B. in E-Mails, üblich. Dennoch gibt es viele Möglichkeiten der Nuancierung, die Sie im Laufe der Zeit kennenlernen werden.

Exercises

1 Woher kommt das Wort? Bilden Sie einen Satz mit **a** oder **an** wie im Beispiel.

1. Shopping ... *That's an English word.*
2. Cartoon ... *That's* .... *word.*
3. Airbag ... *That's* ....
4. Sofa ....
5. Taxi ....
6. Kindergarten ....

2 Ergänzen Sie alle Kurzformen, die möglich sind.

1. they are not ... *they're not* ... *they aren't*
2. we are not ....
3. that is not ....
4. he is not ....
5. you are not ....
6. I am not ....

3 Ergänzen Sie im folgenden Gespräch die Kurz- oder Langformen von **be**. In einigen Fällen ist beides möglich.

- Hello, my name .... Richard.
- And I .... Karin.
- .... you German, Karin?
- No, I .... Austrian, from Salzburg.
- That .... a nice city.

4 Machen Sie Aussagen über sich mit **I'm** oder **I'm not**. Verwenden Sie dabei die Wörter aus dem Kasten.

Austrian	from North Germany	in my office now	
nice	the boss	an expert in English	

I'm ....

....

....

5 Welche Sätze passen zusammen? Ordnen Sie zu.

1. Tony and I are colleagues.
2. Sally's not a colleague.
3. My mother and father aren't here.
4. The taxi is here.
5. My husband is Italian.
6. I'm from the States.

a. It's a Rolls Royce!
b. They're in Canada now.
c. She's my boss.
d. We're a good team.
e. My parents are both from San Francisco.
f. He's a computer expert.

6 Welcher der *kursiv* gedruckten Ausdrücke ist richtig? Streichen Sie den anderen durch.

1. Tina is German. *He's / She's* from Hamburg.
2. Sonia is not in *her / their* office. *She's / They're* at a conference in Madrid.
3. Juan and *he's / his* colleague Sonia are the agents for North America. *Their / They're* very good. *Their / They're* boss is American.
4. Juan and Sonia *are / is* good colleagues.
5. Tina and *her / their* parents are often in England.
6. Are *you / she* here for the conference?

7 Schreiben Sie den folgenden Text ab. Ersetzen Sie **'s** durch **is** dort, wo dies möglich ist.

Tina's not in her office. Tina's in Spain at a conference. Tina's conference is in Madrid. Tina's new colleagues are Bob, Sonia and Juan. Tina's mother's German.

....

....

....

8 Bilden Sie den Plural. Achten Sie auf die Demonstrativpronomen.

1. This computer is from Italy. *These computers are from Italy.*
2. This office is very modern. ....
3. That sofa is very big. ....
4. The taxi is old. ....
5. Our child is at kindergarten. ....
6. The cartoon is good. ....

9 Schreiben Sie das Wort in Klammern als Genitiv mit Apostroph.

1. My .... (friend) name is Bernd.
2. My .... (friends) names are Juliane and Gerd.
3. The .... (bosses) offices are not very big.
4. Is that your .... (husband) colleague?
5. Tony and Sheila are my .... (parents) English friends.
6. Our American .... (agent) name is Bell.

10 Welche englischen Wörter kennen Sie schon? Denken Sie an die unten genannten Bereiche, dann fallen Ihnen bestimmt ein paar ein!

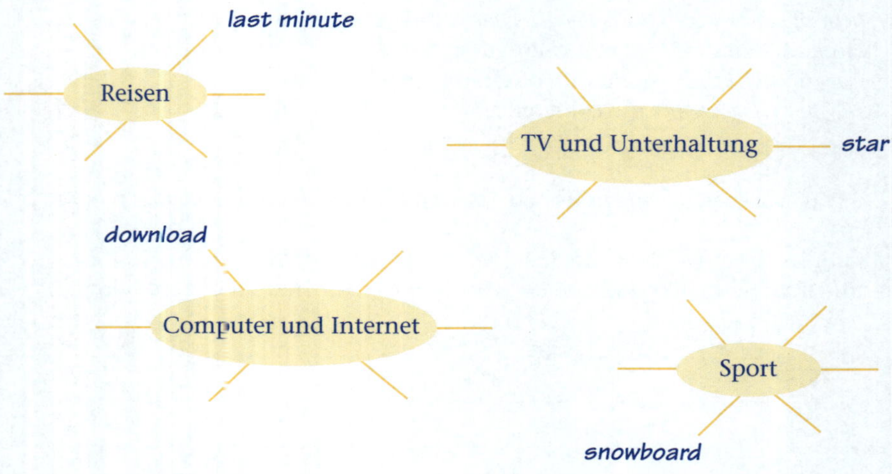

In dieser Lektion erfahren Sie:

- wie Sie Ihre **Telefonnummer** und **Adresse** angeben
- wie Sie **buchstabieren, nachfragen** und sich **entschuldigen**
- wie Sie von **0 bis 1000** zählen
- etwas über Fragen und Kurzantworten mit **be**
- etwas über Fragen mit **can, what** und **where**

Unit 2

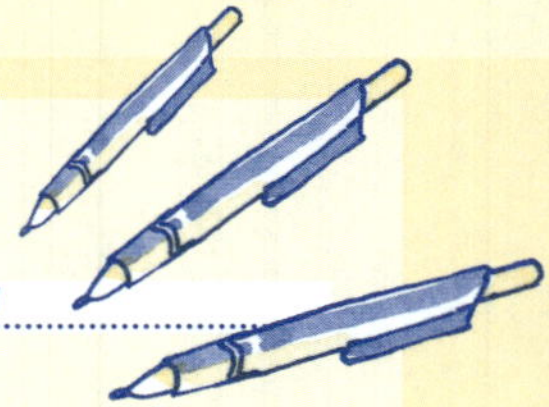

Registration form
Brown's Training Institute

Surname	*Berger*	**Course number**	*JT 701*
First name(s)	*Tina Anette*		
Nationality	*German*	**Phone number(s)**	
Address		country code	*+49*
street	*Zuckerstraße 157*	area code	*(0)30*
town / city	*Berlin*	number	*9820156*
postcode	*14783*	mobile	*0178-55662281*
country	*Germany*	**Email**	*Tinberger@tronline.de*

For our statistics

Age	☐ under 30	☐ 30–40	☐ 40–50	☐ over 50
Sex	☐ male	☐ female		
Marital status	☐ single	☐ married	☐ divorced	

Anmeldeformular
Weiterbildungsinstitut Brown

Familienname	*Berger*	**Kursnummer**	*JT 701*
Vorname(n)	*Tina Anette*		
Nationalität	*deutsch*	**Telefonnummer(n)**	
Adresse		Landesvorwahl	*+49*
Straße	*Zuckerstraße 157*	Vorwahl	*(0)30*
Stadt	*Berlin*	Rufnummer	*9820156*
Postleitzahl	*14783*	Handy	*0178-55662281*
Land	*Deutschland*	**E-Mail**	*Tinberger@tronline.de*

Für unsere Statistik

Alter	☐ unter 30	☐ 30–40	☐ 40–50	☐ über 50
Geschlecht	☐ männlich	☐ weiblich		
Familienstand	☐ alleinstehend	☐ verheiratet	☐ geschieden	

What's new? E 3, 4, 5

Ob Sie nach Ihrem Alter gefragt werden oder Ihre Hausnummer angeben möchten, die Zahlen brauchen Sie immer wieder.

1	one	16	sixteen	70	seventy
2	two	17	seventeen	80	eighty
3	three	18	eighteen	90	ninety
4	four	19	nineteen	100	a / one hundred
5	five	20	twenty	101	a / one hundred and one
6	six	21	twenty-one	102	a / one hundred and two
7	seven	22	twenty-two	...	
8	eight	23	twenty-three	110	a / one hundred and ten
9	nine	...		...	
10	ten	30	thirty	199	a / one hundred and ninety-nine
11	eleven	31	thirty-one	200	two hundred
12	twelve	...		201	two hundred and one
13	thirteen	40	forty	...	
14	fourteen	50	fifty	999	nine hundred and ninety-nine
15	fifteen	60	sixty	1000	a / one thousand

Die Null heißt in Telefonnummern **oh** oder **zero** ['zɪərəʊ], in mathematischen Zusammenhängen **nought** [nɔːt] oder **zero**.

Die Schreibweise der folgenden Zahlen ist tückisch. Die „Zehner" haben zwar mit den „Einern" zu tun, werden aber anders geschrieben:

three	thi**r**teen	thi**r**ty	five	fi**f**teen	fi**f**ty
four	fourteen	forty	eight	eigh**t**een	eigh**t**y

Tipp: Wenn Sie unterwegs sind und Hausnummern, Preise oder Busnummern sehen, dann üben Sie die englischen Zahlen, indem Sie sie leise vor sich hin sprechen. Sie werden erstaunt sein, wie schnell sie sich Ihnen auf diese Weise einprägen.

A phone call

Tina Berger registers for a seminar at Brown's Training Institute.

Man: Can I have your name and address, please?
Tina: The name's Tina Berger.
Man: Burger, as in 'Burger King'?
Tina: No, with an 'e': B E R G E R.
Man: Are you German?
Tina: Yes, I am.
Man: And are you a Hamburger?
Tina: Sorry?
Man: Are you from Hamburg?
Tina: No, I'm not. Why?
Man: You know: burgers, Hamburger, Hamburg – sorry, it's not very funny. So where are you from?

Tina: I'm a doughnut.
Man: Sorry?
Tina: I'm a Berliner – I'm from Berlin. In German, 'Berliner' is the word for a doughnut.
Man: Oh right. And what's your address, please? In Doughnut Town.
Tina: Zuckerstraße…
Man: Oh, can you spell that, please.
Tina: Sure. Z U C K E R and then Straße.
Man: That's S T R A S S E, right?
Tina: Yes. That's Sugar Street.

Man: Sugar Street in Doughnut Town. And are they all sweet in your street?
Tina: No, they aren't.
Man: I'm sorry. And what's the number, please?
Tina: A hundred and fifty-seven.
Man: One five seven. Thanks. And what's the postcode?
Tina: 14783.
Man: One, four, seven, eight, three. OK, I've got all that, thank you. Have a nice day now.
Tina: Goodbye.
Man: Bye.

Vocabulary

Registration form	
form [fɔːm]	*Formular*
registration ['redʒɪstreɪʃən]	*Anmeldung*
Brown [braʊn]	*(Eigenname)*
training institute ['treɪnɪŋ ˌɪnstɪtjuːt]	*Weiterbildungs-institut*
surname ['sɜːneɪm]	*Familienname*
first [fɜːst]	*erste(r)*
first name ['fɜːst neɪm]	*Vorname*
nationality [ˌnæʃə'næləti]	*Staatsbürger-schaft*
address [ə'dres]	*Adresse*
street [striːt]	*Straße*
town [taʊn]	*Stadt*
city ['sɪti]	*(Groß-)Stadt*
postcode *BE* ['pəʊstkəʊd]	*Postleitzahl*
country ['kʌntri]	*Land*
number ['nʌmbə]	*Nummer*
course number ['kɔːs ˌnʌmbə]	*Kursnummer*
phone number ['fəʊn ˌnʌmbə]	*Telefonnummer*
(area) code ['eəri‿ə ˌkəʊd]	*Vorwahl*
email ['iːmeɪl]	*E-Mail*
statistics [stə'tɪstɪks]	*Statistik*
age [eɪdʒ]	*Alter*
under ['ʌndə]	*unter*
over ['əʊvə]	*über*
sex [seks]	*Geschlecht*
male [meɪl]	*männlich*
female ['fiːmeɪl]	*weiblich*
marital status [ˌmærɪtl 'steɪtəs]	*Familienstand*
single ['sɪŋgl]	*alleinstehend*
married ['mærɪd]	*verheiratet*
divorced [dɪ'vɔːst]	*geschieden*
A phone call	
phone call ['fəʊnkɔːl]	*Telefongespräch*

registers ['redʒɪstəz]	*meldet sich an*
seminar ['semɪnɑː]	*Seminar*
can [kæn]	*können*
have [hæv]	*haben*
please [pliːz]	*bitte*
as [æz]	*wie*
with [wɪð]	*mit*
(ham)burger [('hæm)bɜːgə]	*Hamburger, Frikadelle*
Hamburger ['hæmbɜːgə]	*Hamburger(in)*
why? [waɪ]	*warum?*
know [nəʊ]	*wissen*
sorry? ['sɒri]	*wie bitte?*
I'm sorry. [aɪm 'sɒri]	*Entschuldigung. Tut mir Leid.*
funny ['fʌni]	*lustig, komisch*
so [səʊ]	*also, daher*
where? [weə]	*wo? woher?*
Where are you from? [ˌweər‿ə ju 'frɒm]	*Woher kommen Sie?*
doughnut ['dəʊnʌt]	*Berliner, Krapfen*
Berliner [bɜː'lɪnə]	*Berliner(in)*
in German [ɪn 'dʒɜːmən]	*auf Deutsch*
what? [wɒt]	*was?*
What's your address? [ˌwɒts jʊər‿ə'dres]	*Wie ist Ihre Adresse?*
spell [spel]	*buchstabieren*
sure [ʃʊə]	*sicher, gewiss*
then [ðen]	*dann*
sugar ['ʃʊgə]	*Zucker*
sweet [swiːt]	*süß*
OK [əʊ'keɪ]	*OK, in Ordnung*
I've got all that. [aɪv 'gɒt ɔːl ˌðæt]	*Das habe ich alles.*
thank you ['θæŋk ju]	*danke schön*
day [deɪ]	*Tag*
Have a nice day. [ˌhæv ə naɪs 'deɪ]	*Schönen Tag (noch)!*
goodbye [gʊd'baɪ]	*auf Wiedersehen*
bye [baɪ]	*tschüs, auf Wiedersehen*

Grammar

1. Fragen und Kurzantworten mit *be* E 6, 7

Fragen mit **be** stellen keine besondere Schwierigkeit dar: Man bildet sie wie im Deutschen durch Umkehrung von Subjekt und Verb.

Etwas gewöhnungsbedürftiger sind die sogenannten Kurzantworten, in denen das Verb aus der Frage noch einmal wiederholt wird. Sie sind eine Eigenart des Englischen. Während ein schlichtes **yes** oder **no** ohne die richtige Intonation leicht abrupt wirken kann, sind Sie mit einer ausformulierten Kurzantwort immer auf der sicheren Seite: Ihre Antwort wirkt freundlich und höflich.

Frage	Kurzantworten	
Am I good?	Yes, I **am**.	No, I'**m not**.
Are you German?	Yes, you **are**.	No, you **aren't**. / No, you'**re not**.
Is he English?	Yes, he **is**.	No, he **isn't**. / No, he'**s not**.
Is she your boss?	Yes, she **is**.	No, she **isn't**. / No, she'**s not**.
Is it funny?	Yes, it **is**.	No, it **isn't**. / No, it'**s not**.
Are we the first?	Yes, we **are**.	No, we **aren't**. / No, we'**re not**.
Are you both from here?	Yes, you **are**.	No, you **aren't**. / No, you'**re not**.
Are they experts?	Yes, they **are**.	No, they **aren't**. / No, they'**re not**.

2. Fragen mit *can* E 9

Mit **can** *können* können Sie viele Bitten ausdrücken. Sie bilden sie ähnlich wie im Deutschen: Zuerst kommt das Modalverb **can**, dann das Subjekt (z. B. **you**) und dann das Vollverb (z. B. **spell** *buchstabieren*).
Can you spell that, please? *Können Sie das bitte buchstabieren?*
Can I have your address, please? *Kann ich bitte Ihre Adresse haben?*

3. Fragen mit *what* und *where* E 8, 10

Mit **what?** *was? / wie?* und **where?** *wo? / woher?* können Sie nach einer Sache bzw. nach einem Ort, einer Richtung oder nach der Herkunft fragen:
What's your address? *Wie ist Ihre Adresse?*
Where is he? *Wo ist er?*
Where are you from? *Woher kommen Sie? / Wo sind Sie her?*

Beachten Sie, dass die Präposition **from** bei **Where are you from?** am Ende steht.

4. Das Alphabet E 10

A [eɪ]	B [biː]	C [siː]	D [diː]	E [iː]	F [ef]	G [dʒiː]
H [eɪtʃ]	I [aɪ]	J [dʒeɪ]	K [keɪ]	L [el]	M [em]	N [en]
O [əʊ]	P [piː]	Q [kjuː]	R [ɑː]	S [es]	T [tiː]	U [juː]
V [viː]	W ['dʌbljuː]	X [eks]	Y [waɪ]	Z [zed]		

Beachten Sie: Die Vokale **e, i** und **a** können zu Missverständnissen führen:
- **e** spricht man im Englischen [iː]: langes **i** wie in *nie*
- **i** spricht man im Englischen [aɪ]: **ai** wie in *Mai*
- **a** spricht man im Englischen [eɪ]: ähnlich wie **äi** in *Trainer*

Das Buchstabenpaar **v** und **w** stellt eine weitere Sprachfalle dar. **V** spricht man im Englischen [viː], **w** ['dʌbljuː]. Diesen ulkigen Namen kann man nachvollziehen, wenn man sich ein handschriftliches *W* vorstellt, das aus zwei U-Bögen, also einem doppelten U zusammengesetzt ist.

Die Buchstaben **ä**, **ö** und **ü** gibt es im Englischen nicht. Man kann sie mit **a / o / u umlaut** buchstabieren, aber nicht jeder englische Muttersprachler weiß, was ein Umlaut ist. Dieses Problem können Sie mit einer Umschreibung, z. B. **a with two dots** *a mit zwei Pünktchen*, umgehen. Auch den Buchstaben **ß** gibt es im Englischen nicht, machen Sie daraus einfach **double s**.

geschrieben	gesprochen
A, H, J, K	mit [eɪ]
B, C, D, E, G, P, T, V	mit [iː]
F, L, M, N, S	mit [e]
I, Y	mit [aɪ]
Q, U, W	mit [uː]

geschrieben	gesprochen
ss	double s
ü	u umlaut, u with two dots
A	capital A *großes A*
a	small a *kleines a*

Language in use

Sich entschuldigen E 11

Die richtige Art sich zu entschuldigen ist wichtig. Verwenden Sie dafür **sorry** *tut mir leid* oder – besonders im Amerikanischen – **excuse me** *Entschuldigung*.

Nachfragen E 9

Die beiden oben genannten Ausdrücke sind auch dann nützlich, wenn Sie etwas nicht verstanden haben und nachfragen wollen. Sie können aber auch eine Frage mit **can** oder der höflicheren Variante **could** *könnten* stellen:
Sorry? / Excuse me? *Wie bitte?*
I'm sorry, I don't understand. *Es tut mir leid, ich verstehe (Sie) nicht.*
Can you say that again, please? *Können Sie das bitte noch einmal sagen?*
Could you repeat that, please? *Könnten Sie das bitte wiederholen?*
Could you speak a little more slowly, please? *Könnten Sie bitte ein bisschen langsamer sprechen?*

Telefonnummern E 4

Bei Telefonnummern wird jede Ziffer einzeln gesprochen, es sei denn, eine Ziffer kommt doppelt vor. Die Zahlen werden beim Sprechen meist zu Dreier- oder Vierergruppen verbunden, danach kommt eine Sprechpause. Die Telefonnummer 3796003 würden Sie zum Beispiel so aussprechen:
three seven nine – Pause – **six double oh three**.

E-Mail-Adressen E 4

Die folgenden Symbole, die Ihnen in E-Mail-Adressen immer wieder begegnen, sprechen Sie so aus:

@ **at** *wörtlich: bei*
. **dot** [dɒt] *Punkt*
- **minus** ['maɪnəs] *Minus* oder **hyphen** ['haɪfən] *Bindestrich*
_ **underscore** ['ʌndəskɔː] *Unterstrich*

geschrieben	gesprochen
Tony.Weber@tel-online.de	Tony dot Weber at tel minus online dot D E Tony dot Weber at tel hyphen online dot D E
Anna_Goldmund@gmd.de	Anna underscore Goldmund at G M D dot D E

Wenn Sie darauf hinweisen wollen, dass mehrere Buchstaben oder Vor- und Nachname zusammengeschrieben werden, so sagen Sie **all in one word** *alles in einem Wort.*

2

Useful expressions E9

Persönliche Angaben	
date	*Datum*
date of birth	*Geburtsdatum*
place	*Ort, Platz*
place of birth	*Geburtsort*
birth / marriage certificate	*Geburts- / Heiratsurkunde*
maiden name	*Geburtsname*
passport number	*Passnummer*
identity card	*(Personal-) Ausweis*
insurance number	*Versicherungs-nummer*

i Im Deutschen kann man höflich sein, ohne ständig bitte und danke sagen zu müssen. Im Englischen ist das etwas anders. Wenn Sie nicht unangenehm auffallen wollen, achten Sie darauf, dass Sie Bitten immer mit **please** verbinden und sich auch für Kleinigkeiten freundlich bedanken.

Exercises

1 Ordnen Sie die Begriffe ein.

birth certificate city country divorced first ✔ identity card maiden married passport postcode single street sur- town

address: ....

marital status: ....

name: *first* ....

documents: ....

2 In diesem Gitternetz sind (waagerecht und senkrecht) zehn englische Wörter versteckt. Welche?

A	A	P	L	E	A	S	E	C
K	B	H	G	S	D	T	A	V
O	P	O	S	T	C	O	D	E
J	X	N	I	R	I	W	D	M
E	O	E	E	E	T	N	R	A
Z	C	O	D	E	Y	E	E	I
C	O	U	N	T	R	Y	S	L
Q	U	G	R	P	L	R	S	P

3 **a.** Schreiben Sie die Zahlen als Ziffern.

1. fifty-eight ....
2. a hundred and twenty-nine ....
3. six hundred and seventy-six ....
4. two thousand seven hundred and forty-three ....

b. Schreiben Sie die Ziffern in Worten.

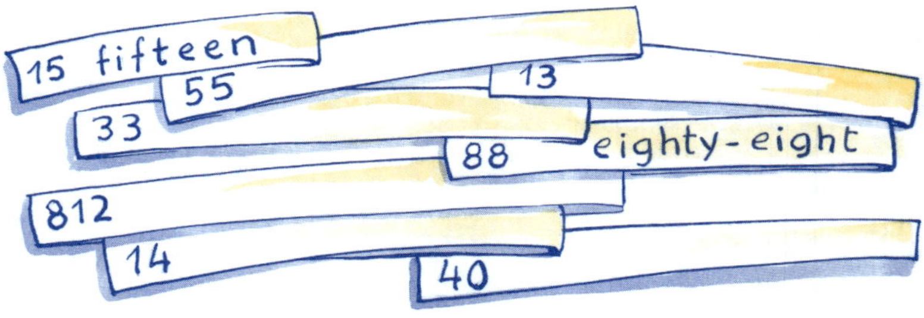

4 **a.** Wie würde man die folgende Telefonnummer angeben?

1. ☐ oh three oh two seven six four five two double nine
2. ☐ zero three zero two six seven five four two nine nine
3. ☐ zero three zero two seven six five four two double nine
4. ☐ oh three oh twenty-seven sixty-five forty-two ninety-nine

b. Wie sagen Sie diese E-Mail-Adressen?

1. Bradandteam@newnet.uk
2. mike_farrell@allhome.co.uk
3. nancy.turner@interweb.com

c. Und jetzt sind Sie dran:

Wie sagen Sie Ihre Telefonnummer (Festnetz)?

....

Wie sprechen Sie Ihre eigene E-Mail-Adresse aus?

....

5 Sie sind in London und müssen verschiedene Zahlen oder Nummern erfragen bzw. diese angeben. Stellen Sie sich folgende Situationen vor und schreiben Sie die passenden Antworten in die Lücken.

1. Am Hotelempfang bitten Sie um Ihren Zimmerschlüssel. Sie haben Zimmer 79.

   ....*, please.*

2. Jemand will wissen, wie alt Sie sind.

   I'm ....

3. Auf der Straße suchen Sie das Haus Nummer 182, finden es aber nicht. Sie fragen einen Passanten.

   Excuse me, where is number ....*?*

4. Ein Fremder möchte wissen, welcher Bus zum Flughafen fährt. Es ist die Nummer 674.

   It's number ....

5. Jemand fragt Sie nach der Vorwahl für Deutschland. Sie lautet 0049.

   It's ....

6. Jemand fragt Sie nach Ihrer Handynummer.

   It's ....

6 Welche Sätze passen zusammen? Ordnen Sie zu.

1. Is your husband German, too?
2. Is this the right street?
3. Are you married?
4. Are your colleagues here with you?
5. Is your boss here?
6. Is that your office email?

a. Yes, they are.
b. No, I'm not. You?
c. Yes, it is.
d. No, she isn't.
e. No, he isn't. He's Italian.
f. No, it isn't. This is Green Street.

7 Beantworten Sie diese Fragen für sich – mit einer Kurzantwort.

1. Are you German? ....
2. Are you from the north? ....
3. Is your wife / husband / partner with you now? ....
4. Are all your friends German? ....
5. Is 030 the code for Berlin? ....
6. Are you married? ....

8 Julie Simpson gibt einem Geschäftspartner ihre persönlichen Daten durch. Ergänzen Sie die Fragen und verwenden Sie dabei **what**.

- ...., please? ● It's Julie.
- And ....? ● It's Simpson.
- ....? ● It's Julie.Simpson@brent.co.uk.
- And ....? ● It's 01462-329158.
- Could you repeat that, please? ● Yes, it's 01462-329158. ● Thanks.

9 Formulieren Sie Bitten mit **can**.

1. surname / your / I / have / can / please

....

2. introduce / can / you / my / boss / I / to

....

3. airport / can / the / meet / please / you / me / at

....

4. drink / I / please / a / have / can

....

5. for / please / can / word / me / spell / you / that

....

6. again / please / of / say / name / the / the / street / you / can

....

10 **a.** Welche Buchstaben klingen ähnlich? Sortieren Sie sie in drei Gruppen.

A B C D E F G H J K L M N P S T V

A	....	....	....	....	....	....	....
B	....	....	....	....	....	....	....
F	....	....	....	....	....	....	....

b. Antworten Sie laut auf die folgenden Fragen, indem Sie buchstabieren.

1. What's your first name? Can you spell it, please?
2. And can you spell your surname, too, please?
3. Sorry, what's the name of your street? Can you spell it, please?
4. Sorry, what town? I don't understand. Can you spell the name?

11 Ordnen Sie die deutschen Beschreibungen den englischen Sätzen zu.

1. *Sie bitten jemanden langsamer zu sprechen.*
2. *Sie sagen, dass Sie etwas nicht verstehen.*
3. *Sie bitten jemanden etwas zu buchstabieren.*
4. *Sie bitten jemanden etwas zu wiederholen.*
5. *Sie entschuldigen sich.*

a. Excuse me, please.
b. I'm sorry, I don't understand.
c. Could you speak a little more slowly, please?
d. Can you spell that, please?
e. Could you repeat that, please?

In dieser Lektion lernen Sie:

- eine **Postkarte** zu schreiben
- nach dem **Weg** zu fragen
- die Ausdrücke **there is** und **there are**
- **much, many** und **a lot of**
- den **Imperativ** und seine Verneinung
- Präpositionen des **Ortes**
- das Stützwort **one**

Unit 3

A postcard

Eine Postkarte

Dear Bob,
Hello from Scotland. We're on the west coast, two miles north of Ullapool (good shops, pubs and restaurants). Our B & B is wonderful – the food is excellent, and there's a fantastic view from our bedroom. There's a (very) small beach at the end of the garden, and there are a lot of good walks, along the coast and inland. There aren't many other tourists at this time of year, so there isn't much traffic. It's heaven!
See you soon,
Best wishes,
Kate & William

Mr Bob Walker
17 Brands Avenue
London
NW 12 6NP

Lieber Bob,
hallo aus Schottland. Wir sind an der Westküste, zwei Meilen nördlich von Ullapool (gute Geschäfte, Kneipen und Restaurants). Unsere Frühstückspension ist wunderbar – das Essen ist ausgezeichnet, und die Aussicht von unserem Schlafzimmer ist fantastisch. Es gibt einen (sehr) kleinen Strand am Ende des Gartens und viele gute Wanderwege entlang der Küste und ins Landesinnere. Es gibt nicht viele andere Touristen zu dieser Jahreszeit, also gibt es nicht viel Verkehr. Es ist himmlisch!
Bis bald,
Schöne Grüße
Kate & William

Mr Bob Walker
17 Brands Avenue
London
NW 12 6NP

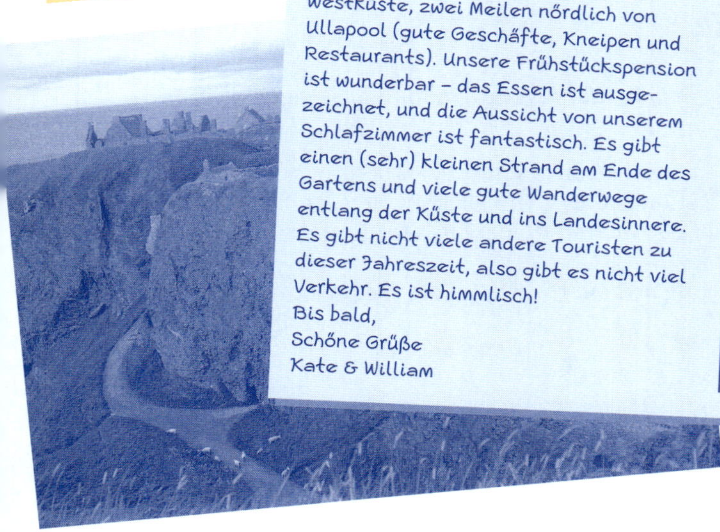

What's new? *E 2, 3, 5, 6*

Kate und William beschreiben, was es an ihrem Urlaubsort gibt und was nicht. Dazu verwenden sie die Wendung **there is / there are**.

	Aussage	Verneinung
Singular	**There's** a fantastic view.	**There isn't** much traffic.
Plural	**There are** good walks.	**There aren't** many tourists.

Fragen und Kurzantworten mit **there is / are** bilden Sie wie beim Verb **be**.

	Frage	Kurzantworten	
Singular	**Is there** a beach?	Yes, **there is**.	No, **there isn't**.
Plural	**Are there** good walks?	Yes, **there are**.	No, **there aren't**.

In dem Postkartentext finden sich auch nützliche Mengenangaben:
- Singular: There isn't **much** traffic. *Es gibt nicht viel Verkehr.*
- Plural: There aren't **many** other tourists. *Es gibt nicht viele andere Touristen.*

Ist Ihnen aufgefallen, dass es sich bei beiden Beispielen um verneinte Sätze handelt? **Much** *viel* und **many** *viele* verwendet man vorwiegend in verneinten Sätzen und in Fragen, wobei **much** vor Wörtern im Singular und **many** vor Wörtern im Plural steht. Als Allround-Ausdruck merken Sie sich **a lot of**: Er kann in bejahten und verneinten Sätzen sowie in Fragen stehen, und zwar im Singular und im Plural:
- Singular: There's **a lot of** traffic. *Es gibt viel Verkehr.*
- Plural: There are **a lot of** good walks. *Es gibt viele gute Wanderwege.*

In the street

Bob Walker is on his way from his flat in London to the underground station.

10.18, outside the bank
Tourist 1: Excuse me. Is there a chemist's near here?
Bob: A chemist's? Let me see. Yes, you go along here, and there's one on the left after about 200 metres. It's next to a big supermarket. Before the supermarket.
Tourist 1: 200 metres along here on the left, before the supermarket.
Bob: That's right. You can't miss it.
Tourist 1: Thanks.
Bob: No problem.

10.21, near the sports centre

Tourist 2:	Excuse me. Can you tell me the way to the Walton Hotel?
Bob:	The Walton Hotel?
Tourist 2:	Yes.
Bob:	OK. Go along here and take the first street on the left.
Tourist 2:	First street on the left.
Bob:	That's right. It's along there on the right, after the park. Opposite the post office.
Tourist 2:	So, first left, then along there on the right, opposite the post office.
Bob:	That's it.
Tourist 2:	Thank you.
Bob:	You're welcome.

10.23, at the traffic lights

Tourist 3:	Excuse me. Is this Cumberland Street?
Bob:	No. Turn right here into Grove Road. Cumberland Street is along there on the left.
Tourist 3:	Thanks.

10.24, in front of the church

Tourist 4:	Excuse me, is this the way to ...
Bob:	(to himself) Not another tourist! (to the tourist) Sorry, I'm a stranger here myself.

10.25, at the entrance to the underground station

Tourist 5:	Excuse me, ...
Bob:	Carry straight on, 25 miles. Don't stop. Then ask again.
Tourist 5:	Sorry?

Vocabulary

A postcard

postcard ['pəʊstkɑːd]	*Postkarte*
Dear ... [dɪə]	*Liebe(r) ...*
on *örtl.* [ɒn]	*an, auf*
west [west]	*West-, Westen*
coast [kəʊst]	*Küste*
mile [maɪl]	*Meile*
shop [ʃɒp]	*Laden, Geschäft*
pub [pʌb]	*Kneipe*
restaurant ['restrɒnt]	*Restaurant*
B&B (bed-and-breakfast) [ˌbiːən'biː (ˌbed‿n 'brekfəst)]	*Frühstückspension*
wonderful ['wʌndəfʊl]	*wunderbar*
food [fuːd]	*Essen*
excellent ['eksələnt]	*ausgezeichnet*
there is / are [ðeər‿'ɪz / 'ɑː]	*es gibt*

fantastic [fæn'tæstɪk]	*fantastisch*
view [vjuː]	*Aussicht, Ausblick*
bedroom ['bedruːm]	*Schlafzimmer*
beach [biːtʃ]	*Strand*
end [end]	*Ende*
garden ['gɑːdn]	*Garten*
a lot of [ə 'lɒt‿əv]	*viel(e)*
walk [wɔːk]	*Spaziergang, Wanderweg*
along [ə'lɒŋ]	*entlang*
inland [ɪn'lænd]	*hier: ins Landesinnere, im Landesinneren*
tourist ['tʊərɪst]	*Tourist(in)*
time [taɪm]	*Zeit*
at this time of year [æt 'ðɪs ˌtaɪm əv ˌjɪə]	*zu dieser Jahreszeit*
much [mʌtʃ]	*viel*
traffic ['træfɪk]	*Verkehr*
heaven ['hevn]	*Himmel*
It's heaven! [ɪts 'hevn]	*Es ist himmlisch!*
see you soon [siː ju 'suːn]	*bis bald*
best wishes [ˌbest 'wɪʃɪz]	*beste / schöne Grüße*

In the street

in the street [ɪn ðə 'striːt]	*auf der Straße*
way [weɪ]	*Weg*
flat *BE* [flæt]	*Wohnung*
underground station *BE* ['ʌndəgraʊnd ˌsteɪʃn]	*U-Bahnhof*
outside ['aʊtsaɪd]	*(draußen) vor*
bank [bæŋk]	*Bank*
chemist's ['kemɪsts]	*Apotheke*
near [nɪə]	*in der Nähe von*
Let me see. [ˌlet mi 'siː]	*Lassen Sie mich mal sehen / nachdenken.*
go [gəʊ]	*gehen, fahren*
there's one ['ðeəz wʌn]	*es gibt eine(n)*
left [left]	*links*
on the left [ɒn ðə 'left]	*links, auf der linken Seite*
after ['ɑːftə]	*nach*
about [ə'baʊt]	*etwa, ungefähr*
metre *BE*, **meter** *AE* ['miːtə]	*Meter*
next to ['nekst tʊ]	*neben*
supermarket ['suːpəmɑːkɪt]	*Supermarkt*
before [bɪ'fɔː]	*vor*
miss [mɪs]	*verfehlen*
You can't miss it. [ju ˌkɑːnt 'mɪs ɪt]	*Sie können sie / es nicht verfehlen.*
can't (cannot) [kɑːnt]	*nicht können*
no problem [ˌnəʊ 'prɒbləm]	*kein Problem*
sports centre ['spɔːts ˌsentə]	*Sportzentrum*
centre *BE*, **center** *AE* ['sentə]	*Zentrum*
tell [tel]	*sagen, erzählen*
hotel [həʊ'tel]	*Hotel*
take [teɪk]	*nehmen*
there [ðeə]	*dort, da*
right [raɪt]	*rechts*
on the right [ɒn ðə 'raɪt]	*rechts, auf der rechten Seite*
park [pɑːk]	*Park*
opposite ['ɒpəzɪt]	*gegenüber*
post office ['pəʊstˌɒfɪs]	*Post(amt)*
That's it! ['ðæts ɪt]	*Genau!*
you're welcome [jʊə 'welkəm]	*bitte (schön), gern geschehen*
traffic lights ['træfɪk laɪts]	*Ampel*
turn [tɜːn]	*(ab)biegen*
into ['ɪntʊ]	*in (… hinein)*
road [rəʊd]	*(Land-)Straße*
in front of [ɪn 'frʌnt‿əv]	*vor*
church [tʃɜːtʃ]	*Kirche*

to himself [tə hɪm'self]	*vor sich hin*	**entrance** ['entrəns]	*Eingang*
another [ə'nʌðə]	*noch ein(e), schon wieder ein(e)*	carry straight on [ˌkæri ˌstreɪt 'ɒn]	*gehen / fahren Sie einfach geradeaus weiter*
stranger ['streɪndʒə]	*Fremder*	**don't stop** [ˌdəʊnt 'stɒp]	*halten Sie nicht an*
myself [maɪ'self]	*(ich) selbst*	**ask** [ɑːsk]	*fragen, bitten*
I'm a stranger here myself.	*Ich bin selbst fremd hier.*		

Grammar

1. Der Imperativ *E 4, 6*

Der Imperativ (die Befehlsform) macht im Englischen keine großen Schwierigkeiten, weil er mit dem Infinitiv (der Grundform des Verbs) identisch ist und es außerdem egal ist, ob man eine oder mehrere Personen anspricht. Wo Sie im Deutschen drei verschiedene Formen zur Auswahl haben, brauchen Sie im Englischen nur eine:
Go along here. *Gehen Sie hier entlang. / Geh hier entlang. / Geht hier entlang.*
Ask again. *Fragen Sie noch mal. / Frag noch mal. / Fragt noch mal.*

Den Imperativ verneinen Sie, indem Sie **don't** davor setzen. Auch hier macht es keinen Unterschied, ob Sie sich an eine oder an mehrere Personen wenden:
Turn left. *Biegen Sie nach links ab. / Bieg nach links ab. / Biegt nach links ab.*
Don't turn right. *Biegen Sie nicht nach rechts ab. / Bieg nicht ... / Biegt nicht ...*
Ask Bob. *Fragen Sie Bob. / Frag ... / Fragt ...*
Don't ask me. *Fragen Sie nicht mich. / Frag nicht ... / Fragt nicht ...*

2. Präpositionen des Ortes *E 4*

Präpositionen (Verhältniswörter) sind kleine, aber wichtige Sprachbausteine. Manchmal werden sie im Englischen anders gebraucht als im Deutschen und entsprechend auch anders übersetzt: In → Lektion 1 zum Beispiel begrüßt Sonia ihre neue Kollegin Tina mit **Welcome to the team** *Willkommen im Team.* Im Deutschen würde man die Präpositon **to** nicht mit *zu*, sondern mit *in / im* übersetzen. Mit den folgenden Präpositionen können Sie Orts- und / oder Richtungsangaben machen:
Go **along** here. *Gehen Sie hier entlang.*
The chemist's is along here **after** about 200 metres. *Die Apotheke ist hier entlang nach etwa 200 Metern.*
The chemist's is **before** the supermarket. *Die Apotheke ist (noch) vor dem Supermarkt.*
Bob is **in front of** the church. *Bob ist (draußen) vor der Kirche.*
He is **outside** the bank. *Er ist (draußen) vor der Bank.*

The chemist's is **next to** the supermarket. *Die Apotheke ist neben dem Supermarkt.*
Is this the way **to** the hotel? *Ist dies der Weg zum Hotel?*
The hotel is **opposite** the post office. *Das Hotel ist gegenüber der Post.*
We can meet **in** the park. *Wir können uns im Park treffen.*
Is there a bank **near** here? *Gibt es hier in der Nähe eine Bank?*
There's a bank **near** the church. *Es gibt eine Bank in der Nähe der Kirche.*

Beachten Sie: Die Präposition **before** hat eine zeitliche Grundbedeutung. **Before the supermarket** heißt also *vor dem Supermarkt,* aber nur im Sinne von *bevor Sie den Supermarkt erreichen.* Wenn Sie *vor* in räumlicher Bedeutung verwenden, brauchen Sie **in front of** oder **outside**. Beide haben ausschließlich räumliche Bedeutung. **In front of / outside the supermarket** entspricht *draußen vor dem Supermarkt.*

3. *can't*

In → Lektion 2 haben Sie das Hilfsverb **can** kennengelernt. Die Verneinung heißt **can't** oder **cannot**, wobei **can't** sehr viel häufiger verwendet wird. **Can, can't** und **cannot** lauten in allen Personen gleich. Hier ein paar Beispiele:
You **can't / cannot** miss it. *Sie können es nicht verfehlen.*
He **can** tell you the way. *Er kann Ihnen den Weg beschreiben.*
Sorry, I **can't** tell you the way. *Tut mir leid, ich kann Ihnen den Weg nicht beschreiben.*
Can you spell that? *Können Sie das buchstabieren?*
She **can't** spell this word. *Sie kann dieses Wort nicht buchstabieren.*

4. Das Stützwort *one*

Wenn Sie ein bereits genanntes Substantiv nicht wiederholen wollen, können Sie es durch **one** *eine(r, s)* ersetzen:
Is there a chemist's near here? *Gibt es hier in der Nähe eine Apotheke?*
There's **one** on the left. *Es gibt eine auf der linken Seite.*

Wenn Sie das Substantiv nach einem Adjektiv weglassen, ist **one** zwingend. Im Deutschen brauchen Sie ein solches Stützwort nicht:
There are two or three pubs here. There's a nice **one** in this street.
Es gibt zwei oder drei Kneipen hier. Es gibt eine schöne in dieser Straße.

Anstelle eines Substantivs im Plural verwenden Sie die Pluralform **ones**:
There are three airports near London, three big **ones**.
Es gibt drei Flughäfen in der Nähe von London, drei große.

Language in use

Postkarten und Briefe E 8, 9

Die Anrede **Dear** können Sie in jeglicher Form der schriftlichen Kommunikation benutzen, egal ob förmlich oder nicht:
Dear Bob, ... *Lieber Bob, ...*
Dear Mr Walker, ... *Lieber / Sehr geehrter Herr Walker, ...*
Dear Mrs / Ms Walker, ... *Liebe / Sehr geehrte Frau Walker, ...*
Dear Sir or Madam, ... *Sehr geehrte Damen und Herren, ...*

Wie Sie auf der Einstiegsseite dieser Lektion sehen, geht es nach der Anrede (trotz Komma) groß weiter!

Übrigens: **Mr** ['mɪstə] steht für *Herr*, **Ms** [mɪz] und **Mrs** ['mɪsɪz] für *Frau*. **Ms** ist die modernere Form, die nichts über den Familienstand einer Frau aussagt; **Mrs** können Sie nur bei verheirateten Frauen verwenden.

Mit der Schlussformel ist es nicht ganz so einfach. Folgende Möglichkeiten stehen Ihnen zur Verfügung.

- Neutral:
  Best wishes (from) ... *Beste / Schöne Grüße (von) ...*
- Förmlich, man kennt den Namen des Adressaten / der Adressatin:
  Yours sincerely (*BE*) ... *Mit freundlichen Grüßen ...*
  Sincerely yours (*AE*) ... *Mit freundlichen Grüßen ...*
- Förmlich, man kennt den Namen des Adressaten / der Adressatin nicht:
  Yours faithfully (*BE*) ... *Mit freundlichen Grüßen, Hochachtungsvoll ...*
  Yours truly (*AE*) ... *Mit freundlichen Grüßen, Hochachtungsvoll ...*
- Man ist befreundet oder verwandt mit dem Adressaten / der Adressatin:
  Love (from) ... *Liebe / Schöne Grüße (von) ... .*

Uhrzeit

Die Art der Uhrzeitangabe im Dialog ist typisch für die verknappte Sprache in Fahr- und Terminplänen:

10.18	ten eighteen	*zehn Uhr achtzehn*
10.21	ten twenty-one	*zehn Uhr einundzwanzig*
12.05	twelve oh five	*zwölf Uhr fünf*

Sie wird in der gesprochenen Sprache jedoch kaum verwendet. In → Lektion 4 lernen Sie, wie man die Uhrzeit im Alltag ausdrückt.

Nach dem Weg fragen E 3, 4

Mit **Is there ...?** und **Are there...?** können Sie ganz allgemein nach Geschäften, Restaurants und öffentlichen Einrichtungen fragen:
Is there a chemist's near here? *Gibt es hier in der Nähe eine Apotheke?*
Is there an underground station near here? *Gibt es hier in der Nähe eine U-Bahn-Station?*

Wenn Sie jedoch ein ganz bestimmtes Geschäft, Restaurant, oder eine ganz bestimmte Einrichtung suchen, dann leiten Sie Ihre Frage am besten so ein:
Can you tell me the way to the Walton Hotel?
Können Sie mir den Weg zum Walton Hotel beschreiben?
Is this the way to the park? *Ist das der Weg zum Park?*
Where's the post office, please? *Wo ist das Postamt, bitte?*

Auf ein *Dankeschön* reagieren E 3

Zwei Floskeln, mit denen Sie auf ein *Dankeschön* (**Thanks** oder **Thank you**) reagieren können, haben Sie bereits gelernt: **you're welcome** *gern geschehen* und **no problem** *kein Problem*. Weitere Möglichkeiten sind:
That's OK. *Das ist schon in Ordnung.*
That's all right. *Das ist schon in Ordnung.*

Bitte beachten Sie, dass man nicht **Please** sagen kann!

Useful expressions E 1

In der Stadt

(railway) station *BE*	*(Fern-)Bahnhof*
(railroad) station *AE*	
underground station *BE*	*U-Bahnhof*
subway station *AE*	
bus stop	*Bushaltestelle*
hospital	*Krankenhaus*
police station	*Polizeirevier*
town centre *BE*	*Stadtmitte*
town center *AE*	
city centre *BE*	*Stadtmitte*
city center *AE*	*(einer großen Stadt)*
tourist information	*Touristeninformation*
car park	*Parkplatz, Parkhaus*

Exercises

1 Ergänzen Sie die Wörter aus dem Kasten.

information	lights	market	office	park	station (2x)	stop

1. Excuse me, is there a car .... near here?
2. Where's the post ...., please?
3. Turn right at the traffic ....
4. Is the police .... in this street?
5. There's a very nice street .... in Dover Street.
6. Is the bus .... along here?
7. Ask at the tourist ....
8. The entrance to the underground .... is in Falls Road.

2 Lesen Sie noch einmal die Postkarte auf der Einstiegsseite. Kate bekommt nun den Anruf von einer Freundin. Sie will wissen, wie der Urlaub war. Verbinden Sie.

a. Are there a lot of tourists?
b. Are there shops and restaurants?
c. Is there a view from your room?
d. Is there a beach?
e. Is there a garden.
f. Is there a lot of traffic.

1. Yes, there is. It's fantastic.
2. No, there isn't. It's heaven.
3. No, there aren't, not at this time of year.
4. Yes, there is. But it's very small.
5. Yes, there are. In Ullapool.
6. Yes, there is. The beach is at the end of it.

3 Ersetzen Sie den *kursiv* gedruckten Satzteil durch einen Ausdruck mit gleicher Bedeutung.

1. There's *a very good* view from our bedroom. ....
2. There isn't *much* time. ....
3. Thanks very much. – *You're welcome.* ....
4. Excuse me, *is this* the way to the station? ....
5. Our hotel is *not on the coast.* ....
6. Go along here, then *take the street on the* right. ....
7. There aren't *a lot of* tourists. ....
8. That's *OK.* ....

4 Beantworten Sie die Fragen, indem Sie jeweils eine Wegbeschreibung geben. Sehen Sie sich dazu die Skizze an, auf der Ihr Standort angegeben ist. Benutzen Sie die Textbausteine aus dem Kasten.

Go along here. Turn left / right (into ... Street / Road). Then
It's along there on the left / right before after next to opposite

1. ● Excuse me, can you tell me the way to the Spanish restaurant?
   ● ....

2. ● Excuse me, where's the station?
   ● ....

3. ● Excuse me, is there a pub near here?
   ● ....

4. ● Excuse me, is this the way to the hospital?
   ● ....

5 Ergänzen Sie die Ausdrücke **there is / isn't** oder **there are / aren't**.

1. .... two banks near here. .... one in Merrow Street and .... another in Station Road.
2. .... a bank in Park Road.
3. .... two good restaurants here, an Italian and a Spanish restaurant.
4. .... only one good pub near here, in Merrow Street.
5. I'm sorry, but .... a supermarket near the hospital.
6. .... two hotels, ... only one. It's in Station Road.

6 Touristen fragen ein Ehepaar nach dem Weg. Der Mann und die Frau können sich aber nicht einigen und widersprechen sich. Ergänzen Sie.

1. *Tourist:* Is there a good pub near here?
   Man: Yes, there is.
   Woman: No, ... But there's a nice Italian bistro.
2. *Tourist:* Are the pizzas good?
   Man: No, they aren't.
   Woman: ....
3. *Tourist:* Is there a bank near here?
   Man: Yes, go along here, then turn left into Moss Street.
   Woman: No, ... left, turn right.
4. *Tourist:* Which is the way to the museum, please?
   Woman: The museum is in Highland Road.
   Man: .... in Highland Road, it's in Skye Street!
5. *Tourist:* Where's my husband?
   Man: Ask at the police station.
   Woman: No, ... there, ask at the pub!

7 Wie heißt die richtige Präposition?

after	before	next to	on	opposite

1. The Italian restaurant is .... the hospital.
2. Barclay's Bank is .... the supermarket.
3. The chemist's is along Crendon Street .... the left.
4. The chemist's is along here .... the post office.
5. The supermarket is along Station Road .... the bank.

8 Bringen Sie die Sätze in die richtige Reihenfolge, sodass sich ein Postkartentext ergibt. Nummerieren Sie dazu einfach die Sätze.

☐ Love to you all, Gina and Guiseppe
[1] Dear Susie,
☐ there's only one good restaurant.
☐ And the pubs are fantastic, too – but ...
☐ We're in a town on the west coast now.
☐ Hello again from Ireland.
☐ It's an Italian!
☐ It's a nice town, with a fantastic beach.

9 Schreiben Sie nun selbst eine Postkarte. Benutzen Sie dazu die Wörter aus dem Kasten.

Best wishes	the States	Dear	view	hotel	tourists
east coast	good	city center	near	very nice	

....

....

....

....

....

....

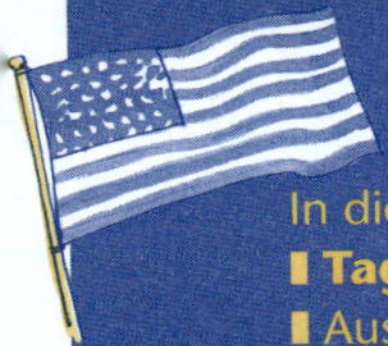

In dieser Lektion stehen im Mittelpunkt:
- **Tagesablauf** und Alltagsaktivitäten
- Aussagen und Fragen in der **einfachen Gegenwart**
- die Stellung **adverbialer Angaben**
- die **Uhrzeit**
- **Personalpronomen** als Objekt

Unit 4

A day in my life
This week: **recording studio caterer**

Ein Tag in meinem Leben
Diese Woche: **Köchin bei einem Tonstudio-Catering-Service**

I'm Carol Wertenbaker and I work in recording studios. But I don't work on the technical side. I cook for the bands.

Ich bin Carol Wertenbaker und ich arbeite in Tonstudios. Aber ich arbeite nicht im technischen Bereich. Ich koche für die Bands.

I don't work every day, but I often work late in the evening, so I don't normally get up very early in the morning.

Ich arbeite nicht jeden Tag, aber ich arbeite oft spätabends, also stehe ich normalerweise nicht sehr früh am Morgen auf.

It's usually eight o'clock, quarter past eight, half past eight.

Es wird meist acht Uhr, Viertel nach acht, halb neun.

I don't usually eat breakfast. I drink coffee, then I go shopping. I always buy fresh vegetables at the market.

Ich frühstücke gewöhnlich nicht. Ich trinke Kaffee, dann gehe ich einkaufen. Ich kaufe immer frisches Gemüse auf dem Markt.

I usually start work in the studio kitchen at ten. First I make lunch.

Ich fange gewöhnlich um zehn mit der Arbeit in der Studioküche an. Zuerst mache ich das Mittagessen.

The bands usually eat at one or half past one.

Die Bands essen meistens um eins oder halb zwei.

In the afternoon I plan for the next day, then make dinner. That's normally cold.

Nachmittags plane ich für den nächsten Tag, dann mache ich das Abendessen. Das ist normalerweise kalt.

What's new? E4

Für die Bildung von Frage und Verneinung brauchen Sie im Englischen das Hifsverb **do** *machen, tun*. Vergleichen Sie:

Aussage	Frage	Verneinung
I work in recording studios. *Ich arbeite in Tonstudios.*	**Do** you **have** a family? *Haben Sie (eine) Familie?*	I **don't work** on the technical side. *Ich arbeite nicht im technischen Bereich.*

Diese Konstruktion ist etwas gewöhnungsbedürftig, da man dafür im Deutschen kein Hilfsverb braucht. Sie werden sich im Abschnitt **Grammar** ausführlich mit diesem Thema beschäftigen.

Zunächst geht es nur um einen wichtigen Teilbereich: die Stellung von Adverbien und Adverbialbestimmungen in Verbindung mit der einfachen Gegenwart. Wenn Sie Ihren Tagesablauf beschreiben, benötigen Sie Adverbien der Häufigkeit, mit denen Sie ausdrücken, wie oft Sie etwas machen:

always	usually / normally	often	sometimes	never
immer	*gewöhnlich, meist(ens) / normalerweise*	*oft*	*manchmal*	*nie*

In Sätzen mit dem Verb **be** ist die Stellung dieser Adverbien für deutsche Muttersprachler unproblematisch. Das Adverb steht wie im Deutschen nach dem Verb:
It is **usually** eight o'clock. *Es ist / wird gewöhnlich acht Uhr.*
I am **always** / **never** late. *Ich komme immer / nie zu spät.*

Bei Vollverben dagegen stellen Sie das Adverb **vor** das Verb, und zwar auch in verneinten Sätzen. Im Gegensatz zum Deutschen kann das Adverb nicht zwischen dem Vollverb und seinen Ergänzungen stehen!
I **often** work in the evening. *Ich arbeite oft abends.*
I don't **normally** get up very early. *Ich stehe normalerweise nicht sehr früh auf.*
I **usually** start work at ten. *Ich fange gewöhnlich um zehn mit der Arbeit an.*

Tageszeiten und Adverbialbestimmungen mit **every** stellen Sie ans Satzende. Auch diese können nicht zwischen dem Verb und seinen Ergänzungen stehen!
I don't cook **every day**. *Ich koche nicht jeden Tag.*
I don't get up very early **in the morning**. *Ich stehe morgens nicht sehr früh auf.*

Die Adverbialbestimmung kann auch am Satzanfang stehen:
In the afternoon I make dinner. *Am Nachmittag mache ich das Abendessen.*

Two jobs

A conversation at the airport: Tina Berger is on her way to Germany from a business meeting in London. At a coffee bar she meets an American.

Tina: ... and where in the States are you from?
Greg: The west coast, Monterey.
Tina: Oh, Monterey.
Greg: Do you know it?
Tina: No, but I have an old school friend in San José.
Greg: Oh, really?
Tina: Yes. She's married there. She's a drama teacher.
Greg: A drama teacher?
Tina: Yes. Why?
Greg: I'm an actor.
Tina: In films?
Greg: No, not in big films. I'm really just a waiter.
Tina: So do you have two jobs?
Greg: Two in one. I do dinner theater.
Tina: Oh, I see. So you work in a restaurant and people come for dinner, and you do a show.
Greg: That's it. They eat and we act for them. We always offer three hot meals: something with fish, something with meat and something vegetarian.
Tina: Is it expensive?
Greg: Well, it's not cheap. But you can't become a millionaire with dinner theater.
Tina: Do you like it?
Greg: Yes, I do. That's why I do it. It's fun – fun for the customers, fun for us.
Tina: And do you do it every night?
Greg: No, we don't. Just four nights a week. It's hard work. We start at 6.30 in the evening, the show is at 8, and we finish at 11. But often the customers don't go home before midnight.
Tina: So when do you usually get home?
Greg: At one in the morning.
Tina: Do you have a family?
Greg: Well, I live with my partner. We don't have children. She's a recording studio caterer and when they have a lot to do she is often very late. Sometimes I'm even home before her.

Vocabulary

A day in my life

life [laɪf]	*Leben*
week [wiːk]	*Woche*
recording studio caterer [rɪ'kɔːdɪŋ ˌstjuːdiəʊ 'keɪtərə]	*Koch / Köchin bei einem Tonstudio-Catering-Service*
recording studio [rɪ'kɔːdɪŋ ˌstjuːdiəʊ]	*Tonstudio*
work *V, Subs* [wɜːk]	*arbeiten; Arbeit*
side [saɪd]	*Seite, Bereich*
on the technical side ['teknɪkl saɪd]	*im technischen Bereich*
cook [kʊk]	*kochen*
the *Pl* [ðə]	*die*
band [bænd]	*Band*
every ['evri]	*jede(r, s)*
late [leɪt]	*spät*
evening ['iːvnɪŋ]	*Abend*
in the evening [ɪn ðɪ 'iːvnɪŋ]	*am Abend, abends*
normally *Adv* ['nɔːməli]	*normalerweise*
get up [get 'ʌp]	*aufstehen*
early ['ɜːli]	*früh*
morning ['mɔːnɪŋ]	*Morgen*
in the morning [ɪn ðə 'mɔːnɪŋ]	*am Morgen, morgens*
usually *Adv* ['juːʒʊəli]	*gewöhnlich, meist(ens)*
(eight) o'clock [ˌ(eɪt) ə'klɒk]	*(acht) Uhr*
quarter ['kwɔːtə]	*Viertel*
past *zeitl.* [pɑːst]	*nach*
quarter past [ˌkwɔːtə 'pɑːst]	*Viertel nach*
half past eight [ˌhɑːf pɑːst 'eɪt]	*halb neun*
eat [iːt]	*essen*
breakfast ['brekfəst]	*Frühstück*
drink [drɪŋk]	*trinken*
coffee ['kɒfi]	*Kaffee*
buy [baɪ]	*kaufen*
fresh [freʃ]	*frisch*
vegetables ['vedʒtəblz]	*Gemüse*
market ['mɑːkɪt]	*Markt*
kitchen ['kɪtʃɪn]	*Küche*
start work [ˌstɑːt 'wɜːk]	*mit der Arbeit anfangen*
at ten (o'clock) [ət ˌten (ə'klɒk)]	*um zehn (Uhr)*
make [meɪk]	*machen, zubereiten*
lunch [lʌntʃ]	*Mittagessen*
afternoon [ˌɑːftə'nuːn]	*Nachmittag*
plan [plæn]	*planen*
next [nekst]	*nächste(r, s)*
dinner ['dɪnə]	*Abendessen*
cold [kəʊld]	*kalt*

Two jobs

job [dʒɒb]	*Arbeit, Stelle, Beruf*
conversation [ˌkɒnvə'seɪʃn]	*Gespräch, Unterhaltung*
business ['bɪznɪs]	*Geschäft(s-)*
meeting ['miːtɪŋ]	*Treffen*
coffee bar ['kɒfi bɑː]	*Café*
school ['skuːl]	*Schule*
school friend ['skuːl frend]	*Schulfreund(in)*
really *Adv* ['rɪəli]	*wirklich*
teacher ['tiːtʃə]	*Lehrer(in)*
drama teacher ['drɑːmə ˌtiːtʃə]	*Schauspiel-lehrer(in)*
actor ['æktə]	*Schauspieler*
film [fɪlm]	*Film*
waiter ['weɪtə]	*Kellner*
do [duː]	*tun, machen*
theater *AE* ['θɪətə]	*Theater*
theatre *BE* ['θɪətə]	*Theater*

dinner theater *AE* ['dɪnəˌθɪətə]	*Dinnertheater*	**fun** [fʌn]	*Spaß*
people ['piːpl]	*Menschen, Leute*	**it's fun** [ɪts 'fʌn]	*es macht Spaß*
come [kʌm]	*kommen*	**customer** ['kʌstəmə]	*Kunde, Kundin, Gast*
show [ʃəʊ]	*Show*	**us** [ʌs]	*uns*
act [ækt]	*(Theater) spielen*	**night** [naɪt]	*Nacht*
them [ðem, ðəm]	*sie, ihnen*	**(four nights) a week** [(ˌfɔː naɪts) ə 'wiːk]	*(vier Nächte) die / pro Woche*
always ['ɔːlweɪz]	*immer*	**hard** [hɑːd]	*hart, schwierig*
offer ['ɒfə]	*(an)bieten*	**finish** ['fɪnɪʃ]	*Schluss machen, beenden, aufhören (mit)*
hot [hɒt]	*heiß, warm*	**go home** [ˌgəʊ 'həʊm]	*nach Hause gehen*
meal [miːl]	*Mahlzeit*	midnight ['mɪdnaɪt]	*Mitternacht*
something ['sʌmθɪŋ]	*etwas*	**when?** [wen]	*wann?*
fish [fɪʃ]	*Fisch*	**get home** [ˌget 'həʊm]	*nach Hause kommen*
meat [miːt]	*Fleisch*	**family** ['fæməlɪ]	*Familie*
vegetarian [ˌvedʒə'teəriən]	*vegetarisch, Vegetarier(in)*	**when** [wen]	*wenn, als*
expensive [ɪk'spensɪv]	*teuer*	**her** [hɜː]	*sie, ihr*
cheap [tʃiːp]	*billig, preiswert*		
become [bɪ'kʌm]	*werden*		
millionaire [ˌmɪljə'neə]	*Millionär(in)*		
like [laɪk]	*mögen, gern haben / tun*		

Grammar

1. Die einfache Gegenwart: Aussagen *E 6*

Die Konjugation der Verbformen ist im Englischen verhältnismäßig leicht. In bejahten Aussagen in der einfachen Gegenwart zum Beispiel ist das Vollverb identisch mit dem Infinitiv. Nur in der 3. Person Singular (also bei **he, she, it**) brauchen Sie eine andere Verbform, mit der Sie sich in → Lektion 5 beschäftigen werden.

Etwas schwieriger ist die Verneinung. Hier kommt das Hilfsverb **do** zum Einsatz. Wie Sie aus dem Einstiegstext dieser Lektion ersehen konnten, stellen Sie **don't (do not)** vor das unveränderte Vollverb.

Aussage	Verneinung
I **eat** fish.	I **don't eat** meat.
You **eat** fish.	You **don't eat** meat.
We **eat** fish.	We **don't eat** meat.
They **eat** fish.	They **don't eat** meat.

2. Die einfache Gegenwart: Fragen *E 8, 9, 10*

Fragen bilden Sie in der einfachen Gegenwart (außer in der 3. Person Singular), indem Sie das Hilfsverb **do** vor das Subjekt stellen. Wie Sie dies schon von Fragen mit **be** kennen, wird das Hilfsverb in der Kurzantwort wiederholt.

Frage	Kurzantworten	
Do I know you?	Yes, you **do**.	No, you **don't**.
Do you work hard?	Yes, I **do**.	No, I **don't**.
Do we have time?	Yes, we **do**.	No, we **don't**.
Do they eat fish?	Yes, they **do**.	No, they **don't**.

Auch wenn die Frage ein Fragewort enthält, brauchen Sie das Hilfsverb **do**, sofern ein weiteres Vollverb darin vorkommt:
When do you start work in the morning? *Wann fangen Sie morgens zu arbeiten an?*
Where do you have lunch? *Wo essen Sie zu Mittag?*

In Fragen und Verneinungen mit dem Vollverb **do** umschreibt **do** sich folglich selbst:
I do dinner theater. *Ich mache Dinnertheater.*
We have a lot to do. *Wir haben viel zu tun.*
What do you do? *Was machen Sie?*
I don't have a lot to do. *Ich habe nicht viel zu tun.*

3. Personalpronomen als Objekt *E 7*

Personalpronomen können im Satz nicht nur als Subjekt (man fragt: *Wer oder was?*), sondern auch als Objekt (man fragt: *Wen / Wem oder was?*) verwendet werden. Wie im Deutschen haben dann einige von ihnen eine andere Form:

Subjekt		Objekt	
I	▸	**me**	*mich / mir*
you	▸	you	*dich / dir, Sie / Ihnen*
he	▸	**him**	*ihn / ihm*
she	▸	**her**	*sie / ihr*
it	▸	it	*es / ihm*

Subjekt		Objekt	
we	▸	**us**	*uns*
you	▸	you	*euch*
they	▸	**them**	*sie / ihnen*

Excuse **me**. *Entschuldigen Sie (mich).*
There is Greg. Ask **him**. *Da ist Greg. Frag ihn.*
Carol is often late. I'm usually home before **her**. *Carol kommt oft spät. Ich bin meistens vor ihr zu Hause.*
It's fun for **us**, fun for **them**, too. *Es macht uns Spaß, ihnen auch.*

Beachten Sie: Bei **she, they, her** und **them** besteht Verwechslungsgefahr, denn alle diese Pronomen werden im Deutschen unter Umständen mit *sie* übersetzt!
This is Carol, **she** is a caterer. Do you know **her**?
Das ist Carol, sie ist Köchin. Kennst du sie?
This is Carol and Greg, **they** are from Monterey. Do you know **them**?
Das sind Carol und Greg, sie sind aus Monterey. Kennst du sie?

4. Die Uhrzeit *E 5*

Auf die Frage **What's the time?** *Wie spät ist es?* können Sie auf zwei verschiedene Arten antworten:

12.00	It's twelve **o'clock**.	—
12.05	It's five (minutes) **past** twelve.	It's twelve oh five.
12.10	It's ten (minutes) **past** twelve.	It's twelve ten.
12.15	It's (a) quarter **past** twelve.	It's twelve fifteen.
12.20	It's twenty (minutes) **past** twelve.	It's twelve twenty.
12.25	It's twenty-five (minutes) **past** twelve.	It's twelve twenty-five.
12.30	It's half **past** twelve.	It's twelve thirty.
12.35	It's twenty-five (minutes) **to** one.	It's twelve thirty-five.
12.40	It's twenty (minutes) **to** one.	It's twelve forty.
12.45	It's (a) quarter **to** one.	It's twelve forty-five.
12.50	It's ten (minutes) **to** one.	It's twelve fifty.
12.55	It's five (minutes) **to** one.	It's twelve fifty-five.

Beachten Sie den Gebrauch von **half past**. Schon so mancher deutsche Muttersprachler ist eine Stunde zu früh zu einer Verabredung gekommen, weil er **half past** als *halb* aufgefasst hat!

Noch tückischer ist es, wenn ein britischer Sprecher in salopper Redeweise das Wörtchen **past** weglässt. **Half nine** steht dann nicht etwa für *halb neun*, sondern für *halb zehn*!

Language in use

Varianten des Englischen

Englisch ist keine ganz einheitliche Sprache. Es gibt verschiedene regionale Varianten. Diese unterscheiden sich in Grammatik und Rechtschreibung kaum, im Wortschatz schon etwas mehr und in der Aussprache zum Teil sehr deutlich. Die beiden wichtigsten Varianten, die Sie auch in diesem Kurs kennenlernen, sind das britische Englisch *(BE)* und das amerikanische Englisch *(AE)*.

Wenn Sie diese Lektion durchlesen, können Sie nur an einem einzigen Wort erkennen, dass es sich um amerikanisches Englisch handelt. Das Wort für *Theater* wird im *BE* **theatre**, im *AE* aber **theater** geschrieben. Wenn Sie sich jedoch die Tonaufnahmen anhören, erkennen Sie wahrscheinlich, dass Greg Amerikaner ist. Zum Vergleich können Sie sich noch einmal den Dialog aus → Lektion 3 anhören: Er spielt in London, folglich sprechen darin nur britische Muttersprachler.

Uhrzeit *E5*

Außer in Fahrplänen und dergleichen verwendet man für Stundenangaben meist nur die Zahlen von eins bis zwölf: So werden *ein Uhr (nachts)* und *dreizehn Uhr (mittags)* beide mit **one o'clock** wiedergegeben.

Wenn aus dem Zusammenhang nicht klar ist, ob eine Uhrzeit den Vormittag oder den Nachmittag / Abend betrifft, können Sie eine entsprechende Zeitangabe ergänzen, z. B. **in the morning** *morgens* oder **in the evening** *abends*. In der Schriftsprache verwendet man dazu die Abkürzungen **a.m.** und **p.m.**, die aus dem Lateinischen abgeleitet sind: **a.m.** steht für **ante meridiem** *vor Mittag*, **p.m.** für **post meridiem** *nach Mittag*. Beachten Sie jedoch, dass man **a.m.** und **p.m.** nicht in Verbindung mit **o'clock** verwenden kann:
It's two o'clock in the morning. ▶ It's **two a.m.** *Es ist zwei Uhr nachts.*
It's two o'clock in the afternoon. ▶ It's **two p.m.** *Es ist zwei Uhr nachmittags.*

become

Das Wort **become** ist ein falscher Freund. Es sieht wie *bekommen* aus, bedeutet aber nicht *bekommen*, sondern *werden.*
You can't become a millionaire with dinner theater. *Man kann mit Dinnertheater nicht Millionär werden.*

Ein alter Witz erzählt von einem Deutschen, der nach zwanzig Minuten Wartezeit in einer Bar erbost den Wirt fragt, wann er denn endlich sein Bier bekomme, und zwar mit den Worten: **When do I become a beer?** Worauf der Wirt mit einem Schmunzeln antwortet: **I hope never, sir.** *Ich hoffe nie, mein Herr.*

Useful expressions E2

Alltag und Freizeit

wake up	*aufwachen*
get up	*aufstehen*
have a shower	*(sich) duschen*
have breakfast	*frühstücken*
have lunch	*(zu) Mittag essen*
have dinner	*(zu) Abend essen*
have time	*Zeit haben*
have / take a break	*eine Pause machen*
tea-break	*Teepause*
coffee-break	*Kaffeepause*
lunch-break	*Mittagspause*
leave home	*das Haus verlassen*
go to work	*zur Arbeit gehen*
start work	*mit der Arbeit anfangen*
finish work	*mit der Arbeit aufhören*
go home	*nach Hause gehen*
relax	*sich entspannen*
watch TV	*fernsehen*
read	*lesen*
listen to music	*Musik hören*
go out	*ausgehen*
go to bed	*ins Bett gehen*
sleep	*schlafen*
dream	*träumen*

Exercises

1 Wie läuft ein normaler Tag ab? Nummerieren Sie die Wendungen in der üblichen Reihenfolge.

- ☐ make dinner
- ☐ finish work
- ☐ go home
- ☐ go to bed
- ☐ go to work
- ☐ have lunch
- ☐ leave home
- ☐ start work
- ☐ take a morning coffee-break
- ☐ get up
- ☐ have breakfast at home
- [1] wake up

2 Hier sind die Buchstaben etwas durcheinandergeraten. Sortieren Sie sie und schreiben Sie die gesuchte Wendung, die jeweils mit *have* beginnt, in die Lücke. Manchmal brauchen Sie zusätzlich den Artikel **a** oder **an**.

kareb *have a* ....

weshor ....

nidner ....

hoolcs idfren *have an old* ....

....

boj ....

mfaliy ....

drenlich ....

mite ....

3 Wie lautet das Gegenteil?

1. late ....
2. get up ....
3. start ....
4. cold ....
5. cheap ....
6. always ....

4 Schreiben Sie die Sätze noch mal und setzen Sie den Ausdruck in Klammern an der richtigen Stelle ein.

1. Do you have a big breakfast? (always)

....

2. Carol and Greg don't go to bed late. (every day)

....

3. They sleep late*. (often)

....

4. We eat fish for breakfast. (never)

....

5. I don't listen to music. (every evening)

....

6. It is hard work. (always)

....

7. We cook for friends at the weekend. (often)

....

* sleep late: *lange schlafen*

5 **a.** Ordnen Sie nach zeitlicher Abfolge, indem Sie die Uhrzeitangaben nummerieren.

- ☐ ten past one
- ☐ six twenty-five
- ☐ half past five
- ☐ twenty-five to six
- ☐ quarter past five
- ☐ three forty-five
- ☐ half past three
- ☐ half past four
- ☐ quarter to five
- ☐ half past six

b. Schreiben Sie die Uhrzeit in Worten.

6.05 *five past six* ....

7.40 ....

7.55 ....

8.25 ....

8.45 ....

9.15 ....

9.30 ....

10.30 ....

11.00 ....

11.30 ....

11.50 ....

6 Ordnen Sie jeweils einen Satz der linken und der rechten Spalte einander zu und ergänzen Sie die verneinte Verbform.

1. What's Tom's address?

2. I work for IBM.

3. Our French teacher is not very nice.

4. Do Phil and Bernard often eat at that bistro?

5. We eat out at the weekend.

6. Tea for you, Jean?

a. We (not cook) ....

b. You (not drink) .... coffee, right?

c. Sorry, I (not know) ....

d. No, they (not go) .... out much.

e. But I (not work) .... on the technical side.

f. We (not like) .... him.

7 Streichen Sie alle falschen Formen durch.

I work at a restaurant in the city center. *Our / Us* boss is OK, but we don't see *she / her / they / them* very often – she has two other restaurants in the city. *Me / My* colleagues are nice, and I like *they / she / them / him* a lot. But there's one waiter – well, I really don't like *them / him*. My colleagues say he is really an actor – but we don't do dinner theater. They say *he's / his* name is Hanks.

8 Wie sieht Ihr persönlicher Alltag aus? Beantworten Sie die Fragen mit einer Kurzantwort.

1. ● Do you eat breakfast? ● ....
2. ● Do you have a long* lunch break? ● ....
3. ● Do you and your colleagues work hard**? ● ....
4. ● Do you like your job? ● ....
5. ● Do you watch a lot of TV? ● ....
6. ● Do your neighbours have children? ● ....

* long: *lang* ** work hard: *viel arbeiten*

9 Sie finden hier einige Antworten aus einer Umfrage zum Berufsleben.
Wie lauten die Fragen?

1. ● .... every day?
   ● No, I don't. I only work four days.
2. ● .... in the week?
   ● Yes, I do. At 5.30 in the morning. That's hard.
3. ● .... hard?
   ● Yes, they often do. A waiter's job can be very hard work.
4. ● ....?
   ● Yes, I do. A husband and two children.

10 Übersetzen Sie die Fragen und beantworten Sie sie für sich.

1. Kennen Sie Berlin? ....
2. Trinken Sie morgens Tee oder Kaffee? ....
3. Essen Sie Fleisch? ....
4. Wo arbeiten Sie? ....
5. Wie spät ist es jetzt? ....
6. Was machen Sie meistens am Abend? ....

Diese Lektion behandelt folgende Themen:

- **Freizeit**beschäftigungen
- Aussagen und Fragen in der **3. Person Singular**
- das Modalverb **have to**
- das Gerundium nach **like, love, hate**
- die **Wochentage**
- Präpositionen der **Zeit**

Unit 5

	Sonia	Jack	Fiona	Mike
Monday		work a.m. 6 p.m. run		5 p.m. swimming
Tuesday		6 p.m. run	7.00 ice-hockey training	
Wednesday	9 p.m. band	work p.m.		
Thursday	8 p.m. aerobics	work a.m.	6.30 p.m. judo	6.30 p.m. piano
Friday	sauna	sauna		
Saturday		work all day		
Sunday		10 a.m. run	afternoon ice-hockey	

Our family's week

Mom has a full-time job. She works from Monday to Friday. Sometimes she goes away on business trips, but Dad is usually there. Dad's not very organized, but we help him. He doesn't work full-time, only on Monday, Wednesday, Thursday and Saturday. My sister Fiona does a lot of sport. She plays ice-hockey and trains every Tuesday evening. She has a match most Sundays – Dad usually goes and watches. Fiona also does judo, on Thursday, when I have my piano lesson and Mom goes to an aerobics class. That's a lot for Dad to organize, but he tries to be at the right place at the right time. Luckily, Dad doesn't go running that day. He loves running – he runs three times a week. Mom doesn't have much time for sport, except her aerobics class. But she plays saxophone in a band. She plays very well (not like me). The band meets every Wednesday, and sometimes they play on Sunday morning in the Weston Hotel. That's good, because then we eat brunch there. My dad hates cooking.

Die Woche in unserer Familie

Mama hat eine Vollzeitstelle. Sie arbeitet von Montag bis Freitag. Manchmal fährt sie weg, auf Geschäftsreisen, aber Papa ist meistens da. Papa ist nicht sehr organisiert, aber wir helfen ihm. Er arbeitet nicht voll, nur am Montag, Mittwoch, Donnerstag und Samstag. Meine Schwester Fiona macht viel Sport. Sie spielt Eishockey und trainiert jeden Dienstagabend. An den meisten Sonntagen hat sie ein Spiel – Papa geht meistens hin und schaut zu. Fiona macht auch Judo, am Donnerstag, wenn ich meine Klavierstunde habe und Mama zu einem Aerobic-Kurs geht. Das ist für Papa viel zu organisieren, aber er versucht zur richtigen Zeit am richtigen Ort zu sein. Zum Glück geht Papa an dem Tag nicht laufen. Er läuft sehr gern – er läuft dreimal die Woche. Mama hat nicht viel Zeit für Sport, außer für ihren Aerobic-Kurs. Aber sie spielt Saxofon in einer Band. Sie spielt sehr gut (nicht so wie ich). Die Band trifft sich jeden Mittwoch, und manchmal spielen sie am Sonntagmorgen im Weston Hotel. Das ist gut, weil wir dann dort brunchen. Mein Papa hasst Kochen.

What's new? E 3, 4, 5, 6

Mike verwendet in seinem Aufsatz häufig die 3. Person Singular der einfachen Gegenwart. Diese Form weicht als einzige von den anderen ab: Der Infinitiv bekommt bei **he, she, it** die Endung **-s**. Die Konjugation ist im Englischen also viel einfacher als im Deutschen:
She work**s** from Monday to Friday. *Sie arbeitet von Montag bis Freitag.*
He love**s** running. *Er läuft sehr gern (wörtlich: Er liebt Laufen).*

Wenn Sie die 3. Person Singular verneinen, verwenden Sie statt **don't** die Form **doesn't (does not)**. Sie müssen kein zusätzliches **-s** an das Verb anhängen.
Vergleichen Sie:
Mom and Dad both **work**. *Mama und Papa arbeiten beide.*
They **don't work** on Sunday. *Sie arbeiten nicht am Sonntag.*
Mom **works** full-time. *Mama arbeitet Vollzeit.*
Dad **doesn't work** full-time. *Papa arbeitet nicht Vollzeit.*

Beachten Sie folgende Schreibbesonderheiten der **s**-Endung:
- Endet das Verb auf einen Zischlaut (**s, sh, ch** oder **x**), so hängen Sie **-es** an:
  I watch ▸ he **watches**
- Endet das Verb auf Konsonant + **-y**, so verwenden Sie die Endung **-ies**:
  I **try** ▸ he **tries**
- Steht vor dem **-y** dagegen ein Vokal, so bleibt **-y** erhalten:
  I play ▸ she **plays**
- Die Verben **have, go** und **do** haben Sonderformen:
  I have ▸ he **has**, I go ▸ he **goes**, I do ▸ she **does**

Nothing new

Sonia Walker's father lives in St. John's in Newfoundland. He's in hospital, and Sonia has to go and visit him. She phones the travel agent who arranges all her business travel.

Brad: Welcome Travel. How can I help you?
Sonia: Hi, Brad. It's me, Sonia Walker.
Brad: Oh hi, Sonia. How are you?
Sonia: Fine, thanks. And you?
Brad: Great. What can I do for you?
Sonia: I need some flights, but this is private. I have to go to St. John's.
Brad: OK. When?
Sonia: On Friday.
Brad: And what time of day?
Sonia: Early evening.
Brad: There's a flight at 18.20.

Sonia: When does it get to St. John's?
Brad: 20.35.
Sonia: That's good. And back on Saturday evening?
...
Brad: The last flight on Saturday is at 16.20, via Halifax.
Sonia: That's too early. Does that flight go on Sunday, too?
Brad: Yes, it does. You get to Toronto at 20.05.
Sonia: OK. How much is that?

Sonia is now at the airport. Her cell phone rings. It's someone at home.

Sonia: Hi.
Jack: It's me. I'm sorry, but Fiona's match on Sunday is not at four, but at half past seven. So there's a problem.
Sonia: You can't be at the stadium and at the airport at the same time.
Jack: Right.
Sonia: OK, I'll take a cab. Everything else OK?
Jack: Yes, thanks. Sunday morning we're at the Weston Hotel. For brunch.
Sonia: That's nothing new. Mike's idea?
Jack: No, mine.

Vocabulary

Our family's week	
plan [plæn]	*Plan*
Monday ['mʌndeɪ]	*Montag*
swimming ['swɪmɪŋ]	*Schwimmen*
run [rʌn]	*laufen*
Tuesday ['tjuːzdeɪ]	*Dienstag*
ice-hockey ['aɪsˌhɒki]	*Eishockey*
training ['treɪnɪŋ]	*Training*
Wednesday ['wenzdeɪ]	*Mittwoch*
Thursday ['θɜːzdeɪ]	*Donnerstag*
aerobics [eə'rəʊbɪks]	*Aerobic*
judo ['dʒuːdəʊ]	*Judo*
saxophone ['sæksəfəʊn]	*Saxofon*
Friday ['fraɪdeɪ]	*Freitag*
sauna ['sɔːnə]	*Sauna*
Saturday ['sætədeɪ]	*Samstag*
all day [ˌɔːl 'deɪ]	*ganztags, den ganzen Tag*
Sunday ['sʌndeɪ]	*Sonntag*
Mom *AE* [mɒm]	*Mama, Mutti*
Mum *BE* [mʌm]	*Mama, Mutti*
full-time [ˌfʊl'taɪm]	*Vollzeit*

full-time job [ˌfʊltaɪm ˈdʒɒb]	*Vollzeitstelle*
from … to … [frɒm … tʊ]	*von … bis …*
away [əˈweɪ]	*weg, verreist*
trip [trɪp]	*Reise*
doesn't (does not) [ˈdʌznt (dʌz nɒt)]	*tut / macht nicht*
organized [ˈɔːgənaɪzd]	*organisiert*
only [ˈəʊnli]	*nur*
on (Monday) [ɒn (ˈmʌndi)]	*am (Montag)*
sport [spɔːt]	*Sport*
do sport [ˌduː ˈspɔːt]	*Sport treiben*
play [pleɪ]	*spielen*
train [treɪn]	*trainieren*
match [mætʃ]	*Spiel*
most Sundays [məʊst ˈsʌndiz]	*an den meisten Sonntagen*
watch [wɒtʃ]	*(an-, zu-)sehen*
also [ˈɔːlsəʊ]	*auch*
lesson [ˈlesn]	*Stunde, Lektion*
class [klɑːs]	*Kurs, Klasse*
try [traɪ]	*versuchen*
luckily [ˈlʌkəli]	*zum Glück*
go running [ˌgəʊ ˈrʌnɪŋ]	*laufen gehen*
love [lʌv]	*lieben, sehr gern haben / tun*
except [ɪkˈsept]	*außer*
well *Adv* [wel]	*gut*
because [bɪˈkɒz]	*weil*
brunch [brʌntʃ]	*Brunch*
eat brunch [ˌiːt ˈbrʌntʃ]	*brunchen*
hate [heɪt]	*hassen, sehr ungern tun*

Nothing new

nothing [ˈnʌθɪŋ]	*nichts*
have to [ˈhæv tə]	*müssen*
live [lɪv]	*leben, wohnen*
Newfoundland [ˈnjuːfndlənd]	*Neufundland*
in hospital [ɪn ˈhɒspɪtl]	*im Krankenhaus*
visit [ˈvɪzɪt]	*besuchen*
phone [fəʊn]	*telefonieren, anrufen*
travel agent [ˈtrævl ˌeɪdʒnt]	*Reisebüro(angestellter)*
who *Rel.pron* [huː]	*der, die, welcher, welche*
arrange [əˌreɪndʒ]	*organisieren*
travel [ˈtrævl]	*reisen; Reisen*
how? [haʊ]	*wie?*
How are you? [ˌhaʊ ˈɑː‿ juː]	*Wie geht's?*
fine, thanks [ˈfaɪn ˈθæŋks]	*danke, gut*
great [greɪt]	*großartig, wunderbar*
need [niːd]	*benötigen, brauchen*
some [səm]	*einige, etwas*
flight [flaɪt]	*Flug*
private [ˈpraɪvət]	*privat*
what time of day? [ˌwɒt ˈtaɪm‿əv ˌdeɪ]	*zu welcher Tageszeit?*
get to [ˈget tə]	*ankommen in*
back [bæk]	*zurück*
last [lɑːst]	*letzte(r, s)*
via [ˈvaɪə]	*über*
too (early) [ˌtuː (ˈɜːli)]	*zu (früh)*
How much is that? [ˌhaʊ ˈmʌtʃ ɪz ðæt]	*Was kostet das?*
ring [rɪŋ]	*klingeln*
someone [ˈsʌmwʌn]	*jemand*
stadium [ˈsteɪdiəm]	*Stadion*
the same [ðə ˈseɪm]	*der-, die-, dasselbe, der / die / das gleiche*
cab *AE* [kæb]	*Taxi*
everything else [ˌevriθɪŋ ˈels]	*alles andere*
idea [aɪˈdɪə]	*Idee*
mine [maɪn]	*der / die / das meine*

Grammar

1. Die einfache Gegenwart: Fragen in der 3. Person Singular *E 5*

Sie bilden Fragen in der 3. Person Singular, indem Sie das Hilfsverb **does** vor das Subjekt stellen. Das Hilfsverb wird in der Kurzantwort wiederholt.

Frage	Kurzantworten	
Does he like running?	Yes, he **does.**	No, he **doesn't.**
Does she do sports?	Yes, she **does.**	No, she **doesn't.**
Does the flight go on Sunday, too?	Yes, it **does.**	No, it **doesn't.**

2. Das modale Hilfsverb *have to* *E 7*

Mit dem modalen Hilfsverb **have to** *müssen* drücken Sie aus, dass etwas notwendig ist, weil die bestehende Situation es erfordert oder weil es von anderen angeordnet wurde.

Aussage	Verneinung
I / You **have to** go now.	I / You **don't have to** go now.
He / She / It **has to** go now.	He / She / It **doesn't have to** go now.
We / They **have to** go now.	We / They **don't have to** go now.

Frage	Kurzantworten	
Do I / you **have to** go now?	Yes, I / you **do.**	No, I / you **don't.**
Do we / they **have to** go now?	Yes, we / they **do.**	No, we / they **don't.**
Does he / she / it **have to** go now?	Yes, he / she / it **does.**	No, he / she / it **doesn't.**

3. Das Gerundium nach *like, love* und *hate* *E 8, 9*

Das Gerundium ist ein vom Verb abgeleitetes Substantiv. Es hat die Endung **-ing**: cook**ing** *(das) Kochen*, read**ing** *(das) Lesen*, runn**ing** *(das) Laufen.*

Wie jedes andere Substantiv kann ein Gerundium Subjekt im Satz sein:
Sport is fun. *Sport macht Spaß.*
Swimming is fun. *Schwimmen macht Spaß.*

Das Gerundium ist häufig Objekt von Verben des Mögens und Nicht-Mögens.
Im Deutschen können Sie es dann mit *etwas gerne / nicht gerne tun* ausdrücken.
Dad **likes** read**ing**. *Papa mag (das) Lesen. / Papa liest gern.*

Fiona **loves** swimm**ing**. *Fiona liebt (das) Schwimmen. / Fiona schwimmt sehr gern.*
Dad **hates** cook**ing**. *Papa hasst (das) Kochen. / Papa kocht sehr ungern.*

Beachten Sie folgende Schreibbesonderheiten:

- Stummes -**e** am Ende des Verbs entfällt vor der Endung -**ing**:
  make ▶ Dad hates **making** lunch. *Dad hasst es, das Mittagessen zu machen.*
- Endet das Verb auf einen (einzelnen) betonten Vokal und einen (einzelnen) Konsonanten, verdoppeln Sie diesen Konsonanten vor der Endung -**ing**:
  run ▶ He loves **running**. *Er läuft sehr gern.*

4. Präpositionen der Zeit *E 10*

Um Tageszeiten oder Wochentage anzugeben, benötigen Sie folgende Präpositionen:

at	six o'clock half past one 9.15	***um***	*sechs Uhr* *halb zwei* *9.15 Uhr*
in	the morning the afternoon the evening	***am***	*Morgen* *Nachmittag* *Abend*
at	night	***in***	*der Nacht*
on	Monday Tuesday Wednesday morning Thursday afternoon Friday night	***am***	*Montag* *Dienstag* *Mittwochmorgen* *Donnerstagnachmittag* *Freitagabend / -nacht*
at / on *AE*	the weekend	***am***	*Wochenende*

Language in use

Groß- und Kleinschreibung

Substantive schreiben Sie im Englischen generell klein. Nur am Satzanfang beginnen Sie groß. Ausnahmen sind alle Eigennamen – von Personen (z. B. **Brad**), Orten (**Toronto**), Gebäuden und Einrichtungen **(Heathrow Airport)**, Flüssen und Bergen **(The Thames, Mount Everest)** und Straßen **(Station Road)**. Auch die Wochentage und Monate werden im Englischen als Eigennamen betrachtet und daher großgeschrieben. Das gilt auch für die Entsprechungen deutscher Adverbien wie *montags*: Im Englischen schreiben Sie **on Mondays**.

Unterschiede im Sprachgebrauch E11

Sie wissen ja schon: Im Englischen drückt man viele Sachen anders aus als im Deutschen. Wort-für-Wort-Übersetzungen eignen sich nur sehr bedingt, um korrekte Sätze zu bilden. Merken Sie sich vielmehr ganze Ausdrücke und Satzmuster. In der folgenden Übersicht finden Sie ein paar Beispiele:

The Walker family has a plan.	*(Die)* ***Familie Walker*** *hat einen Plan.*
do sport / judo	*Sport / Judo* ***machen***
go to an aerobics / English class	*einen Aerobic- / Englisch****kurs besuchen***
He runs three times a week.	*Er läuft dreimal* ***die*** *Woche.*
Hi, Brad. **It's me.**	*Hallo, Brad.* ***Ich bin's.***
She plays very **well**, not like **me**.	*Sie spielt sehr* ***gut****, nicht* ***so wie ich.***
● How are you? ● **Fine**, thanks.	● *Wie geht's?* ● *Danke,* ***gut.***
● I need some flights. ● **Where to**?	● *Ich brauche ein paar Flüge.* ● ***Wohin?***

Useful expressions E1,5

Freizeitaktivitäten

go shopping	*einkaufen gehen*
go to the sauna	*in die Sauna gehen*
go to a fitness center	*in ein Fitness-center gehen*
go swimming	*schwimmen gehen*
go cycling	*(zum) Rad fahren gehen*
go hiking	*wandern gehen*
go for a walk	*spazieren gehen*
go out	*ausgehen*
go out for a drink	*etwas trinken gehen*
go out for a meal	*essen gehen*
go dancing	*tanzen gehen*
go to a movie	*ins Kino gehen*
go to the theater	*ins Theater gehen*

Wochentage

Monday	*Montag*
Tuesday	*Dienstag*
Wednesday	*Mittwoch*
Thursday	*Donnerstag*
Friday	*Freitag*
Saturday	*Samstag / Sonnabend*
Sunday	*Sonntag*

Exercises

1 Welches ist das richtige Verb? Sortieren Sie.

aerobics for a walk ice-hockey in a band judo
out for a drink saxophone sport swimming

do	go	play
....	....	....
....	....	....
....	....	....

2 Welche Ausdrücke gehören zusammen? Vervollständigen Sie die Reihen mit Begriffen aus dem Kasten.

cook eat finish work leave home like love ✔ morning
never night sometimes Thursday Tuesday

1.	....	*love*....................................	hate
2.	....	start work	....
3.	....	Wednesday	....
4.	usually	....	....
5.	....	afternoon	....
6.	buy fish	....	....

3 Wie lautet die 3. Person Singular?

1. ask	**6.** go	**11.** relax ....
2. come	**7.** have	**12.** say ....
3. buy	**8.** know	**13.** try ....
4. do	**9.** make	**14.** watch ....
5. finish	**10.** play	**15.** run ....

4 Ergänzen Sie die richtige Form.

1. Juan Vargas .... (speak) English and Spanish, but he .... (not, speak) German.
2. He and his colleague Sonia Walker .... (have) an American boss in New York. They .... (not, have) a British boss.
3. Tina Berger .... (know) Juan, but she .... (not, know) Juan's boss.
4. Bob Walker .... (not, live) in Canada. He .... (live) in London.
5. Bob .... (have) an English mother and father, but Tina .... (not, have) an English father, only an English mother.
6. Tina and Bob .... (phone) most weeks. But they .... (not, often, phone) New York.

5 Schauen Sie sich die Einstiegsseite der Lektion noch einmal an. Vervollständigen Sie dann die Fragen und beantworten Sie sie mit einer Kurzantwort.

1. ● Does Jack play saxophone? ● *No,* ....
2. ● .... Sonia .... to an aerobics class?
   ● ....
3. ● .... Sonia and Jack .... to the sauna?
   ● ....
4. ● .... Sonia's son .... judo?
   ● ....
5. ● .... the children both .... ice-hockey?
   ● ....
6. ● .... they sometimes .... brunch in a hotel?
   ● ....
7. ● .... Fiona .... with her team every Tuesday evening?
   ● ....

6 Übersetzen Sie die deutschen Ausdrücke in Klammern.

Susan Summers is a computer expert. She .... *(hat nicht)* a normal day, she .... *(arbeitet)* at night. She .... *(steht auf)* at 11.30 and .... *(geht)* running. She .... *(frühstückt nicht)*. After her run she .... *(duscht)* and then .... *(isst)* lunch. In the afternoon she .... *(geht oft)* into town and .... *(macht Einkäufe)*. She .... *(trifft manchmal)* friends in the early evening, but she .... *(hat nicht)* a lot of time because she .... *(muss)* start work at 9.30 p.m. She .... *(hört auf)* work again at four o'clock in the morning. Then she .... *(nimmt)* a taxi home and .... *(geht)* to bed. She .... *(schläft nicht)* very much.

7 **a.** Sie möchten von einem Bekannten wissen, was er in seinem Job alles machen muss. Formulieren Sie Fragen mit **have to**.

1. ● ....
   ● Yes, I have to get up very early.
2. ● ....
   ● Yes, I have to speak a lot of English in my job.
3. ● ....
   ● Yes, I have to phone in English, too.
4. ● ....
   ● No, I don't have to organize meetings.
5. ● ....
   ● Yes, I have to meet lots of people in my job.
6. ● ....
   ● No, I don't have to travel a lot.

b. Was trifft auf Sie zu? Beantworten Sie nun die Fragen aus Übung 7 a für sich selbst.

1. ....

2. ....

3. ....

4. ....

5. ....

6. ....

8 Wie schreibt man die **-ing**-Form?

1. cook ....
2. run ....
3. swim ....
4. go ....
5. be ....

6. live ....
7. organize ....
8. plan ....
9. have ....
10. get up ....

9 Was mögen Sie und was nicht? Schreiben Sie Sätze mit **I love, I (don't) like** und **I hate**. Benutzen Sie dazu die Wörter aus dem Kasten.

cook	work in the evening	get up early	read emails
listen to jazz	eat pizza	make plans	go hiking
act	sleep in the afternoon	watch sport	

I love ....

....

....

....

....

....

10 Ergänzen Sie die Präpositionen.

after	at	before	for	from	in	on	to

There are a lot of people at the place where I work. It's a pub. The boss gets up very early .... Monday .... Friday – .... 9.30 .... the morning! But he gets up even earlier* .... the weekend .... Saturday and Sunday. That's because we have a lot of customers .... those days, so there's a lot of work. I get up .... 11 or 11.30, ... Saturday and Sunday, too. I get up just .... lunch (that's always fish). Then I go back .... bed again. I get up the next time .... the late afternoon or early evening .... my dinner. .... dinner I sleep again. I get up the last time .... 11 o'clock or 11.30 .... the evening. That's when I really start work. You see, I work when the boss and all the pub's customers are .... home .... their beds. I work .... night because that is the time when the mice** wake up.

* even earlier: *noch früher* ** mice: *Mäuse*

11 Übersetzen Sie.

1. Familie Walker wohnt in Toronto.

....

2. Die Tochter macht Judo.

....

3. Die Mutter besucht einen Aerobickurs.

....

4. Der Vater läuft drei Mal die Woche.

....

5. Hallo, Willi. Ich bin's.

....

6. Mein Mann kocht sehr gut, nicht so wie ich.

....

1 Lesen Sie diese Auszüge aus einer Hotelbeschreibung und entscheiden Sie, ob die Aussagen 1–4 wahr (**true**) oder unwahr (**false**) sind.

Covent Hotel
27 Curzon Avenue
London WC1 7NT
020-879-45267
coventhotel.co.uk

Underground: Bakerloo Line,
5 minutes from Walton Vale Station
Bus 75 or 102 from Marble Arch

150 rooms
5 bars and restaurants
sauna and fitness centre

Breakfast 7.30 to 10.00
Room service 24 hours

		True	False
1.	There are over a hundred rooms.	☐	☐
2.	You can go swimming.	☐	☐
3.	You can't have breakfast at half past ten.	☐	☐
4.	You don't have to take a taxi from the city centre.	☐	☐

Punkte ....../4

2 Nummerieren Sie die Elemente nach ihrer logischen Reihenfolge.

1. ☐ a. breakfast, ☐ b. dinner, ☐ c. lunch
2. ☐ a. fifty, ☐ b. fifteen, ☐ c. thirty
3. ☐ a. Wednesday morning, ☐ b. Thursday evening, ☐ c. Tuesday afternoon
4. ☐ a. half past six, ☐ b. quarter to seven, ☐ c. twenty-five to seven
5. ☐ a. get up, ☐ b. go to bed, ☐ c. have lunch
6. ☐ a. go along here, ☐ b. go along there and take the second street on the left, ☐ c. turn right into Baker Street

Punkte ....../6

3 Bilden Sie sechs Gruppen, die denselben Laut haben.

boss flight know like make only people phone
same she tea try two view waiter watch what who

cold	buy	new	because	meet	great
....	....	....	....	....	....
....	....	....	....	....	....
....	....	....	....	....	....

Punkte ....../6

4 Bilden Sie Sätze, indem Sie die Satzelemente nummerieren.

1. ☐ English / ☐ my friend / ☐ doesn't speak
2. ☐ I / ☐ much English / ☐ don't speak
3. ☐ goes / ☐ the next train / ☐ when / ☐ do you know / ☐ to London?
4. ☐ does / ☐ on Sundays, too? / ☐ go / ☐ it
5. ☐ it / ☐ does / ☐ get to London? / ☐ when
6. ☐ in London? / ☐ work / ☐ you / ☐ do

Punkte ....../6

5 Wie sagen Sie es auf Englisch?

1. Entschuldigung, ich verstehe nicht.

   ....

2. Können Sie das bitte wiederholen?

   ....

3. Könnten Sie bitte etwas langsamer sprechen?

   ....

4. Können Sie das bitte buchstabieren?

   ....

5. Ja, das stimmt.

   ....

6. Tut mir leid.

   ....

Punkte ....../6

6 Wie lauten die passende Fragen?

1. Ferguson. My first name is Ann. ....
2. No, not English. I'm from Scotland. ....
3. Germany? Yes, I do. It's a great place. ....
4. No, sorry. I can say *danke* and *bitte*, but that's all. ....
5. It's 01447-32779176. ....
6. Yes, I do. It's Ann.Ferguson@trox.co.uk. ....

Punkte ....../6

Gesamt ....../34

Schwerpunkt dieser Lektion ist die Vergangenheit. Sie lernen:

- eine Geschichte zu erzählen
- über **Urlaubserlebnisse** zu berichten
- Aussagen und Fragen in der **einfachen Vergangenheit**
- die Wortstellung im **Nebensatz**
- Relativsätze
- den Ausdruck **have got**

Unit 6

An adventure holiday?

Some years ago, Bertrand and Marie-Louise Dupont from France went to Britain by car for their holiday. It was an adventure because they were both over 70, and it was their first time in England. Bertrand knew that you drive on the left in England, but he wasn't really afraid: he just drove carefully. And they had a lot of time so they didn't hurry. Everything went well. The Duponts took their time, didn't travel over 200 kilometres a day, stopped when they saw something interesting, and stayed in bed-and-breakfasts they found in their guidebook. They didn't go to London, but they visited Canterbury, Cambridge and York, and then they made their way to Scotland. They spent two days in Edinburgh, looked at Loch Ness (they didn't see Nessie*), and then went to the west coast. In the last week of their holiday they arrived in the town of Oban. In the harbour, they were surprised when they found a wonderful modern car park for about 30 cars which was completely empty. So they left their car there and walked into the town. Two hours later when they came back, they found that not only their car, but the whole car park was gone. They felt very stupid when they went to the police. But the woman police officer who helped them just laughed. The "car park" was the Oban to Mull car ferry!

* Nessie: *Name des Ungeheuers von Loch Ness*

Ein Abenteuerurlaub?

Vor einigen Jahren fuhren Bertrand und Marie-Louise Dupont aus Frankreich mit dem Auto nach England in den Urlaub. Es war ein Abenteuer, weil sie beide über 70 waren, und es ihr erstes Mal in England war. Bertrand wusste, dass man in England auf der linken Straßenseite fährt, aber er hatte keine richtige Angst: er fuhr einfach vorsichtig. Und sie hatten viel Zeit, also beeilten sie sich nicht. Alles ging gut. Die Duponts ließen sich Zeit, fuhren nicht mehr als 200 Kilometer am Tag, hielten an, wenn sie etwas Interessantes sahen, und übernachteten in Frühstückspensionen, die sie in ihrem Reiseführer fanden. Sie fuhren nicht nach London, aber sie besuchten Canterbury, Cambridge und York, und dann machten sie sich auf den Weg nach Schottland. Sie verbrachten zwei Tage in Edinburgh, sahen sich Loch Ness an (sie haben Nessie nicht gesehen), und fuhren dann an die Westküste. In der letzten Woche ihres Urlaubs kamen sie in der Stadt Oban an. Im Hafen waren sie überrascht, als sie ein wunderbar modernes Parkhaus für etwa 30 Autos fanden, das völlig leer war. Also stellten sie ihr Auto dort ab und gingen zu Fuß in die Stadt.

Als sie zwei Stunden später zurückkamen, entdeckten sie, dass nicht nur ihr Auto, sondern das ganze Parkhaus weg war. Sie kamen sich sehr dumm vor, als sie zur Polizei gingen. Aber die Polizeibeamtin, die ihnen half, lachte nur. Das „Parkhaus" war die Autofähre zwischen Oban und (der Insel) Mull!

What's new? *E 4, 5, 6, 7*

Mit dieser Lektion machen Sie einen großen Schritt nach vorn: Sie lernen die englische Vergangenheit. Wissenschaftliche Untersuchungen haben ergeben, dass über 80 Prozent aller englischen Sätze entweder mit der einfachen Gegenwart oder mit der einfachen Vergangenheit gebildet werden. Nach dieser Lektion verfügen Sie also schon über die wichtigsten Verbformen der englischen Sprache!

Die einfache Vergangenheit von **be** bilden Sie mit **was** und **were**:

I	**was**	**wasn't**	*ich*	*war*	*war nicht*
you	**were**	**weren't**	*du*	*warst*	*warst nicht*
			Sie	*waren*	*waren nicht*
he / she / it	**was**	**wasn't**	*er / sie / es*	*war*	*war nicht*
we	**were**	**weren't**	*wir*	*waren*	*waren nicht*
you	**were**	**weren't**	*ihr*	*wart*	*wart nicht*
they	**were**	**weren't**	*sie*	*waren*	*waren nicht*

It was an adventure. *Es war ein Abenteuer.*
They were both over 70. *Sie waren beide über 70.*

Fragen mit **was** und **were** bilden Sie durch Umstellung von Subjekt und Verb.

Frage	Kurzantworten	
Was I late?	Yes, I **was**.	No, I **wasn't**.
Were you late?	Yes, you **were**.	No, you **weren't**.
Was he / she / it late?	Yes, he / she / it **was**.	No, he / she / it **wasn't**.
Were we / they late?	Yes, we / they **were**.	No, we / they **weren't**.

Die einfache Vergangenheit der regelmäßigen Verben bilden Sie, indem Sie die Endung **-ed** an den Infinitiv anhängen. Im Deutschen können Sie diese Form entweder mit dem Präteritum oder mit dem Perfekt übersetzen:
We booked three rooms. *Wir buchten drei Zimmer. / Wir haben drei Zimmer gebucht.*

Beachten Sie folgende Schreibbesonderheiten:

- Stummes **e** am Ende des Verbs entfällt vor der Endung **-ed**:
  hate ▶ I hat**ed** it. *Ich habe es gehasst.*
- Endet das Verb auf einen (einzelnen) betonten Vokal und einen (einzelnen) Konsonanten, verdoppeln Sie diesen Konsonanten vor der Endung **-ed**:
  stop ▶ They sto**pped** when they saw something interesting. *Sie hielten an, wenn Sie etwas Interessantes sahen.*
- Endet das Verb auf Konsonant + **-y**, so wird das **-y** vor der Endung **-ed** zu **-i**:
  hurry ▶ They hurr**ied**. *Sie beeilten sich.*

Holiday disasters

Bob Walker is not married, and had to "hold the fort" in his office in August when all his colleagues with children went away. His colleague Tony came back from his holiday yesterday. Today is his first day back at work.

Bob: So how was the holiday, Tony?
Tony: A disaster.
Bob: Why? What happened? Where did you go again?
Tony: Tunisia. But it was a disaster from beginning to end. It started to go wrong as soon as we left home. Brian, our neighbour, took us to the airport. But there was a lot of traffic, and we got to the airport an hour late.
Bob: Did you miss your flight?
Tony: No, we didn't. But only because it was nine and a half hours late.
Bob: Oh.
Tony: And when we got to Tunisia, the hotel booking was all wrong. We booked three rooms, one for Julia and me, one for Gary, and one for Anthea. But the man at reception said they only had one family room. I complained, of course, but there was nothing else. At least for the first week.
Bob: How old are they again?
Tony: Gary's 13, and Anthea's 15.
Bob: Right.
Tony: So we spent the whole first week with four of us all in one room. You don't know what it's like with two teenagers. They argued all the time. Terrible.
Bob: I'm sorry. But wasn't it a club holiday? Didn't you all do different things?
Tony: Yes. But Gary broke his arm on the tennis court. And someone stole Anthea's laptop.
Bob: Did she take a laptop on holiday with her?
Tony: Yes, she did. She's got this new camera, and she wanted the laptop to store all the pictures.
Bob: I see. But they didn't steal the camera.
Tony: No, they didn't steal that.
Bob: What about you?
Tony: Well, I got terrible sunburn. In fact, I've still got it. I spent too long at the pool ... That's enough of me and my wonderful holiday. What about you? How was life here when we were all away? Was it chaos?
Bob: Well, I'm sorry to have to say this, but ...

Vocabulary

Die Vergangenheitsformen aus den beiden Texten entnehmen Sie bitte den Abschnitten **What's new?** und **Grammar**.

An adventure holiday?

adventure	*Abenteuer*
holiday	*Urlaub*
ago *nachgestellt*	*vor*
some years ago	*vor einigen Jahren*
by car	*mit dem Auto*
that	*dass*
drive	*(Auto) fahren*
be afraid	*Angst haben*
carefully *Adv*	*vorsichtig*
hurry	*sich beeilen*
they took their time	*sie ließen sich Zeit*
kilometre *BE*	*Kilometer*
kilometer *AE*	
a day	*am / pro Tag*
stop *V*	*anhalten, aufhören*
see	*sehen*
stay	*übernachten, bleiben*
find	*finden*
guidebook	*Reiseführer*
they made their way to ...	*sie machten sich auf den Weg nach ...*
spend	*verbringen*
look at	*(sich) ansehen / anschauen*
arrive	*ankommen*
harbour	*Hafen*
surprised	*überrascht*
which *Rel.pron*	*der, die, das*
completely *Adv*	*völlig*
empty	*leer*
leave	*(hinter)lassen, abstellen*
walk	*(zu Fuß) gehen*
hour	*Stunde*
later	*später*
not only ... but	*nicht nur ..., sondern auch*
whole	*ganze(r, s)*
be gone	*weg / verschwunden sein*
feel	*(sich) (an)fühlen, sich vorkommen*
stupid	*dumm*
police *Pl*	*Polizei*
woman	*Frau*
police officer	*Polizeibeamter, -beamtin*
woman police officer	*Polizeibeamtin*
who *Rel.pron*	*der, die, das*
laugh	*lachen*
ferry	*Fähre*

Holiday disasters

disaster	*Katastrophe*
hold the fort	*die Stellung halten*
go away	*verreisen, wegfahren*
yesterday	*gestern*
today	*heute*
at work	*bei der Arbeit, am Arbeitsplatz*
happen	*passieren, geschehen*
What happened?	*Was ist (denn) passiert?*
Where did you go again?	*Wo seid ihr noch mal hingefahren?*

Tunisia	*Tunesien*
beginning	*Anfang, Beginn*
go wrong	*schiefgehen*
as soon as	*sobald*
neighbour	*Nachbar(in)*
an hour late	*mit einer Stunde Verspätung*
miss	*verpassen*
nine and a half	*neuneinhalb*
booking	*Buchung*
(all) wrong	*(ganz) falsch*
book	*buchen*
room	*Zimmer*
man	*Mann*
at reception	*an der Rezeption*
complain (to)	*sich beschweren (bei)*
of course	*natürlich*
nothing else	*nichts anderes / mehr*
at least	*wenigstens*
with four of us all	*wir vier, alle vier*
what it's like	*wie es ist*
argue	*streiten*
all the time	*die ganze Zeit*
terrible	*schrecklich*
I'm sorry.	*Das tut mir leid.*
club	*Klub, Verein*
different	*unterschiedlich, verschieden*
break	*(zer)brechen, kaputtgehen, kaputt machen*
arm	*Arm*
tennis	*Tennis*
tennis court	*Tennisplatz*
steal	*stehlen*
laptop	*Laptop, tragbarer Computer*
camera	*Kamera, Fotoapparat*
have got	*haben*
want	*wollen*
to store	*um zu speichern*
picture	*Bild*
get	*bekommen*
sunburn	*Sonnenbrand*
still	*(immer) noch*
pool	*Pool*
enough	*genug*

Grammar

1. Die einfache Vergangenheit: unregelmäßige Verben *E 4, 5, 6, 7*

Unregelmäßige Verben sind Vollverben, die in der Vergangenheit Sonderformen haben. Sie können sich diese nicht herleiten, sondern müssen sie extra lernen. So zum Beispiel die Vergangenheitsformen von **go**, **make**, **take** und **see**:

The Duponts **went** to Britain.
Die Duponts fuhren nach Großbritannien.
They **made** their way to Scotland.
Sie machten sich auf den Weg nach Schottland.
Our neighbour **took** us to the airport.
Unser Nachbar brachte uns zum Flughafen.
They **saw** a lot of interesting places.
Sie sahen viele interessante Orte.

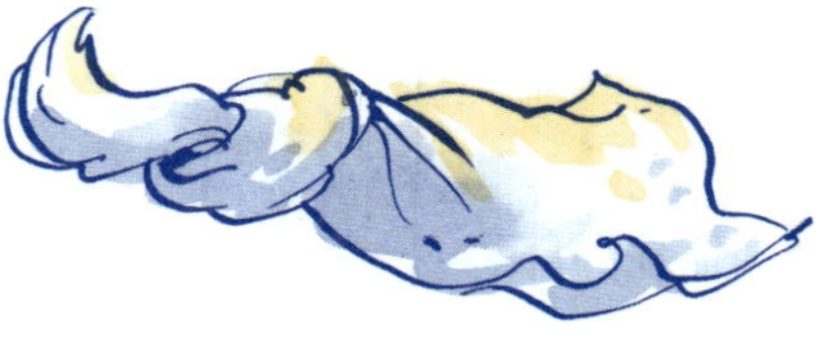

Hier eine Übersicht der häufigsten unregelmäßigen Verben:

be	**was / were**	*sein*
become	**became**	*werden*
make	**made**	*machen*
break	**broke**	*(zer)brechen, kaputtgehen, kaputt machen*
buy	**bought**	*kaufen*
come	**came**	*kommen*
do	**did**	*tun, machen*
drink	**drank**	*trinken*
drive	**drove**	*(Auto) fahren*
eat	**ate**	*essen*
feel	**felt**	*(sich) fühlen*
find	**found**	*finden, entdecken*
get	**got**	*bekommen, kriegen; holen, besorgen; hinkommen*
go	**went**	*gehen, fahren*
have	**had**	*haben*
know	**knew**	*wissen, kennen*
leave	**left**	*(ver)lassen; weggehen, abfahren*
meet	**met**	*(sich) treffen*
read	**read**	*lesen*
run	**ran**	*laufen*
say	**said**	*sagen*
see	**saw**	*sehen*
sleep	**slept**	*schlafen*
speak	**spoke**	*sprechen*
spell	**spelt**	*buchstabieren*
spend	**spent**	*verbringen*
steal	**stole**	*stehlen*
take	**took**	*nehmen*
tell	**told**	*sagen, erzählen*
understand	**understood**	*verstehen*
wake up	**woke up**	*aufwecken, aufwachen*
write	**wrote**	*schreiben*

Weitere unregelmäßige Verben finden Sie in der → **Verbtabelle** im Anhang.

2. Verneinung, Frage und Kurzantworten *E 7*

Aus → Lektion 4 wissen Sie, dass Sie bei der Verneinung von Vollverben das Hilfsverb **do** brauchen. Die Vergangenheitsform von **don't** und **doesn't** lautet **didn't (did not)**:

The Duponts **didn't** hurry. *Die Duponts beeilten sich nicht.*
Tony **didn't** have a nice holiday. *Tony hatte keinen schönen Urlaub.*

Fragen, die Vollverben enthalten, und Kurzantworten bilden Sie mit **did** und **didn't**.

Frage	Kurzantworten	
Did you miss your flight?	Yes, we **did**.	No, we **didn't**.
Did she take a computer with her?	Yes, she **did**.	No, she **didn't**.

Auch Fragen mit Fragewörtern bilden Sie mit **did**, wenn ein Vollverb darin vorkommt.
Where did you go? *Wo seid ihr hingefahren?*
What did they say? *Was haben sie gesagt?*
What did you do? *Was habt ihr gemacht?*

3. Nebensätze *E 8*

Im Einstiegstext kamen einige Nebensätze vor. Nebensätze erkennen Sie daran, dass sie durch eine Konjunktion (hier: **that** *dass* oder **when** *wenn, als*) eingeleitet werden. Im Gegensatz zum Deutschen bleibt die Satzstellung im Nebensatz unverändert. Das Verb rückt nicht ans Satzende, sondern steht wie im Hauptsatz direkt nach dem Subjekt. Während im Deutschen vor dem Nebensatz ein Komma steht, brauchen Sie im Englischen in der Regel keines.
Bertrand knew **that** you **drive** on the left in England.
Bertrand wusste, dass man in England auf der linken Straßenseite fährt.
They stopped **when** they **saw** something interesting.
Sie hielten an, wenn sie etwas Interessantes sahen.

4. Relativsätze *E 2, 3*

Ein Relativsatz bestimmt Personen oder Sachen näher. Er gibt wichtige Informationen, ohne die der jeweilige Satz unvollständig wäre. Er wird durch ein Relativpronomen eingeleitet, zum Beispiel durch **who** oder **which / that**. Die Wahl des richtigen Relativpronomens hängt vom Bezugswort ab: Bei Personen verwenden Sie **who**, bei Sachen **which** oder **that**. Manchmal wird das Relativpronomen **that** auch bei Personen verwendet, wobei jedoch **who** gebräuchlicher ist. In den meisten Relativsätzen brauchen Sie kein Komma.
The woman police officer **who** helped them laughed.
Die Polizeibeamtin, die ihnen half, lachte.
They found a car park **which / that** was completely empty.
Sie fanden ein Parkhaus, das völlig leer war.

Eine Besonderheit sind Relativsätze ohne Relativpronomen. Sie können das Relativpronomen nämlich immer dann weglassen, wenn das Bezugswort (im folgenden Beispiel **bed-and-breakfasts**) das Objekt im Relativsatz ist.
They stayed in bed-and-breakfasts (which / that) they found in their guidebook.
Sie übernachteten in Frühstückspensionen, die sie in ihrem Reiseführer fanden.

Tipp: Verwenden Sie immer ein Relativpronomen, dann machen Sie keine Fehler.

5. *have got* E 9

Der Ausdruck **have got** ist eine Eigentümlichkeit vor allem des britischen Englisch. Er ist bedeutungsgleich mit **have**. Bei der Kurzform von **has** besteht übrigens Verwechslungsgefahr: Sie lautet **'s** wie bei **is**.
She**'s got** (She has got) this new camera. *Sie hat diese neue Kamera.*

Fragen und Kurzantworten zu **have got** bilden Sie nicht mit **do**. Damit unterscheiden diese sich formal von Fragen mit **have**, bedeuten aber dasselbe:

Frage	Kurzantworten	
Has she **got** a new camera?	Yes, she **has**.	No, she **hasn't**.
Does she **have** a new camera?	Yes, she **does**.	No, she **doesn't**.

Language in use

What's it like?

Dieser etwas eigentümliche Ausdruck bedeutet *Wie ist es (beschaffen)?*
What's your hotel like? *Wie ist euer Hotel?*
What's your boss like? *Wie ist dein(e) Chef(in)?*
What was the film like? *Wie war der Film?*

Sich beschweren

I'd like to complain. *Ich möchte mich beschweren.*
The booking is wrong. *Die Buchung ist falsch.*
I'm sorry, but there's a mistake.
Entschuldigung, aber hier gibt es einen Fehler.
It's terrible. *Es ist furchtbar.*
It was a disaster. *Es war eine Katastrophe.*

Mann und *Frau*

Die deutschen Wörter *Mann* und *Frau* übersetzen Sie nicht immer gleich:
Wer ist dieser Mann da? ▶ Who is that **man**?
Ich mache Sie mit meinem Mann bekannt. ▶ Let me introduce you to my **husband**.
Wer ist diese Frau da? ▶ Who is that **woman**?
Ich mache Sie mit meiner Frau bekannt. ▶ Let me introduce you to my **wife**.
Das sind Herr und Frau Smith. ▶ This is **Mr** and **Mrs** Smith.

Useful expressions

Auf Reisen			
go on holiday	*in (den) Urlaub fahren*	rent a car	*ein Auto mieten*
go abroad	*ins Ausland fahren*	reservation	*Reservierung*
go by train	*mit dem Zug fahren*	reserve accommodation	*eine Unterkunft reservieren*
go by plane	*mit dem Flugzeug fliegen*	pack a (suit)case	*einen Koffer packen*
go by taxi	*mit dem Taxi fahren*	depart	*abfahren, abfliegen*
go on a camping holiday	*einen Campingurlaub machen*	departure	*Abfahrt, Abflug*
		arrive	*ankommen*
		arrival	*Ankunft*
		day trip	*Tagesausflug*

Exercises

1 Welche Wörter gehören zusammen? Verbinden Sie.

1. pack	**a.** a flight
2. drive	**b.** pictures
3. spend	**c.** a suitcase
4. look at	**d.** accommodation
5. miss	**e.** a holiday
6. book	**f.** a car

2 Ergänzen Sie **who** oder **which**.

1. We need a car .... is big enough for a family of six.

2. What's the name of the woman .... phoned from Finland last week?

3. A caterer is someone .... cooks for other people.

4. Do you know a hotel in London .... isn't too expensive?

5. We have a friend .... lives in Hong Kong.

6. I want a postcard .... shows the beach.

3 Machen Sie aus zwei Sätzen einen. Verwenden Sie dabei einen Relativsatz.

1. A ferry goes from Oban to Mull. It's not very big.
   The ferry which / that goes from Oban to Mull is not very big.
2. We booked a hotel. It wasn't very cheap.
   The hotel ....
3. A woman said hello to us. She is our new neighbour.
   The woman ....
4. We saw a film last week. It was three and a half hours long.
   The film ....
5. A man took my name and address. He wasn't a police officer.
   The man ....
6. We booked a holiday. It was for my husband's parents.
   The holiday ....

4 Ergänzen Sie **was** oder **were** und ordnen Sie jeweils zwei Sätze einander zu.

1. My train .... late again.
2. It .... Sunday.
3. Where .... you when I phoned?
4. Our holiday flat .... nice.
5. The neighbours .... away last week.
6. Why ....n't you here last week?

a. They .... in Fuerteventura.
b. It .... very near the beach.
c. So I .... late for work.
d. I'm sorry. I .... in the bathroom.
e. I .... on holiday.
f. So the children ....n't at school.

5 Ergänzen Sie die Formen der einfachen Vergangenheit.

am	....	feel	....	make	....
are	....	find	....	miss	....
argue	....	happen	....	spend	....
arrive	....	hurry	....	stay	....
complain	....	know	....	stop	....
do	....	laugh	....	want	....
drive	....	look	....	write	....

6 Ergänzen Sie Formen der einfachen Vergangenheit.

One of my friends .... (book) a package tour to Kenya. It .... (be) his first holiday in Africa. Everything .... (go) well with the flights. He .... (get) to the airport on time*, and the flight .... (leave) on time. My friend .... (read) a little, ... (sleep) a little, ... (see) a film, ... (eat) and .... (drink). He .... (arrive) in Mombasa on time, and a bus .... (take) him and the other tourists to their hotel. The room .... (be) nice – it .... (have) a view of the beach. After the long flight, my friend .... (sleep) for an hour and a half. When he .... (wake up) again, he .... (walk) into the bathroom – and .... (find) something long in his bath.
It .... (be) a snake**! He .... (run) to reception. The man at reception .... (come) back to his room with him. But the snake was gone.

* on time: *pünktlich* ** snake: *Schlange*

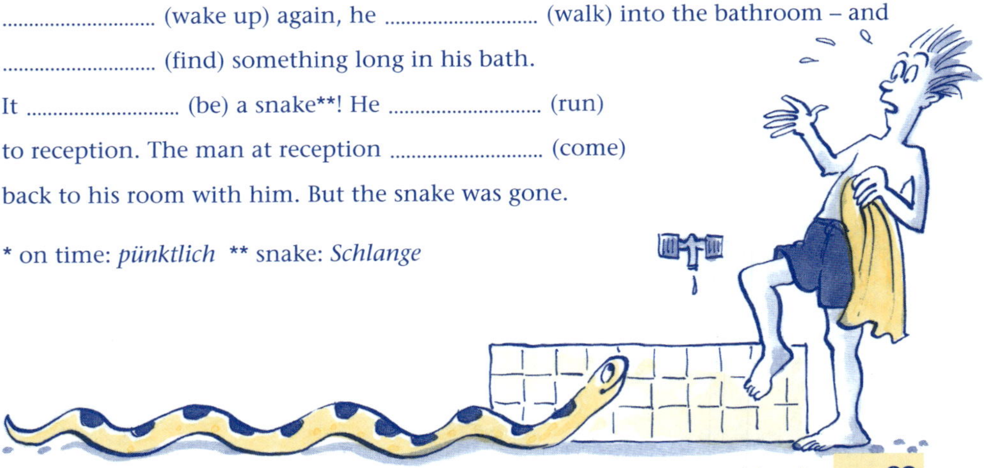

7 Ergänzen Sie die richtige Form, einmal bejaht und einmal verneint wie im Beispiel.

come	drink ✔	go	know	stay	buy

1. We *drank* tea. We *didn't drink* coffee.
2. I .... with friends. I .... in a hotel.
3. They .... by car. They .... by train.
4. I .... the man. But I .... the woman.
5. Most of the tourists .... from Britain. They .... from the USA.
6. She .... a guidebook. She .... a postcard.

8 Ergänzen Sie das Verb in der richtigen Form an der richtigen Stelle im Satz.

1. I know that you American films, but this one is really good. (not like)

   ....

2. The Duponts stopped for lunch when they a nice pub. (see)

   ....

3. The people who in number 10 don't have a car. (live)

   ....

4. When Bob from his holiday, there was a lot of work to do. (come back)

   ....

5. But I told you that it a car park. (not be)

   ....

9 Ergänzen Sie Fragen mit **have** oder **have got**.

1. ● .... ● Yes, we do. It's a Japanese car.
2. ● .... ● Yes, we have. We have a son and two daughters.
3. ● .... ● Yes, I have. But only ten minutes.
4. ● .... ● Yes, they have. It's a very big garden.
5. ● .... ● No, she doesn't. She only works part-time.
6. ● .... ● Yes, he has. It's a laptop.

In dieser Lektion begegnen Ihnen:
- momentane Handlungen und Zustände
- **Berufe**
- feste Pläne in der **(nahen) Zukunft**
- die **Verlaufsform** der Gegenwart
- der Unterschied zur einfachen Form
- das Allroundwort **get**

Unit

7

No cool cocktail

From Juan_Vargas@trendsport.com
To Sonia_Walker@trendsport.com
Bob_Walker@trendsport.com
Subject Problems with the Monsoon range

Dear Sonia, dear Bob,
Is it snowing up there in Toronto? And are you enjoying the rain over there in London, Bob? I'm writing this on my notebook. I'm sitting outside on the porch, the sun is shining and I'm drinking a long, cool cocktail.
No, actually, I'm not sitting outside on the porch, I'm not at home at all. I'm sitting at my desk and I'm getting nervous. I'm writing because I am having big problems with the new Monsoon product range. We are doing all we can to promote it, but it is not selling well. And the economic situation is very good here now: unemployment is falling, people are spending more money, and the market for luxury products is growing fast. But not for the Monsoon range.
How is it selling in your area? Are you having problems, too? Maybe you can tell me what I'm doing wrong and send me some ideas ...

Best wishes from Florida,
Juan

Kein kühles Mixgetränk

Von Juan_Vargas@trendsport.com
An Sonia_Walker@trendsport.com
Bob_Walker@trendsport.com
Betreff Probleme mit der Monsoon-Reihe

Liebe Sonia, lieber Bob,
schneit es dort oben in Toronto? Und genießen Sie den Regen da drüben in London, Bob? Ich schreibe dies auf meinem Notebook. Ich sitze gerade draußen auf der Veranda, die Sonne scheint und ich trinke ein großes, kühles Mixgetränk.
Nein, in Wirklichkeit sitze ich nicht draußen auf der Veranda, ich bin überhaupt nicht zu Hause. Ich sitze an meinem Schreibtisch und ich werde (langsam) nervös. Ich schreibe Ihnen, weil ich große Probleme mit der neuen Monsoon-Produktreihe habe. Wir tun alles, was wir können, um Werbung dafür zu machen, aber sie verkauft sich nicht gut. Und dabei ist die wirtschaftliche Situation jetzt sehr gut hier: Die Arbeitslosigkeit sinkt, die Menschen geben mehr Geld aus, und der Markt für Luxusprodukte wächst schnell. Aber nicht für die Monsoon-Reihe.
Wie verkauft sie sich in Ihrem Gebiet? Haben Sie auch Probleme? Vielleicht können Sie mir sagen, was ich falsch mache und mir ein paar Ideen schicken ...

Beste Grüße aus Florida,
Juan

What's new? E 6, 7, 8, 9, 10

In dieser Lektion lernen Sie eine Verbform, die keine direkte Entsprechung im Deutschen hat: die Verlaufsform der Gegenwart. Sie setzt sich zusammen aus einer Form von **be** und dem Infinitiv des Vollverbs mit der Endung **-ing**.
I'**m writing** this on my notebook. *Ich schreibe dies auf meinem Notebook.*
We **are doing** all we can. *Wir tun alles, was wir können.*

Die Endung **-ing** kennen Sie bereits aus → Lektion 5, denn auch das Gerundium hat diese Endung. Gerundium und Verlaufsform haben zwar vom Gebrauch her nichts miteinander zu tun, aber die in → Lektion 5 beschriebenen orthografischen Regeln gelten auch für die Verlaufsform:

- Stummes **-e** am Ende des Verbs entfällt vor der Endung **-ing**: write ▶ I **am writing.**
- Endet das Verb auf einen (einzelnen) betonten Vokal und einen (einzelnen) Konsonanten, verdoppeln Sie diesen Konsonanten vor der Endung **-ing**: sit ▶ I **am sitting.**

Wie das Verb **be** allein können Sie auch die Verlaufsform auf zwei verschiedene Arten verneinen (mit Ausnahme der 1. Person Singular):

I'**m not** working.	—
You'**re not** working.	You **aren't** working.
He / She / It'**s not** working.	He / She / It **isn't** working.
We'**re not** working.	We **aren't** working.
They'**re not** working.	They **aren't** working.

Fragen bilden Sie ebenfalls genauso wie beim Verb **be**: Kehren Sie Subjekt und Verb einfach um. Die Kurzantworten sind identisch mit denen des Verbs **be**.

Frage	Kurzantworten		
Am I working?	Yes, I **am**.	No, I'**m not**.	—
Are you working?	Yes, you **are**.	No, you **aren't**.	No, you'**re not**.
Is he working?	Yes, he **is**.	No, he **isn't**.	No, he'**s not**.
Is she working?	Yes, she **is**.	No, she **isn't**.	No, she'**s not**.
Is it working?	Yes, it **is**.	No, it **isn't**.	No, it'**s not**.
Are we working?	Yes, we **are**.	No, we **aren't**.	No, we'**re not**.
Are you working?	Yes, you **are**.	No, you **aren't**.	No, you'**re not**.
Are they working?	Yes, they **are**.	No, they **aren't**.	No, they'**re not**.

Im Gegensatz zur einfachen Gegenwart beschreibt die Verlaufsform, was *gerade* oder *im Moment* geschieht. Mehr dazu im Abschnitt **Grammar**.

What's up with you?

Juan meets an old friend at the fitness center at 7 in the morning.

Glenn:	Hi, Juan. You're early.
Juan:	So are you.
Glenn:	I always come early in the summer. But you don't usually work out in the morning.
Juan:	It's the best time for me at the moment.
Glenn:	Best time? You don't look too good.
Juan:	I'm OK.
Glenn:	OK? What's the problem?
Juan:	Things are not going too well at work.
Glenn:	Are you working too hard? You look stressed.
Juan:	The boss is pushing me.
Glenn:	Bosses do things like that. When are you going on vacation?
Juan:	We're not having one this year. Well, not in the summer.
Glenn:	But you usually – you always go away in August.
Juan:	Yeah, but we're not going away this year. Well, we're planning to take a long weekend.
Glenn:	A long weekend? Is that all?
Juan:	Mm.
Glenn:	Oh dear. Things sound bad. Do you have time for a quick breakfast now? Orange juice and croissants? At that little French bistro, just round the corner.
Juan:	Sorry, but I don't have time this morning. I have to get to the office. I'm phoning my colleague in London at 7.30.
Glenn:	You need a break. How about a game of tennis this weekend?
Juan:	I can't. I'm flying up to New York for a crisis meeting with my boss on Saturday.
Glenn:	On Saturday?
Juan:	Mm. When there's a problem, bosses do things like that ...

Vocabulary

No cool cocktail	
cool	*kühl*
cocktail	*Cocktail, Mixgetränk*
range	*Reihe, Serie, Produktpalette*
snow *V; Subs*	*schneien; Schnee*
up there	*da / dort oben*

enjoy	*genießen, gern haben / tun*
rain	*Regen, regnen*
over there	*da / dort drüben*
write	*schreiben*
notebook	*Notebook, Laptop*
sit	*sitzen*
outside *Adv*	*draußen*
porch *AE*	*Veranda*
sun	*Sonne*
shine	*scheinen*
actually *Adv*	*eigentlich, wirklich, tatsächlich*
at home	*zu Hause*
not … at all	*überhaupt nicht*
desk	*Schreibtisch*
at my desk	*an meinem Schreibtisch*
get	*werden*
nervous	*nervös*
problem	*Problem*
product	*Produkt, Erzeugnis*
product range	*Produktreihe, -serie, -palette*
promote something	*für etwas werben*
sell	*(sich) verkaufen*
economic	*wirtschaftlich, Wirtschafts-*
situation	*Situation, Lage*
unemployment	*Arbeitslosigkeit*
fall	*fallen, zurückgehen, sinken*
spend	*ausgeben*
money	*Geld*
luxury	*Luxus, Luxus-*
grow	*(an)wachsen*
fast	*schnell*
maybe	*vielleicht*
send	*(zu-, ab-) schicken*
What's up with you?	
What's up? *ugs*	*Was ist los?*
fitness center *AE*	*Fitnessstudio*
So are you.	*Du / Sie (aber) auch.*
summer	*Sommer*
work out	*Fitnesstraining machen*
best	*beste(r, s)*
at the moment	*im Augenblick, zurzeit*
look	*aussehen*
too	*(all)zu*
What's the problem?	*Was ist (denn) los?*
things	*hier: die Lage, die Situation*
stressed	*gestresst*
push	*(an)schieben, (be)drängen*
things like that	*so etwas*
vacation *AE*	*Urlaub*
oh dear	*oh je*
sound	*klingen, sich anhören*
bad	*schlimm, schlecht*
quick	*schnell*
orange juice	*Orangensaft*
croissant	*Croissant*
little	*klein*
bistro	*Bistro*
round *Präp*	*um*
corner	*Ecke, Winkel*
this morning	*heute Morgen*
How about …?	*Was ist mit …? Wie wäre es mit …?*
game	*Spiel*
fly	*fliegen*
up	*hinauf*
crisis	*Krise*
crisis meeting	*Krisensitzung*

Grammar

1. Einfache Gegenwart oder Verlaufsform? *E 8, 9*

Wie Sie aus → Lektion 4 wissen, verwenden Sie die einfache Gegenwart, um zu sagen, was gewohnheitsmäßig, immer wieder, regelmäßig oder auch nie geschieht. Oft steht diese Zeitform in Verbindung mit Adverbien wie **always** *immer*, **usually / normally** *meistens / normalerweise*, **often** *oft*, **sometimes** *manchmal*, **rarely / seldom** *selten* und **never** *nie*, und außerdem mit adverbialen Bestimmungen, die **every** *jede(r, s)* enthalten.
I always come early in the summer. *Ich komme im Sommer immer früh.*
It often rains here. *Hier regnet es oft.*
They never work on Sundays. *Sie arbeiten sonntags nie.*
We meet every month. *Wir treffen uns jeden Monat.*

Die einfache Gegenwart beschreibt also einen Dauerzustand. Mit der Verlaufsform machen Sie dagegen eine Art Momentaufnahme. Sie beschreiben ein vorübergehendes, momentanes Geschehen, das gerade in der Entwicklung begriffen und somit noch nicht abgeschlossen ist. Im Deutschen können Sie dies mit dem Wort *gerade* zum Ausdruck bringen. Die Verlaufsform der Gegenwart verwenden Sie z. B. mit Adverbien wie **just** *gerade*, **now** *jetzt*, **at the moment** *im Augenblick*, **today** *heute*, **this morning / afternoon / evening** *heute Morgen / Nachmittag / Abend*.
I'm **just** writing you an email. *Ich schreibe Ihnen / euch (gerade) eine E-Mail.*
What is he doing **now**? *Was macht er jetzt (gerade)?*
It is snowing **at the moment**. *Im Augenblick schneit es.*
We are planning our holiday **today**. *Heute planen wir unseren Urlaub.*
They are playing tennis **this morning**. *Sie spielen heute Morgen Tennis.*

Die Zeitspanne, die mit der Verlaufsform beschrieben wird, kann kürzer oder länger sein. Wichtig ist nur, dass die Situation als aktuell und von begrenzter Dauer angesehen wird.
I'm drinking a cocktail. *Ich trinke (gerade) einen Cocktail.*
The new product range is not selling well. *Die neue Produktreihe verkauft sich nicht gut.*

2. Zustandsverben ohne Verlaufsform *E 9, 10*

Eine kleine Gruppe von Verben beschreibt immer einen (Gemüts-)Zustand. Sie existieren daher nur in der einfachen Form:
Do you **like** your cocktail? *Schmeckt Ihnen Ihr Cocktail?*
We **need** more time. *Wir brauchen mehr Zeit.*
I don't **know** the answer to this question. *Ich weiß die Antwort auf diese Frage nicht.*
I don't **remember** his name. *Ich erinnere mich nicht an seinen Namen.*

like	*mögen, gern haben / tun*	want	*wollen*
love	*lieben, sehr gern haben / tun*	know	*wissen, kennen*
hate	*hassen, ungern haben / tun*	remember	*sich erinnern (an)*
prefer	*lieber haben / tun*	understand	*verstehen*
need	*brauchen*		

Auch die Verben **mean** *meinen, bedeuten* und **seem** *scheinen* können nur in der einfachen Form stehen:
"Snow" means „Schnee" in German. *"Snow" heißt auf Deutsch „Schnee".*
The new boss seems to be very nice. *Der neue Chef scheint sehr nett zu sein.*

3. Die Verben *have* und *think* E 10

Die Verben **have** und **think** haben mehrere Bedeutungen. Manchmal beschreiben sie länger andauernde Zustände (dann steht die einfache Gegenwart und die Verlaufsform wäre falsch), manchmal nicht (dann steht die Verlaufsform):
We **have** a French car.
Wir haben ein französisches Auto.
Jack **is having** a shower. *Jack duscht (gerade).*
Sonia **is having** her breakfast. She **is having** tea today.
Sonia isst ihr Frühstück. Sie trinkt heute Tee.
I **think** that the Monsoon range is good. What **do** you **think**? *Ich meine / glaube, dass die Monsoon-Produktreihe gut ist. Was meinen / glauben Sie?*
Shh. He's **thinking**. *Psst. Er denkt nach.*

4. Verlaufsform zum Ausdruck der Zukunft E 9

Die Verlaufsform kann darüber hinaus für konkrete Planungen in der Zukunft verwendet werden. Mit „konkreter Planung" ist gemeint, dass die notwendigen Vorbereitungen schon in die Wege geleitet worden sind und man davon ausgehen kann, dass das Vorhaben sicher in die Tat umgesetzt wird.
I'm phoning my colleague in London at 7.30.
Ich rufe meinen Kollegen um 7.30 Uhr in London an.
When are you having your vacation? *Wann machst du Urlaub?*

Language in use

Berufsangaben E 5

Wenn Sie wissen möchten, was jemand beruflich macht, können Sie dies mit **What do you do?** erfragen. In der Antwort steht im Englischen immer der unbestimmte Artikel:

- What does he do? *Was macht er (beruflich)?*
- He's **an** agent. *Er ist Vertreter.*
- What does she do? *Was macht sie (beruflich)?*
- She's **a** secretary. *Sie ist Sekretärin.*

Vorsicht: Mit **What are you doing?** erkundigen Sie sich nicht nach dem Beruf, sondern danach, was jemand im Moment macht!

get

Das Verb **get** ist ein Allroundwort. Es hat mehrere Bedeutungen und wird sehr häufig gebraucht. Hier einige Beispiele:
When do we **get to** London? *Wann kommen wir in London an?*
When did you **get** my email? *Wann hast du meine E-Mail erhalten?*
I **got** terrible sunburn. *Ich bekam einen furchtbaren Sonnenbrand.*
Juan **is getting** nervous. *Juan wird nervös.*
I must **get** the address from Juan. *Ich muss mir die Adresse von Juan holen / besorgen.*
Can you help me to **get** the lunch? *Kannst du mir helfen, das Mittagessen vorzubereiten?*

look

Auch das Verb **look** hat einen breiten Anwendungsbereich. Hier ein paar Beispiele.
We can **look at** the town plan. *Wir können uns den Stadtplan ansehen.*
Look, our hotel is here. *Schau (hin), hier ist unser Hotel.*
You **look** stressed. *Du siehst gestresst aus.*

fall – feel

Diese beiden Verben kennen Sie bereits. Es besteht eine gewisse Verwechslungsgefahr.
Don't **fall**! *Fall nicht!*
Unemployment **fell** last year. *Die Arbeitslosigkeit ging letztes Jahr zurück.*
I **feel** stressed. *Ich fühle mich gestresst.*
The Duponts **felt** stupid. *Die Duponts kamen sich dumm vor.*

spend

Das Verb **spend** hat zwei Bedeutungen, *verbringen* und *ausgeben*:
I often **spend** my holiday in Spain. *Ich verbringe meinen Urlaub oft in Spanien.*
How much money can we **spend**? *Wie viel Geld können wir ausgeben?*

Useful expressions E 5

Arbeit und Beruf	
work for a company	*bei einer Firma arbeiten*
I'm in advertising.	*Ich bin in der Werbebranche.*
I work in marketing.	*Ich arbeite im Marketing.*
I'm on the administrative side.	*Ich bin in der Verwaltung.*
I'm on the sales side.	*Ich arbeite im Verkauf.*
profession	*Beruf*
experience	*Erfahrung*
jobless	*arbeitslos*
teacher	*Lehrer(in)*
engineer	*Ingenieur(in)*
clerk	*(Büro-)Angestellte(r)*
salesman / saleswoman	*Verkäufer(in), Vertriebsmitarbeiter(in)*
waiter / waitress	*Kellner / Bedienung*
housewife / househusband	*Hausfrau / Hausmann*
scientist	*Wissenschaftler*
doctor	*Arzt, Ärztin*
artist	*Künstler(in)*

i Für viele deutsche Berufsbezeichnungen, z. B. Bürokauffrau, gibt es keine direkten Entsprechungen. Angelsachsen neigen dazu, ihre berufliche Tätigkeit etwas vage auszudrücken und Umschreibungen wie in **Useful expressions** zu benutzen. Bisweilen wird eine Berufsbezeichnung aber auch „aufgemotzt", so zum Beispiel, wenn der einfache **cashier** *Kassierer* zum **check-out sales executive** (etwa: *Kassenverkaufskraft*) wird.

Exercises

1 Was kann man noch sagen? Setzen Sie gleichbedeutende Ausdrücke aus dieser Unit ein.

1. what about?	....	**5.** terrible	very........................
2. now	....	**6.** seldom	....
3. holiday	....	**7.** become	....
4. quick	....	**8.** near here	....

2 Ordnen Sie zu.

1. go on **2.** have **3.** sell **4.** sit **5.** spend **6.** work

a. vacation **b.** in the sun **c.** money **d.** problems **e.** hard **f.** products

3 Ergänzen Sie Buchstaben aus dem Kasten.

o	o	o	o	o	o	o	o	o	u	u	u	w	w	y	y

1. nerv__ __s

2. enj__ __

3. sn__ __

4. __ __tside

5. unempl__ __ment

6. gr__ __

7. l__ __k

8. s__ __nd

4 Wie heißt die richtige Präposition?

at	for	of	on	to	up

1. have a game .... tennis

2. go .... the street

3. sit .... a desk

4. get .... the office at 7.30

5. work .... a big company

6. write an email .... a notebook

5 Was würde man auf Englisch sagen / fragen? Stellen Sie sich vor, Sie lernen einen Amerikaner kennen, mit dem Sie Small Talk betreiben.

1. Sie fragen ihn, was er beruflich macht.

● ....

2. Er sagt, er arbeitet bei einer großen Firma. Er sagt, er ist im Verkauf tätig.

● ....

3. Sie fragen, ob er seinen Beruf gern hat.

● ....

4. Er bejaht. Er sagt, dass er sehr hart arbeitet.

● ....

5. Sie fragen, ob er nette Kollegen und Kolleginnen hat.
- ....

6. Er bejaht.
- ....

7. Sie fragen, wie seine Chefin ist.
- ....

8. Er sagt, sie ist in Ordnung.
- ....

6 Ergänzen Sie mit der verneinten oder bejahten Verlaufsform.

1. I (not sit) *am not sitting* on the veranda. I (work) *am working* hard.
2. We (not go) .... out this evening.
   We (stay) .... at home.
3. You (not listen) .... to me. You (play) .... that stupid computer game.
4. It (not rain) .... It (snow) ....!
5. She (not drink) .... because she (drive) .... this evening.
6. He (phone) .... the doctor because he (not feel) .... too good.

7 Beantworten Sie diese Fragen mit der für Sie richtigen Kurzantwort.

1. Are you sitting at a desk at the moment? ....
2. Are you working at home? ....
3. Do you understand everything? ....
4. Are you starting to think in English? ....
5. Are the CDs helping you with your English? ....
6. Are you planning to visit Britain or the USA later? ....

8 Ergänzen Sie die Sätze mit der einfachen Gegenwart oder der Verlaufsform der Gegenwart. Achten Sie auf die Adverbien.

Hi there! How are you? How did you know that I am at home? Oh, they told you in the office, I see. I .... (not usually work) at home of course, but this week I .... (work) here because one of the children is ill*. Actually, it's quite nice. You know, I .... (wake up) every morning and .... (think) that I have to run to the station, and then I .... (remember) that I don't have to. Normally I .... (get up) at 6.45, but this week I .... (get up) at 7.15 or 7.30. But don't get the wrong idea. I .... (work) very hard this week. Today, for example, I .... (write) a long report** for my boss. Well, I ....(not write) at the moment of course, I .... (just have) a little break. I .... (sit) outside in the garden and .... (have) a cup of coffee. Sorry? Oh, the boss. No, he never .... (phone). I .... (not know) why. His secretary sometimes .... (phone), but not the boss. What? A drink at the pub in half an hour? Well, why not.

* ill: *krank* ** report: *Bericht*

9 Bilden Sie Fragen mit der einfachen Gegenwart oder mit der Verlaufsform der Gegenwart. Wenn Sie auf die Verben und Adverbien achten, wissen Sie welche Form gefragt ist.

1. you / always / go to France for your holiday?

   ....

2. you / go to France / this year?

   ....

3. you / usually / stay in a hotel?

   ....

4. you / like Provence?

   ....

5. you / normally / drive?

   ....

6. come to my party / this weekend?

   ....

7. you / listen to music at the moment?

   ....

8. what / you / do then at the moment?

   ....

10 Ergänzen Sie die einfache Gegenwart oder die Verlaufsform der Gegenwart von **have** bzw. in den Sätzen 7. und 8. von **think**.

1. We .... a wonderful time here in Florida.
2. Sheila .... a very nice office and a nice boss, too.
3. I'm sorry, but I really .... no time at the moment.
4. He .... a shower. Can he phone you back?
5. They .... two very nice children.
6. Our company .... offices in San Francisco and Dallas.
7. We .... it's time to buy a new car. We .... of a diesel.
8. What .... you ....? Is that a good idea?

Diese Lektion thematisiert:

- Gespräche über das **Wetter** und Wettervorhersagen
- Wünsche und Bitten mit **'d like**
- die Übersetzung von ***bitte***
- **Preisangaben**
- die Zukunft mit **will / won't**
- Bedingungssätze (**if**-Sätze) Typ 1

Unit 8

Weather forecast

Wettervorhersage

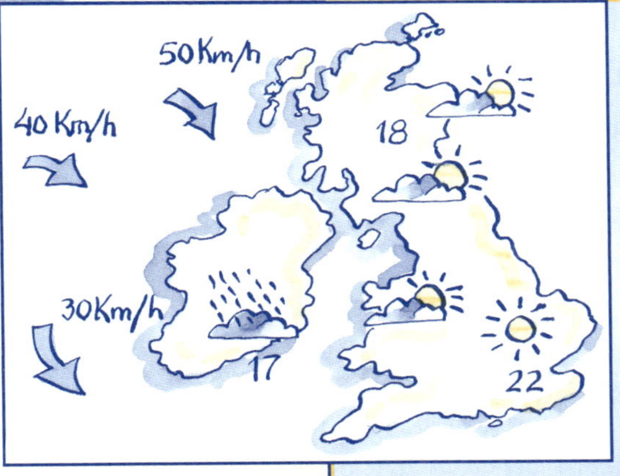

Forecast for Tuesday, 20 June

The day will start cloudy in many areas, with some light rain. During the morning this rain will slowly clear from the west, and the day will become warm and sunny, but the brighter weather will not reach eastern parts before the late afternoon. Daytime temperatures will be between 17 and 22 degrees, the wind will be mainly light and westerly.

The outlook for the rest of the week:
dry and sunny on Wednesday and Thursday, but gradually more unsettled towards the end of the week with a risk of thunderstorms.

Vorhersage für Dienstag, den 20. Juni

Der Tag beginnt in vielen Gebieten mit Wolken, mit etwas leichtem Regen. Im Laufe des Vormittags zieht dieser Regen langsam von Westen her ab, und der Tag wird warm und sonnig, aber das schönere Wetter erreicht die östlichen Landesteile nicht vor dem späten Nachmittag. Die Tagestemperaturen liegen zwischen 17 und 22 Grad, der Wind ist meist schwach und weht aus westlicher Richtung.

Die Aussichten für den Rest der Woche:
Am Mittwoch und Donnerstag trocken und sonnig, aber zum Ende der Woche hin allmählich unbeständiger mit Gewitterneigung.

What's new? *E 6, 7, 8, 10*

Für Wetterberichte sind Verbformen in der Zukunft typisch. Das Englische hat mehrere Formen, mit denen Sie Zukünftiges ausdrücken können. Nach der Verlaufsform der Gegenwart lernen Sie nun die Form, die von Muttersprachlern als die eigentliche Zukunftsform angesehen wird: die **will**-Zukunft.

Will sieht aus wie das deutsche *(ich) will*, die beiden sind aber falsche Freunde. Das englische **will** entspricht vielmehr dem deutschen *werden*. Das deutsche *will* dagegen wird mit **want (to)** wiedergegeben.
The day **will** start cloudy. *Der Tag beginnt wolkig / wird wolkig beginnen.*
I **want** some postcards. *Ich will ein paar Postkarten.*
Sonia **wants to** buy some postcards. *Sonia will Postkarten kaufen.*

Während in der englischen Wettervorhersage nur Formen mit **will** stehen, wird in der deutschen Übersetzung die Gegenwartsform gebraucht *(beginnt, zieht, erreicht)*.
Die deutsche Gegenwartsform hat also manchmal Zukunftsbedeutung!
Das Englische nimmt es dagegen mit der Zukunft genauer: Nur in wenigen Fällen kann die einfache Gegenwart zum Ausdruck der Zukunft stehen. Meistens müssen Sie die **will**-Zukunft verwenden. Mehr dazu im Abschnitt **Grammar** und in der nächsten Lektion.

A helpful landlord

Tina Berger and her boyfriend are on holiday in Cornwall in southwest England. Tina gets into conversation with the landlord at the pub where they go most evenings. He's very friendly – but for a reason.

Landlord: Yes, please? What would you like?
Tina: I think I'll try some cider tonight.
Landlord: Dry or medium-dry?
Tina: Dry, please.
Landlord: Half a pint?
Tina: Two halves.
Landlord: Right. Did you have a good day today?
Tina: Mm. We went to St. Michael's Mount and Land's End.
Landlord: They say the weather won't be so good tomorrow, I'm afraid. Rain, at least in the morning.
Tina: Yes, I heard. We'll probably take it easy in the morning. If it looks like rain all day, we'll probably go to the Eden Project*.
Landlord: And stay dry under glass.
Tina: Mm. And if it clears up, we'll probably go to the beach. We won't decide till we get up.

Landlord: Well, you're on holiday.
Tina: How long will it take to get to the Eden Project?
Landlord: An hour, hour and a half. It depends.
Tina: Do you have any idea what it will cost to get in?
Landlord: No, not really. But I'll check on the internet if you like.
Tina: No, it's OK.
Landlord: It's no problem, really.

The landlord puts the cider down on the bar.

Landlord: Here you are, two halves of cider.
Tina: How much is that?
Landlord: £3.40, please.

She gives him the money.

Landlord: Right. I'll be back in a minute. ... Here you are. The complete price list.
Tina: Thanks very much. That's very kind of you.
Landlord: No problem. Er, will you be back tomorrow evening?
Tina: Yes, we will.
Landlord: That's good. You see, we have some karaoke tomorrow evening. And we like to have some new voices, and I wondered ...

** Das Eden Project ist eine „Weltlandschaft" unter einer riesigen Glaskuppel. Nähere Informationen finden Sie im Internet unter www.edenproject.com.*

Vocabulary

Weather forecast		clear *V*	*hier: abziehen*
weather	*Wetter*	**warm**	*warm*
forecast	*Vorhersage*	**sunny**	*sonnig*
June	*Juni*	**bright**	*heiter, schön (Wetter)*
will	*werden*	**reach**	*erreichen*
cloudy	*wolkig, bewölkt*	**eastern**	*östlich*
light	*leicht*	**part**	*Teil*
during	*während, im Laufe*	parts	*hier: Gebiete*

daytime	*Tages-(zeit)*
temperature	*Temperatur*
between	*zwischen*
degree	*Grad*
wind	*Wind*
mainly	*hauptsächlich*
westerly	*aus westlicher Richtung*
outlook	*Aussicht(en)*
dry	*trocken*
gradually	*allmählich*
unsettled	*unbeständig*
towards	*gegen, in Richtung (von)*
towards the end of the week	*zum Ende der Woche hin*
risk	*Risiko, Gefahr*
thunderstorm	*Gewitter*
with risk of thunderstorms	*mit Gewitterneigung*
thunder	*Donner*

A helpful landlord

helpful	*hilfsbereit*
landlord	*Wirt*
boyfriend	*Freund*
southwest	*Südwest-*
get into conversation	*ins Gespräch kommen*
friendly	*freundlich*
for a reason	*aus einem (guten) Grund*
What would you like?	*Was möchten Sie?*
cider	*Apfelwein*
tonight	*heute Abend / Nacht*
medium-dry	*halbtrocken*
half a pint	*ein halbes Pint (0,28 Liter)*
half *Subs*	*Hälfte*
halves *Pl*	*Hälften, Halbe*
won't (will not)	*nicht werden*
so	*so*
tomorrow	*morgen*
I'm afraid	*ich fürchte, leider*
hear (*Verg* **heard**)	*hören*
take it easy	*es langsam angehen lassen*
if	*wenn, falls*
project	*Projekt*
glass	*Glas*
clear up	*aufklaren*
decide	*(sich) entscheiden, beschließen*
till	*bis*
how long?	*wie lange?*
take	*dauern, brauchen*
it takes	*es dauert, man braucht*
an hour and a half	*eineinhalb Stunden*
depend (on)	*abhängen (von), darauf ankommen*
It depends.	*Das / Es kommt darauf an.*
have any idea	*eine Ahnung haben*
cost	*kosten*
get in	*herein- / hineinkommen*
check	*(über)prüfen, kontrollieren*
on the internet	*im Internet*
put down	*abstellen*
put	*(hin)stellen, (hin)legen*
bar	*Theke*
here you are	*bitte schön*
£ (pound)	*Pfund*
give	*geben*
in a minute	*gleich*
complete	*komplett, vollständig*

price	*Preis*	**you see**	*wissen Sie; nämlich*
list	*Liste*	karaoke	*Karaoke*
thanks very much	*danke sehr, vielen Dank*	voice	*Stimme*
kind *Adj*	*freundlich, nett*	**wonder**	*sich fragen, gern wissen wollen*

Grammar

1. Die *will*-Zukunft *E 6, 7, 8*

Wenn Sie Vorhersagen über die Zukunft machen, verwenden Sie **will** + Infinitiv. Die Verneinung von **will** heißt **won't (will not)**, die Kurzform von **will** lautet **'ll**. Dies gilt für alle Personen.
We**'ll** probably take it easy in the morning.
Wir werden es am Morgen wahrscheinlich langsam angehen lassen.
They say the weather **won't** be so good tomorrow.
Sie sagen (Der Wetterbericht sagt), das Wetter wird morgen nicht so gut (werden).

Fragen bilden Sie nach dem Ihnen bekannten Muster – durch Umkehrung von Subjekt und Verb.

Frage	Kurzantworten	
Will I start late?	Yes, I **will**.	No, I **won't**.
Will you start late?	Yes, you **will**.	No, you **won't**.
Will he / she / it start late?	Yes, he / she / it **will**.	No, he / she / it **won't**.
Will we / they start late?	Yes, we / they **will**.	No, we / they **won't**.

Im Deutschen können Sie oft eine Gegenwartsform verwenden, um über die Zukunft zu sprechen. Im Englischen ist das viel seltener möglich. Insbesondere spontane Entschlüsse und Angebote drücken Sie immer mit **will** aus.
I think I**'ll** have cider. *Ich glaube, ich nehme (einen) Apfelwein.*
I**'ll** phone back later. *Ich rufe später zurück.*
- Where's the car? *Wo ist das Auto?*
- I**'ll** tell you. *Ich sage es dir.*

Tell Mr Smith that we**'ll** meet him in his hotel.
Sagen Sie Mr Smith, dass wir ihn in seinem Hotel treffen.

2. Bedingungssätze (*if*-Sätze) Typ 1 *E 9, 10*

Im Leben hängt oft eins vom andern ab. Wir sagen zum Beispiel: Wenn A passiert, dann machen wir B. Damit haben wir den typischen Bedingungssatz. Er drückt aus, was unter bestimmten Umständen (Bedingungen) geschehen wird. Ein Bedingungssatz besteht immer aus einer Bedingung und einer Folge.

Im Englischen formulieren Sie Bedingungen mit dem Wörtchen **if** *wenn, falls*. Die Zeitenfolge in **if**-Sätzen ist festgelegt. Wenn Sie von Bedingungen sprechen, die vorstellbar, wahrscheinlich oder fast schon Tatsache sind, verwenden Sie für die mit **if** eingeleitete Bedingung die einfache Gegenwart, für die Folge **will / won't**. Beachten Sie, dass **will / won't** nur in der Folge stehen kann, nicht aber in der Bedingung!

Bedingung	Folge
If it **clears up**, *Wenn es aufklart,*	we**'ll** probably go to the beach. *gehen wir wahrscheinlich zum Strand.*
If it **rains** all day, *Wenn es den ganzen Tag regnet,*	we **won't** go to the beach. *gehen wir nicht zum Strand.*

Sie können einen Bedingungssatz entweder mit der Bedingung oder mit der Folge beginnen. Im letzteren Fall ist im Englischen kein Komma notwendig.
If you like, I'll check. *Wenn Sie möchten, sehe ich (mal) nach.*
I'll check if you like. *Ich sehe (mal) nach, wenn Sie möchten.*

Statt **will / won't** kann in der Folge auch **can** *können*, **must** *müssen*, **might** *könnte(n)* oder der Imperativ stehen. Hier ein paar Beispiele:

Bedingung	Folge
If we **have** time, *Wenn wir Zeit haben,*	we **can / must / might** go swimming. *können / müssen / könnten wir schwimmen gehen.*
If he **phones** again, *Wenn er noch einmal anruft,*	**tell** him that I'm not here. *sagen Sie ihm, dass ich nicht hier bin.*

Das deutsche *wenn* kann auf zwei verschiedene Arten übersetzt werden: Entweder mit **when** *wenn, als, sobald*, das eine rein zeitliche Bedeutung hat, oder mit **if** *wenn, falls*, das in Bedingungssätzen steht. Passen Sie auf, dass Sie die beiden nicht verwechseln!
If your train is late, take a taxi.
Wenn (Falls) dein Zug Verspätung hat, nimm (dir) ein Taxi.
When you know your holiday dates, we can book.
Wenn (Sobald) du deine Urlaubsdaten weißt, können wir buchen.

Wahlweise **if** oder **when** können Sie verwenden, wenn *wenn* im Sinne von *jedes Mal, wenn* oder *immer, wenn* steht:
If / When I eat too much, I don't sleep very well.
(Immer) wenn ich zu viel esse, schlafe ich nicht sehr gut.

Language in use

Über das Wetter sprechen E 1

What's the weather like? *Wie ist das Wetter?*
It looks like rain. *Es sieht nach Regen aus.*
We had wonderful / bad weather. *Wir hatten wunderbares / schlechtes Wetter.*
What's the temperature? *Wie viel Grad haben wir?*
It is 30 degrees. *Es sind dreißig Grad.*
It's plus three / minus three. *Es sind plus / minus drei Grad.*
It's 2 degrees above / below zero. *Es sind 2 Grad über / unter Null.*
It's freezing. *Es (ge)friert.*

Wünsche und Bitten mit *'d like* (*would like*) E 5

Mit **would like** (Kurzform: **'d like**) können Sie jede Art von Wunsch oder Bitte vorbringen. Der Unterschied zwischen **like** und **'d like** ist sehr wichtig: Mit **like** drücken Sie eine generelle Vorliebe aus, mit **would like** einen momentanen Wunsch.
I **like** espresso. *Ich mag Espresso.* (generell)
I**'d like** an espresso, please. *Ich möchte / hätte gern einen Espresso.* (jetzt)

Preise erfragen E 5

How much is it? / What does it cost? *Was kostet das?*
How expensive will that be? *Wie teuer wird das sein?*

Preise nennen E 2

Im Englischen sprechen und schreiben Sie Preise so:
- die Währungseinheit **pound, cent, euro, dollar** usw. erhält im Plural ein **-s**.
- Preise werden mit Punkt, nicht mit Komma geschrieben.
- **pence** wird in der gesprochenen Sprache häufig mit **p** [piː] abgekürzt.

€4.17 ▸ four euro**s** seventeen (cents)
$9.65 ▸ nine dollar**s** (and) sixty-five (cents)
£7.48 ▸ seven pound**s** forty-eight (p / pence)

It takes

Wenn Sie davon sprechen, wie viel Zeit etwas in Anspruch nimmt, verwenden Sie in aller Regel nicht das Verb **need**, sondern **take**.
How long will the journey **take**?
Wie lange brauchen wir für die Reise / dauert die Reise?
It will **take (us)** an hour and a half.
Wir brauchen dafür / Sie dauert anderthalb Stunden.

bitte E 3, 5

Die Wiedergabe von *bitte* kann im Englischen recht unterschiedlich sein.

Höfliche Frage	What's your name, **please**?	*Wie ist bitte Ihr Name?*
Rückfrage bei Nichtverstehen	**Sorry?** **Excuse me?**	*Wie bitte?*
Beim Überreichen	**Here you are**, two ciders.	*Bitte (schön), zwei Apfelwein.*
Reaktion auf einen Dank	● Thank you very much. ● **You're welcome.** ● **That's OK.** ● **That's all right.** ● **It's a pleasure.** ● **Not at all.**	● *Vielen Dank.* ● *Bitte.*
Zustimmende Reaktion auf eine Bitte	● Can I sit here? – ● **Certainly.** ● **(Yes,) Of course.**	● *Kann ich hier sitzen?* ● *Bitte.*

Useful expressions E 1

Rund ums Wetter

a clear sky	*ein klarer Himmel*
a fine day	*ein schöner Tag*
a strong wind	*ein starker Wind*
a hot summer	*ein heißer Sommer*
a cold winter	*ein kalter Winter*
rainy	*regnerisch, verregnet*
light / heavy rain	*leichter / starker Regen*
snowy	*verschneit*
frost, frosty	*Frost, frostig*
fog, foggy	*Nebel, neblig*
wet	*nass*
heat	*Hitze*
sunshine	*Sonnenschein*
sit in the sun / shade	*in der Sonne / im Schatten sitzen, sich in die Sonne / in den Schatten setzen*
get some fresh air	*frische Luft schnappen*
in all weathers	*bei Wind und Wetter*

i Die Briten stehen im Ruf, viel über das Wetter zu sprechen. Und es stimmt. Dabei geht es aber eigentlich gar nicht so sehr ums Wetter: Ein paar Sätze über das Wetter sind vielmehr eine gute Methode, um mit jemandem ins Gespräch zu kommen. Wenn Sie sich also in den Medien schlau machen, wie das Wetter in nächster Zeit wird, sind Sie bestens gewappnet für die nächste Begegnung!

Exercises

1 Ordnen Sie die Wörter so ein, wie sie das Wetter selbst empfinden. (Für den einen ist z. B. frostiges Wetter schön, für den andern aber schlecht).

bright clear cloudy cold dry fine fog frosty hot rain snowy sunny thunderstorm warm wet windy

2 Schreiben Sie die Preise aus.

1. €29.99 ....
2. £7.77 ....
3. €12.45 ....
4. $199 ....
5. $9.99 ....
6. £14.49 ....

3 Wie können Sie auf einen Dank reagieren? Kreuzen Sie alle richtigen Möglichkeiten an.

1. ☐ You're welcome.
2. ☐ Please.
3. ☐ Not at all.
4. ☐ Fine.
5. ☐ It's a pleasure.
6. ☐ It's right.
7. ☐ It's all right.
8. ☐ That's OK.

4 Ergänzen Sie die richtige Präposition.

above	below	between	during	for	on	till	towards

1. It's very cold, ten degrees .... zero.
2. I'll phone back .... two and half past two.
3. I don't have a lot of time .... the week.
4. I'll be here .... six or six thirty.
5. They have a web site .... the internet.
6. I usually have a drink .... the end of the day.
7. They live in the flat .... us.
8. There are some interesting places to see, ... example the Eden Project.

5 Wie heißt es auf Englisch? Ordnen Sie zu und ergänzen Sie.

1. Was kostet das?
2. Bitte schön, zwei Kaffee.
3. Leider kann ich nicht kommen.
4. Es kommt darauf an.
5. Wir sind ins Gespräch gekommen.
6. Haben Sie eine Ahnung?
7. ● Kann ich hier parken? ● Bitte.
8. ● Vielen Dank. ● Bitte.
9. Ich mag Pizza.
10. Ich möchte Pizza.

a. ● Can I park here? ● ....ly.
b. Do you have ....?
c. ...., two coffees.
d. .... that?
e. I'.. pizza.
f. .... I can't come.
g. It ....
h. I .... pizza.
i. ● Thanks very much. ● .... all.
j. We .... conversation.

6 Kreuzen Sie jeweils die richtige Form an.

1. My husband *wants / will* a new computer.
2. Just a moment, please. Mrs Armitage *sees / will see* you in a minute.
3. We can ask Sonia when she gets back. She *is / will be* back soon.
4. *If / When* you don't have time now, we can do it later.
5. Is it OK *if / when* I don't come out to eat with you? I don't feel so good.
6. The journey always takes longer *if / when* the weather is bad.
7. *If / When* it snows, it'll take us at least an hour more.
8. They'll be here at 7.30. We'll eat *if / when* they get here.

7 Bilden Sie Sätze mit **will**.

1. Don knows the hotel. .... (I ask) him for the email address.
2. It's time to have a break. .... (I make) some tea.
3. This way, please. .... (I show) you where Mrs Schulz's office is.
4. Don't book a taxi. .... (I take) you.
5. ● Tea or coffee? ● .... (I have) coffee, please.
6. You have enough things to do. .... (I help) you.

8 Ergänzen Sie **will** oder **won't** und das richtige Verb.

do	be	cost	hear	know	see	try

1. ● When .... you .... from them again? ● Probably never!
2. Everything .... OK, you ....
3. I'm afraid I .... the date before the end of the week. Ask me again then.
4. What .... they .... now? They can't go away if Ann has to go to hospital.
5. It .... much, € 50 or € 60 maybe.
6. Her secretary said that he .... to phone again this afternoon, at about 2.30.

9 Bilden Sie **if**-Sätze. Achten Sie dabei auf die richtige Verbform in beiden Satzteilen.

1. If you / not like / the room, I / can give / you another.

   ....

2. I / phone / if I / can't come.

   ....

3. They / understand / if you / speak / slowly.

   ....

4. If the weather / be / good, we / spend / the day on the beach.

   ....

5. I / ask / Mike if I / see / him.

   ....

6. What / you do / if he / say / no?

   ....

7. I / not buy it / if it / be / too expensive.

   ....

8. be it / OK if I / bring* / my boyfriend?

   ....

* bring: *mitbringen*

10 Übersetzen Sie.

1. Wenn ihr Zeit habt, müsst ihr das Eden-Project besuchen.

   ....

2. Ich koche, wenn du willst.

   ....

3. Eure Freunde können hier schlafen, wenn ihr noch ein Zimmer braucht.

   ....

4. Wenn du nicht genug Geld hast, kaufe etwas anderes.

   ....

Unit

9

In dieser Lektion stehen folgende Themen im Mittelpunkt:

- Pläne und **Absichten**
- Feste, Feiertage und **Glückwünsche**
- Wendungen rund ums **Telefonieren**
- die Zukunft mit **going to**
- die Monatsnamen und das **Datum**
- **some, any** und andere Mengenbezeichnungen

New Year's resolutions

After six glasses of wine on New Year's Eve, Bob Walker wrote this.

These are my new year's resolutions.

I'm going to stop smoking on 1st January.
I'm not going to work so hard.
I'm going to go on a diet and lose 5kg before 15th February.
I'm going to drink less alcohol.
I'm not going to drink any alcohol at all during Lent.
I'm going to do some sport three times a week.
I'm not going to spend more than I earn.
I'm going to phone my parents every week.
I'm not going to drink any coffee in the office.
I'm going to eat five portions of fruit and vegetables every day.

Happy New Year to me!

Signed: Bob Walker Witness: Tony Smith

Gute Vorsätze zum neuen Jahr

Nach sechs Gläsern Wein schrieb Bob Walker am Silvesterabend Folgendes.

Das sind meine guten Vorsätze fürs neue Jahr.

Ich werde am 1. Januar aufhören zu rauchen.
Ich habe vor, nicht so hart zu arbeiten.
Ich werde eine Diät machen und vor dem 15. Februar 5 Kilo abnehmen.
Ich werde weniger Alkohol trinken.
Ich habe vor, während der Fastenzeit überhaupt keinen Alkohol zu trinken.
Ich werde dreimal die Woche Sport treiben.
Ich werde nicht mehr Geld ausgeben, als ich verdiene.
Ich werde meine Eltern jede Woche anrufen.
Ich werde im Büro keinen Kaffee trinken.
Ich habe vor, jeden Tag fünf Portionen Obst und Gemüse zu essen.

Ein gutes neues Jahr für mich!

Unterschrift: Bob Walker Zeuge: Tony Smith

What's new? E1

Mit **going to** + Infinitiv können Sie Absichten, Pläne und Vorhaben für die Zukunft ausdrücken. Wenn Bob Walker im Rausch des Silvesterabends gute Vorsätze für das folgende Jahr verfasst, bietet sich diese Form geradezu zwingend an. Näheres dazu im Abschnitt **Grammar**.

Zunächst geht es um die Ordnungszahlen. Sie ähneln den Grundzahlen und sind nicht schwer zu lernen:

Sie schreiben	Sie sagen	
1st	the **first**	*der erste*
2nd	the **second**	*der zweite*
3rd	the **third**	*der dritte*
4th	the fourth	*der vierte*
5th	the fifth	*der fünfte*
6th	the sixth	*der sechste*
7th	the seventh	*der siebte*
8th	the eighth	*der achte*
9th	the ninth	*der neunte*
10th	the tenth	*der zehnte*
11th	the eleventh	*der elfte*
12th	the twelfth	*der zwölfte*
13th	the thirteenth	*der dreizehnte*
14th	the fourteenth	*der vierzehnte*
15th	the fifteenth	*der fünfzehnte*
16th	the sixteenth	*der sechzehnte*
17th	the seventeenth	*der siebzehnte*
18th	the eighteenth	*der achtzehnte*
19th	the nineteenth	*der neunzehnte*
20th	the twentieth	*der zwanzigste*
21st	the twenty-first	*der einundzwanzigste*
22nd	the twenty-second	*der zweiundzwanzigste*
23rd	the twenty-third	*der dreiundzwanzigste*

Die ersten drei Zahlen haben Sonderformen mit eigenen Abkürzungen (**st**, **nd** und **rd** für **first**, **second** und **third**). In allen anderen Fällen bilden Sie die Ordnungszahl aus der Grundzahl, indem Sie **th** anhängen (und diese auch mit **th** abkürzen).

Beachten Sie folgende Schreibbesonderheiten:
- Bei **eight** ▶ **eighth** wird **-tt-** vermieden
- Stummes **e** entfällt bei **nine** ▶ **ninth** und **five** ▶ **fifth**. Bei **fifth** wird außerdem **v** zu **f**.
- **-y** am Wortende wird zu **-ie-** bei **twenty** ▶ twent**ie**th, **thirty** ▶ thirt**ie**th etc.

In Bobs Text finden sich außerdem zwei Datumsangaben. Wie Sie vielleicht schon wissen, sind viele englische Monatsnamen den deutschen ähnlich:

January	*Januar*	July	*Juli*
February	*Februar*	August	*August*
March	*März*	September	*September*
April	*April*	October	*Oktober*
May	*Mai*	November	*November*
June	*Juni*	December	*Dezember*

What New Year's resolutions?

On 1st February Tony phones Bob to check up on his new year's resolutions. Bob's girlfriend Sarah answers the phone.

Sarah: Hello?
Tony: Hello, can I speak to Bob, please?
Sarah: Who's speaking, please?
Tony: Tony Smith.
Sarah: Oh, Tony. I'm afraid Bob's still in bed. Can I take a message? Or do you want to call back later?
Tony: I'll call back later.
Sarah: OK, bye.

Two hours later

Bob: Hello?
Tony: Hi, Bob. It's Tony here.
Bob: Oh, hi Tony. How are you?
Tony: Fine, thanks. And you?
Bob: Oh, all right.
Tony: You sound awful. Are you ill?
Bob: No, I was at a party last night.
Tony: Ah. Do you know what the date is today?
Bob: No, what is the date today?
Tony: It's 1st of February.

Bob: Is that special?
Tony: You asked me to phone you on 1st February.
Bob: Why did I do that?
Tony: You asked me to check up on your new year's resolutions.
Bob: Ah.
Tony: One was, "I'm going to drink less alcohol." How much did you drink last night?
Bob: Not much. I only had, oh I don't know, a few glasses of wine. And a little brandy. And some vodka. I think.
Tony: I see. You sound terrible.
Bob: It wasn't the alcohol. It was the cigarettes.
Tony: Whose cigarettes?
Bob: What do you mean, "Whose cigar..." Ah. I didn't have many.
Tony: How many?
Bob: I don't know. Half a packet. I gave some away. I didn't smoke any till yesterday. It was the first time this year. Or maybe the second.
Tony: I see. And how are things at work?
Bob: Awful! I was in the office till at least 9 every evening last week. I think I deserved the party, don't you?

Vocabulary

New Year's resolutions

resolution	*(guter) Vorsatz*
wine	*Wein*
New Year's Eve	*Silvester*
going to	*werden, vorhaben*
smoke	*rauchen*
January	*Januar*
on January 1st	*am 1. Januar*
go on a diet	*eine Diät machen*
lose	*verlieren, hier: abnehmen*
lose 5 kg	*5 Kilo abnehmen*
fifteenth (15th)	*fünfzehnte(r, s)*
February	*Februar*
less	*weniger*
alcohol	*Alkohol*
not ... any	*kein(e)*
Lent	*Fastenzeit*
than	*als*
earn	*(Geld) verdienen*
portion	*Portion*
fruit	*Obst, Frucht*
Happy New Year!	*Ein gutes neues Jahr!*
signed	*unterschrieben, gezeichnet*
witness	*Zeuge, Zeugin*

What New Year's resolutions?

check up on	*kontrollieren*
girlfriend	*Freundin*
answer the phone	*ans Telefon gehen*
answer	*(be)antworten*
still	*(immer) noch*
message	*Nachricht, Botschaft*
take a message	*etwas ausrichten*

call	*(an)rufen*
call back	*zurückrufen*
it's Tony here	*hier spricht Tony*
all right	*gut, in Ordnung*
awful	*schrecklich*
ill	*krank*
party	*Party*
What's the date today?	*Welches Datum haben wir heute?*
special	*besondere(r, s)*
a few	*ein paar*
brandy	*Weinbrand*
vodka	*Wodka*
cigarette	*Zigarette*
whose?	*wessen?*
packet	*Päckchen*
give away	*verschenken*
deserve	*verdienen*
don't you?	*nicht wahr?*

Grammar

1. Die Zukunft mit *going to* E 7, 8

Formen

Aussage	Frage	Kurzantworten
I am **(not) going to walk.**	Am I **going to walk?**	Yes, I **am**. / No, I'**m not**.
You are ...	Are you ...	Yes, you **are**. / No, ...
He / She / It is ...	Is he / she / it ...	Yes, he / she / it **is**. / No, ...
We / They are ...	Are we / they ...	Yes, we / they **are**. / No, ...

Gebrauch

- Sie verwenden **going to**, um Absichten, Pläne und Vorhaben für die Zukunft auszudrücken.
  I'm going to stop smoking. *Ich werde aufhören zu rauchen.*
  Are you going to do more sport? *Hast du vor, mehr Sport zu treiben?*

- Außerdem können Sie mit **going to** sagen, was unmittelbar bevorsteht bzw. was Sie aufgrund von unmissverständlichen Vorzeichen kommen sehen.
  Do you see those clouds? It's going to rain in a minute.
  Sehen Sie diese Wolken? Es regnet gleich.
  Just look at this traffic. We're going to be late.
  Schau dir diesen Verkehr an. Wir kommen zu spät.
  What is he going to do next? *Was macht er als Nächstes?*

Abgrenzung zu anderen Zukunftsformen

Wie differenzieren Sie nun die verschiedenen Möglichkeiten, die Sie zum Ausdruck der Zukunft gelernt haben?

will	Vorhersage spontaner Entschluss	They say that it **will** be fine tomorrow. *Sie sagen, dass es morgen schön wird.*
-ing-Form (Verlaufsform)	konkrete Planung	**I'm flying** to London next Tuesday. *Ich fliege nächsten Dienstag nach London.*
going to	Absicht, Plan, Vorhaben	I'**m going to** drink less coffee. *Ich werde weniger Kaffee trinken.*
going to	an Gewissheit grenzende Erwartung	Oh, no! She'**s going to** fall. *Oh nein! Sie fällt gleich (herunter).*

- Bei persönlichen Plänen können Sie entweder **going to** oder die Verlaufsform verwenden, allerdings mit einem kleinen Bedeutungsunterschied: Während Sie mit **going to** die Absicht betonen, heben Sie mit der Verlaufsform die Tatsache hervor, dass bereits eine Verabredung besteht.
  I'**m going to** meet Jill tomorrow evening. *Ich treffe Jill morgen Abend.*
  I'**m meeting** Jill tomorow evening. *Ich treffe Jill morgen Abend.*

- Auch **will** und **going to** sind manchmal austauschbar, zum Beispiel beim Wetter: **Will** drückt die neutrale Vorhersage aus, **going to** die Tatsache, dass dieses Wetter sicher zu erwarten ist.
  They say that it **will** be fine tomorrow. *Sie sagen, dass es morgen schön wird.*
  They say that it'**s going to** be fine tomorrow. *Sie sagen, dass es morgen schön wird.*

- Ein wichtiger Unterschied zwischen **will** und **going to** besteht bei Entschlüssen. Mit **will** drücken Sie spontane Entscheidungen aus, mit **going to** solche, die vorüberlegt sind:
  I'**ll** phone you back later.
  Ich rufe Sie später zurück.
  I spoke to Dan this afternoon. We'**re going to** phone again tomorrow morning.
  Ich habe heute Nachmittag mit Dan gesprochen. Wir werden morgen früh noch einmal telefonieren.

2. Mengenbezeichnungen E 3, 6

Im Telefongespräch zwischen Bob und Tony geht es um die Alkohol- und Zigarettenmengen, die Bob konsumiert hat. Dabei werden Mengenbezeichnungen verwendet, unter anderem **some** und **any**.

- **Some** bedeutet *etwas* oder *einige*, hat aber oft keine direkte Entsprechung im Deutschen. **Some** verwenden Sie in bejahten Sätzen, in verneinten steht statt dessen **not … any. Not … any** bedeutet *kein(e)*.
  I drank **some** wine. *Ich habe (etwas) Wein getrunken.*
  I'm **not** going to drink **any** tea. *Ich werde keinen Tee trinken.*

- In neutralen Fragen verwenden Sie **any**. Wenn die Frage jedoch eine Bitte oder ein Angebot darstellt, verwenden Sie wieder **some**.
  Is there **any** more coffee?
  Gibt es noch Kaffee?
  Did you meet **any** friends?
  Hast du Freunde getroffen?
  Can I have **some** more tea?
  Kann ich noch etwas Tee haben?
  Would you like to meet **some** of my friends? *Möchtest du ein paar von meinen Freunden kennenlernen?*

- Die Mengenbezeichnungen **much**, **many** und **a lot of** kennen Sie aus → Lektion 3. Weitere sind:

more	*mehr*	**more** time	*mehr Zeit*
less	*weniger*	**less** alcohol	*weniger Alkohol*
a few	*einige, ein paar*	**a few** cigarettes	*ein paar Zigaretten*
a little	*ein wenig*	**a little** vodka	*ein wenig Wodka*

- Beachten Sie, dass bei den folgenden Mengenangaben das Wörtchen **of** benötigt wird:

a glass **of** wine	*ein Glas Wein*	a pint **of** beer	*ein halber Liter Bier*
a piece **of** cheese	*ein Stück Käse*	a packet **of** cigarettes	*ein Päckchen Zigaretten*
five portions **of** fruit	*fünf Portionen Obst*	a bottle **of** brandy	*eine Flasche Weinbrand*

Language in use

Telefonieren E5

This is Tim Taylor. *Hier spricht Tim Taylor.*
Tim Taylor speaking. *Tim Taylor am Apparat.*
Is that *(BE)* / this *(AE)* the Windsor Hotel? *Ist dort das Hotel Windsor?*
No, sorry. You've got the wrong number. *Nein, tut mir leid. Sie haben sich verwählt.*
The line is engaged / busy. *Die Leitung ist besetzt.*
Just a second, I'll put you through. *Eine Sekunde, ich stelle Sie durch.*
Can you tell me her extension, please? *Können Sie mir bitte ihre Durchwahl sagen?*
Can I leave a message? *Kann ich eine Nachricht hinterlassen?*
Just give me a call. *Rufen Sie mich einfach an.*

Datumsangaben

Das Englische ist ziemlich flexibel, was das Schreiben und Sprechen des Datums anbelangt. Es gibt mehrere Möglichkeiten. Sehen Sie sich dies am Beispiel des 1. Januars an:

Sie schreiben	Sie sagen
1st January	the first of January
January 1st	January the first
1 January / January 1	January first

Vorsicht: Bei Datumsangaben, die nur aus Ziffern bestehen, werden Tag und Monat im Amerikanischen in umgekehrter Reihenfolge notiert! Vergleichen Sie:

	1/4	4/1
BE	the first of April	the fourth of January
AE	the fourth of January	the first of April

Angaben zur Jahreszahl machen Sie nach dem folgenden Muster. Besonders im amerikanischen Englisch lässt man **and** dabei oft weg.

Sie schreiben	Sie sagen	
in 1958	in nineteen (hundred and) fifty-eight	*(im Jahr) 1958*
in 2002	in two thousand and two	*(im Jahr) 2002*
in 2014	in two thousand and fourteen / in twenty fourteen	*(im Jahr) 2014*

Die Präposition, die Sie sich fürs Datum merken müssen, heißt **on**. Beachten Sie beim zweiten Beispiel: Obwohl Sie normalerweise **in the morning / afternoon / evening** sagen, brauchen Sie in Verbindung mit einer Datumsangabe die Präposition **on**:
My birthday is **on** 6th June. *Ich habe am 6. Juni Geburtstag.*
We land in Florida on the morning of 17th July.
Wir landen am Morgen des 17. Juli in Florida.

Feiertage und Glückwünsche E 4

Silvester heißt auf Englisch **New Year's Eve**. Weitere Feiertage und Glückwünsche sind:

Fest		Glückwunsch	
New Year's Day	*Neujahr*	Happy New Year!	*Gutes neues Jahr!*
Easter	*Ostern*	Happy Easter!	*Frohe Ostern!*
Whitsun *BE*	*Pfingsten*	—	
Thanksgiving *AE*	*Erntedank*	Happy Thanksgiving!	*Alles Gute zum Erntedankfest!*
Christmas Eve	*Heiligabend*	—	
Christmas Day	*1. Weihnachtsfeiertag*	Happy / Merry Christmas!	*Frohe Weihnachten!*
Boxing Day *BE*	*2. Weihnachtsfeiertag*	—	

Useful expressions E 2

Das deutsche Verb *machen* ist eine Sprachfalle. Mal wird es mit **do** übersetzt, mal mit **make** und mal mit einem ganz anderen Verb. Sehen Sie hier ein paar Beispiele:

Machen	
make a pizza	*eine Pizza machen*
make a mistake	*einen Fehler machen*
do aerobics / sport / judo	*Aerobic / Sport / Judo machen*
go on a diet, **be on** a diet	*eine Diät machen*
go on holiday	*Urlaub machen*
have / take a break	*(eine) Pause machen*
have a picnic	*ein Picknick machen*
take pictures / photos	*Bilder / Fotos machen*

i Der Name **Boxing Day** für den 2. Weihnachtsfeiertag heißt wörtlich übersetzt *Tag der Geschenke*. Er stammt aus einer Zeit, als die Arbeitgeber ihren Angestellten an diesem Tag ein Geschenk (veraltet: **a box**) machten.
Anders als in vielen europäischen Ländern ist in Großbritannien nicht **Christmas Eve** *Heiligabend* der eigentliche Weihnachtsfeiertag, sondern **Christmas Day**, der erste *Weihnachtsfeiertag*. Vor dem Schlafengehen legen die Kinder einen *Strumpf* **stocking** aus, der in der Nacht vom *Weihnachtsmann* **Father Christmas / Santa Claus** gefüllt wird. Morgens werden weitere Geschenke ausgepackt. Mittags oder abends versammelt sich die Familie zum traditionellen **Christmas dinner**, meist mit Pute und Plumpudding.
Der **Thanksgiving Day** am vierten Donnerstag im November ist in den USA ein sehr wichtiges Familienfest. Der Name geht zurück auf das Erntedankfest, das die ersten europäischen Einwanderer 1620 in Boston feierten. Auf den Tisch kommen **turkey** *Truthahn* und **pumpkin pie** *Kürbiskuchen*.

Exercises

1 Ergänzen Sie die folgenden englischen Monatsnamen.

Januar........	Februar........	Mar........	April
Ma........	Jun........	Jul........	August
September	O........tober	November	De........ember

2 Welches ist das richtige Verb? Sortieren Sie.

aerobics   a break   breakfast   a diet   holiday   a mistake   photos   sport

do	go on	make	take
....	....	....	....
....	....	....	....

3 Was passt zusammen?

1. drink ———	a glass of	fruit
2. eat	a list of	cigarettes
3. look through*	a packet of	juice
4. smoke	a piece of	names

* look through: *durchsehen, durchlesen*

4 Was wünschen Sie Ihren Bekannten zu diesen Festen?

1. Weihnachten ....
2. Erntedank ....
3. Neujahr ....
4. Ostern ....

5 Wie lautet der Satz auf Englisch? Ordnen Sie zu.

1. Am Apparat.
2. Da ist besetzt.
3. Ich rufe später zurück.
4. Kann ich bitte Ihren Chef sprechen?
5. Kann ich eine Nachricht hinterlassen?
6. Kann ich etwas ausrichten?
7. Wer spricht bitte?
8. Wie kann ich Ihnen behilflich sein?

a. Can I speak to your boss, please?
b. How can I help you?
c. Speaking.
d. Who's speaking, please?
e. It's engaged.
f. Can I take a message?
g. Can I leave a message?
h. I'll call back later.

6 **a.** Verneinen Sie diese Sätze.

1. We have some fruit. ....
2. Sonia met some of her colleagues. ....
3. We made some mistakes. ....
4. Bob drank some whisky. ....
5. They brought us some salad. ....
6. Tina will earn some more money. ....

b. Bilden Sie nun zu den Sätzen aus Übung 6a Fragen.

1. *Do you have* ....?
2. ....?
3. ....?
4. ....?
5. ....?
6. ....?

7 Ergänzen Sie die richtige Form von **going to**.

1. I .... (buy) a new car.
2. Which hotel .... (you, stay) in?
3. They .... (call) us back tomorrow morning.
4. What .... (we, get) Bob for Christmas?
5. .... (Bob, give up) smoking?
6. Who .... (finish) this last piece of pizza?

8 Übersetzen Sie. Verwenden Sie dabei **going to, will** oder die Verlaufsform der Gegenwart.

1. Bob fliegt am Dienstag nach Portugal.

   ....

2. ● Ich brauche eine Pause. ● Gute Idee. Ich mache Kaffee.

   ....

3. Ich fahre dich zum Bahnhof, wenn du willst.

   ....

4. Ich habe nicht vor zu helfen. Er hat mir (auch) nicht geholfen.

   ....

5. Das Telefon klingelt gleich.

   ....

6. Ich treffe mich heute Abend mit Freunden. Um acht, im Pub.

   ....

Unit 10

In dieser Lektion lernen Sie:

- **Vergleiche** anzustellen
- über das **Wohnen** zu sprechen
- Adjektive zu **steigern**
- **Adjektive** und **Adverbien** zu unterscheiden
- **Adverbien** der Art und Weise zu bilden
- **small** und **little, far** und **a long way**
- **person** und **people**

The biggest and best

Das Größte und Beste

Hollywood's most exclusive health club	Hollywoods exklusivster Fitnessklub
World's oldest skier dies at 102	Ältester Skifahrer der Welt stirbt mit 102
The shortest boxing match of all time	Kürzester Boxkampf aller Zeiten
You won't find a better deal anywhere	Sie finden nirgends ein günstigeres Angebot
6-year-old girl becomes youngest person to climb Everest	6-Jährige besteigt (Mount) Everest als jüngster Mensch der Welt
The most exciting movie of the year	Der aufregendste Film des Jahres
Lowest prices	Die niedrigsten Preise
Football hero admits: The worst game of my career	Fußballstar gibt zu: Das schlechteste Spiel meiner Karriere
Is this New York's dirtiest restaurant?	Ist dies New Yorks schmutzigstes Restaurant?
Millionaire reveals: The biggest mistake of my life	Millionär enthüllt: Der größte Fehler meines Lebens
Record for fastest transatlantic flight broken	Rekord „Schnellster Transatlantikflug“ gebrochen
Is this the most expensive hotel in the world?	Ist dies das teuerste Hotel der Welt?
New York's smallest apartment	New Yorks kleinste Wohnung

What's new? E 6, 7

Das Größte und Beste – da kann es ja nur um Superlative gehen! Superlative sind (grammatisch gesehen) gesteigerte Formen von Adjektiven. Viele Adjektive werden fast wie im Deutschen gesteigert: durch Anhängen der Endungen **-er** und **-est**. Dies betrifft alle einsilbigen Adjektive und zweisilbige Adjektive, die auf **-y** enden:

old *alt* ▸ old**er** *älter* ▸ (the) old**est** *am ältesten, (der, die, das) älteste*

easy *leicht* ▸ easi**er** *leichter* ▸ **(the)** easi**est** *am leichtesten, (der, die, das) leichteste*

Alle mehrsilbigen Adjektive (außer, wie eben erwähnt, zweisilbige auf **-y**) steigern Sie jedoch anders, nämlich durch Voranstellen von **more** und **most**:

expensive *teuer* ▸ **more** expensive ▸ **(the) most** expensive

Beachten Sie folgende Schreibbesonderheiten:

- Stummes **e** am Ende des Adjektivs entfällt vor der Endung **-er** / **-est**:

strange *seltsam* ▸ strang**er** ▸ (the) strang**est**

- Endet das Adjektiv auf einen (einzelnen) betonten Vokal und einen (einzelnen) Konsonanten, verdoppeln Sie diesen Konsonanten vor der Endung **-er** / **-est**:

big *groß* ▸ big**ger** ▸ **(the)** big**gest**

- Endet das Adjektiv auf Konsonant + **-y**, so wird **-y** zu **-i-**:

friendly *freundlich* ▸ friendl**ier** ▸ **(the)** friendl**iest**

Einige Adjektive haben Sonderformen:

good *gut* ▸ **better** ▸ (the) **best**

bad *schlecht* ▸ **worse** ▸ (the) **worst**

far *weit, fern* ▸ **farther** / **further** ▸ (the) **farthest** / **furthest**

A new apartment?

Juan Vargas meets an old friend on the train.

Juan: Hi, there, Marvin. Long time no see. How are you? You look a bit tired. Are you still living out in Grenville?

Marvin: Mm.

Juan: It's a long way to commute. I thought you wanted to move.
Marvin: That's right. I know it sounds dumb, but I can't find the right place. Everything is either terribly expensive or not really what I'm looking for.
Juan: I know the problem. If you find something you like, it seems to be automatically $200 more expensive. Where are you looking?
Marvin: Well, yesterday I looked at two places, one downtown in Spring Street, you know, near the new convention center, the other out in Wilmerton. The apartment downtown is smaller than the one in Wilmerton – it has one room less – but it's more expensive.
Juan: But Wilmerton is still quite a long way out of town. I mean it's not as far as Grenville, but it's still not exactly convenient.
Marvin: Well, the apartment is quite close to the station. The same subway line as my office.
Juan: Oh, OK.
Marvin: But I could easily walk to work from the apartment downtown. In less than ten minutes.
Juan: Great.
Marvin: The apartment in Wilmerton is also noisier. It's next to a Chinese restaurant.
Juan: Maybe not so good, eh?
Marvin: Yes, it's unusual, but the apartment downtown is actually quieter. But it's in an older building that doesn't have an elevator. And the neighbours seem to be friendlier in the other place.
Juan: The Chinese restaurant owners?
Marvin: Right. But the landlord is nicer downtown.
Juan: Ah.
Marvin: And the rooms are, you know, a bit strange.
Juan: Downtown or in Wilmerton?
Marvin: Downtown. The kitchen is bigger than the living room, but not as big as the bedroom, and that's smaller than the bathroom, and ...
Juan: Wait. That can't be right. Then the bathroom would be the biggest room in the apartment.
Marvin: Would it? Oh, I'm getting confused. If only I could make up my mind. If I don't decide quickly, one or the other will probably be gone. Or both.
Juan: Why don't you just toss a coin?

Vocabulary

The biggest and best

exclusive	*exklusiv*
health club	*Fitnessklub*
health	*Gesundheit*
club	*Klub, Verein*
world	*Welt*
skier	*Skifahrer(in)*
die	*sterben*
at 102	*hier: mit 102, im Alter von 102 Jahren*
short	*kurz*
boxing match	*Boxkampf*
of all time	*aller Zeiten*
better	*besser, bessere(r, s)*
deal	*Angebot, Geschäft*
not ... anywhere	*nirgends, nirgendwo (sonst)*
6-year-old	*6-Jährige(r)*
young	*jung, junge(r, s)*
person	*Person, Mensch*
climb	*(be)steigen, klettern*
Everest	*Mount Everest*
exciting	*aufregend*
low	*niedrig, tief*
football	*Fußball*
hero	*Held, hier: Star*
admit	*zugeben*
worst	*schlechteste(r, s), schlimmste(r, s)*
career	*Karriere, Laufbahn*
dirty	*schmutzig*
reveal	*enthüllen*
record *Subs*	*Rekord*
transatlantic	*Transatlantik-*
broken	*gebrochen*
small	*klein, kleine(r, s)*
apartment *AE*	*Wohnung*
careful	*vorsichtig*

A new apartment?

train	*Zug, Bahn*
Hi, there!	*Ach hallo!*
Long time no see.	*Lange nicht gesehen.*
a bit	*etwas, ein bisschen*
tired	*müde*
out	*draußen*
a long way	*weit; ein weiter Weg*
commute	*pendeln*
move	*umziehen*
dumb *AE*	*dumm, blöd*
either ... or	*entweder ... oder*
terribly expensive	*schrecklich teuer*
look for	*suchen*
somewhere	*irgendwo*
automatic	*automatisch*
downtown *AE*	*in die / der Stadtmitte*
convention center *AE*	*Tagungszentrum*
out of *Präp*	*aus (... heraus / hinaus)*
out of town	*außerhalb der Stadt*
I mean	*ich meine / will sagen*
as ... as	*so ... wie*
far	*weit (entfernt)*
exact(ly)	*genau*
not exactly	*nicht gerade*
convenient	*praktisch, günstig (gelegen)*

close to *Präp*	*nahe, dicht bei*	**owner**	*Besitzer(in), Eigentümer(in)*
line	*Linie*	**landlord**	*Vermieter*
easy	*leicht*	**strange**	*seltsam*
noisy	*laut*	**living room**	*Wohnzimmer*
Chinese	*chinesisch, Chinesisch, Chinese, Chinesin*	**wait (for)**	*warten (auf)*
unusual	*ungewöhnlich*	**would**	*würde(n)*
quiet	*ruhig, still*	confused	*verwirrt*
building	*Gebäude*	**if only ...**	*wenn (doch) nur ...*
elevator *AE*	*Aufzug, Fahrstuhl*	**make up my mind**	*mich entscheiden*
		toss a coin	*eine Münze werfen*

Grammar

1. Vergleiche *E 5, 6, 7*

Vergleichssätze sind im Englischen nicht schwierig. Wichtig ist es nur, die Wörtchen **than** und **as** auseinanderzuhalten. In Vergleichssätzen wird *als* mit **than** übersetzt, *so ... wie* dagegen mit **as ... as**. Nach **the same** verwenden Sie ebenfalls **as**.

The kitchen is **bigger than** the living room.
Die Küche ist größer als das Wohnzimmer.
Wilmerton is not **as far as** Grenville.
Wilmerton ist nicht ***so*** *weit* ***wie*** *Grenville.*
It's on **the same** subway line **as** my office.
Es liegt an derselben U-Bahnlinie wie mein Büro.

2. Adverbien der Art und Weise *E 8*

Adverbien der Art und Weise erkennen Sie an der Endung **-ly**. Wie der Name schon sagt, beschreiben Sie damit die Art und Weise einer Handlung und sagen, *wie* etwas getan wird (*vorsichtig, schnell, nervös* usw.). Im Deutschen hat ein solches Adverb dieselbe Form wie das Adjektiv: Im Satz *Bertrand fährt vorsichtig* wird das Wort *vorsichtig* nicht verändert, obwohl es das Verb *fährt* näher bestimmt und somit die Funktion eines Adverbs erfüllt. Dies ist im Englischen anders: Sobald ein Adjektiv im Satz die Funktion eines Adverbs erfüllt, bekommt es die Endung **-ly**:

- Adjektiv: Bertrand Dupont was a **careful** driver. *Bertrand Dupont war ein vorsichtiger Fahrer.*
- Adverb: He drove **carefully**. *Er fuhr vorsichtig.*

Und so unterscheiden Sie die Funktionen von Adjektiv und Adverb:

- Adjektive beschreiben, wie eine Person oder Sache (beschaffen) ist. Sie stehen vor einem Substantiv (a **careful** driver) oder nach dem Verb **be** (He was **careful**).
- **-ly**-Adverbien dagegen beschreiben, auf welche Art und Weise etwas getan wird. Sie bestimmen ein anderes Wort im Satz näher – meist ein Verb (He drove **carefully**). Mit *Wie ...?* oder *Auf welche Art und Weise ...?* können Sie nach diesen Adverbien fragen.
- Vorsicht: Manchmal bestimmen Adverbien nicht das Verb, sondern einen anderen Ausdruck näher. Auch in solchen Fällen brauchen Sie die Endung **-ly**, selbst wenn im Satz das Verb **be** vorkommt!
  He is easily 100 years old. *Er ist leicht 100 Jahre alt.* (*100 Jahre* wird näher bestimmt)
  I wasn't exactly happy. *Ich war nicht gerade glücklich.* (*glücklich* wird näher bestimmt)

Die Bildung von Adverbien der Art und Weise ist einfach:
Sie leiten sie vom Adjektiv ab, indem Sie die Endung **-ly** anhängen.
I have to decide **quickly**. *Ich muss mich schnell entscheiden.*
We bought this very **cheaply**. *Wir haben das billig gekauft.*

Beachten Sie folgende Schreibbesonderheiten:

- Die Endung Konsonant + **-y** + **-ly** wird zu Konsonant **-ily**: **easy** *leicht* ▶ **easily**
- Die Endung **-le** + **-ly** wird zu **-ly**: **terrible** *furchtbar* ▶ **terribly**
- Die Endung **-ic** + **-ly** wird zu **-ically**: **automatic** *automatisch* ▶ **automatically**

Einige Adjektive haben Sonderformen, so zum Beispiel das Adjektiv **good** mit dem Adverb **well**:
She's a **good** player. She plays **well**. *Sie ist eine gute Spielerin. Sie spielt gut.*

Auch einige andere Adverbien sind Sonderfälle, weil sie mit dem Adjektiv formgleich sind.

Adjektiv	Adverb
I travel on the **early** / **late** train.	I travel **early** / **late**.
Ich fahre mit dem frühen / späten Zug.	*Ich fahre früh / spät.*
It's a **fast** train.	It goes **fast**.
Es ist ein schneller Zug.	*Er fährt schnell.*
It's **hard** work.	I work **hard**.
Es ist harte Arbeit.	*Ich arbeite hart / viel.*

Beachten Sie folgendes Wortpaar, das Verwechslungsgefahr in sich birgt.
Hard bedeutet *hart, fleißig,* **hardly** dagegen *kaum*:
Tony works so **hard**, that I **hardly** see him.
Tony arbeitet so hart / viel, dass ich ihn kaum sehe.

Eine kleine Gruppe von Verben wird immer in Verbindung mit einem Adjektiv, und nicht mit einem Adverb verwendet. Es handelt sich – neben **be** – um Verben, die einen Zustand, eine Eigenschaft oder eine Sinneswahrnehmung beschreiben.

It **seems** easy.	*Es erscheint leicht.*	It **smells** strange.	*Es riecht seltsam.*
You **look** tired.	*Du siehst müde aus.*	I **feel** tired.	*Ich fühle mich müde.*
It **tastes** good.	*Es schmeckt gut.*	It **sounds** dumb.	*Es hört sich dumm an.*

Zu dieser Gruppe von Verben gehören ferner **become**, **get** *werden* sowie **stay** *bleiben*.

Language in use

small – little

Mitttlerweile kennen Sie zwei Adjektive, die dem deutschen *klein* entsprechen: **small** und **little**. Diese sind nicht immer austauschbar. Während **little** eher gefühlsbetont ist, ist **small** eher neutral und sachlich:
I know a nice **little** bistro.
Ich kenne ein nettes kleines Bistro.
The flat is not big enough. It's too **small**.
Die Wohnung ist nicht groß genug. Sie ist zu klein.

Es gibt aber noch andere, grammatische Unterschiede.
- **Little** verwenden Sie nach einem anderen Adjektiv:
  a wonderful **little** hotel *ein wunderbares kleines Hotel*
- **Small** verwenden Sie nach Verben und in Vergleichen:
  The rooms are **small**. They're **smaller than** in the other apartment.
  Die Zimmer sind klein. Sie sind kleiner als in der anderen Wohnung.

far – a long way

Ist Ihnen aufgefallen, dass die Ausdrücke **far** und **a long way**, die beide *weit* heißen, im Gespräch zwischen Juan und Marvin unterschiedlich eingesetzt werden?
- **Far** verwenden Sie vorwiegend in verneinten Sätzen und in Fragen:
  - It's **not far** to my office. *Es ist nicht weit zu meinem Büro.*
  - **How far** is it? *Wie weit ist es?*
- **a long way** dagegen in bejahten:
  It's **a long way** to Grenville. *Es ist weit nach Grenville.*
- Ausnahme: nach **so** *so* und **too** *zu* verwenden Sie auch in bejahten Sätzen **far**:
  It's **so far** / **too far**! *Es ist so weit / zu weit!*

place

Das Wort **place** *Ort, Stelle, Platz* bezeichnet im gesprochenen Englisch häufig die Wohnung:
I looked at two **places** yesterday. *Ich habe mir gestern zwei Wohnungen angeschaut.*
We can meet at my **place**. *Wir können uns bei mir treffen.*

If only ...

Marvin sagt:
If only I could make up my mind.
Wenn ich mich nur entscheiden könnte.

Beachten Sie dabei die Stellung von **only** unmittelbar nach **if**.

Some und *any* in Zusammensetzungen *E 4*

In → Lektion 9 haben Sie den Unterschied zwischen **some** und **any** kennengelernt. Im Dialog dieser Lektion sind Ihnen nun **somewhere** und **not ... anywhere** begegnet. Andere Zusammensetzungen kennen Sie aus früheren Lektionen. Für ihre Anwendung gelten dieselben Regeln wie bei **some** und **any**. Hier die Gruppe im Überblick:

someone **somebody**	*jemand*	**none** **nobody** **not ... anyone** **not ... anybody**	*niemand*
something	*etwas*	**nothing** **not ... anything**	*nichts*
somewhere	*irgendwo*	**nowhere** **not ... anywhere**	*nirgendwo*

Amerikanisches Englisch *E 1*

Die Bezeichnungen **apartment** *Wohnung* und **elevator** *Aufzug* werden vorwiegend im amerikanischen Englisch verwendet. Im britischen Englisch sagt man dazu **flat** und **lift**.

Useful expressions E 2

Rund ums Haus

house	*Haus*
balcony	*Balkon*
garage	*Garage*
cellar	*Keller*
basement	*(bewohnbares) Untergeschoss*
dining room	*Esszimmer*
spare room, guest room	*Gästezimmer*
hall	*Flur*
stairs	*Treppe*
upstairs	*oben*
downstairs	*unten*

toilet, restroom(s) *AE*, bathroom *AE*	*Toilette*
tenant	*Mieter*
landlord, landlady	*Hauseigentümer(in), Vermieter(in)*

Exercises

1 Wie lautet der Ausdruck im britischen bzw. amerikanischen Englisch? Ergänzen Sie die Tabelle.

BE	*AE*	*BE*	*AE*
1. flat	....	**7.** holiday	....
2.	elevator	**8.**	restrooms
3. underground	....	**9.** Mum	....
4.	railroad	**10.** stupid	....
5.	cab	**11.**	Sincerely yours
6.	theater	**12.** Yours faithfully	....

2 Beschriften Sie das Bild.

bathroom
children's bedroom
dining room
hall
house
kitchen
living room
parents' bedroom
spare room
stairs
toilet

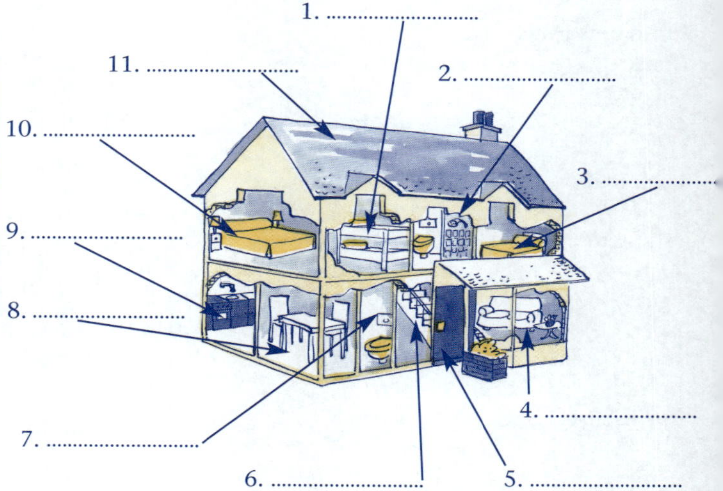

3 Bedeutet das Wort eher etwas Positives oder eher etwas Negatives?
Ordnen Sie in zwei Gruppen.

bad best convenient dirty dumb easy excellent exciting exclusive expensive friendly noisy quiet tired too small worst

....	....
....	....
....	....
....	....
....	....
....	....
....	....
....	....

4 Schreiben Sie einen Satz, der das Gegenteil aussagt.

1. Somebody phoned.

   ....

2. We didn't go anywhere nice.

   ....

3. I have nothing to say.

   ....

4. He doesn't know anybody in Seattle.

   ....

5 Sehen Sie sich das Bild aus Übung 2 an. Bilden Sie fünf Sätze mit **big, small, than** und **as**.

1. *The kitchen* ....
2. ....
3. ....
4. ....
5. ....

6 Stellen Sie Vergleiche mit **than** oder **as** an.

1. Our new apartment is .... (expensive) our old one. It costs €150 more.
2. My son is .... (old) your daughter. They're both 15.
3. It's .... (hard) to find a good job now .... two or three years ago.
4. The last time I did this journey it was .... (easy) today.
5. The weather is .... (bad) yesterday. Yesterday we had rain, but today it's cold, too.
6. Our last vacation was not .... (exciting) this one. This is fantastic.

7 Vervollständigen Sie den Satz mit den Superlativformen der unten genannten Adjektive.

It was the ....
day of my life!

1.	long	....	**8.**	wonderful	....
2.	good	....	**9.**	wet	....
3.	short	....	**10.**	fantastic	....
4.	unusual	....	**11.**	bad	....
5.	strange	....	**12.**	exciting	....
6.	terrible	....	**13.**	funny	....
7.	hard	....	**14.**	awful	....

8 Ergänzen Sie die richtige Form der Wörter in Klammern.

Last week a friend asked me, "Could you help me move?" Well, I am a .... (friendly) sort* of person and he asked me so .... (nice) that I said "yes". The day of the move was yesterday. It was a .... (nice) morning and I felt .... (good) – till I got to the building where his new flat was. It was .... (easy) 100 years old, and it didn't look .... (good) from outside. It also didn't have a lift, and we had to take everything up 86 stairs. I wasn't .... (exact) .... (happy) to hear that of course, and .... (private) I thought, "How could you do this to me?" But I said, "OK, let's start." We worked .... (hard) for two hours. We went up and down the stairs I don't know how many times, ... (fast) at the beginning, but very .... (slow) after two hours. It was a .... (terrible) .... (long) day, and in the afternoon .... (unusual) .... (warm) for the time of year. We finished at four. We were .... (tired) and .... (dirty), but .... (strange) .... (happy). And I have to say: it's a .... (fantastic) flat.

* sort: *Art, Sorte;* a friendly sort of person: *ein freundlicher Mensch*

1 Lesen Sie Auszüge aus vier E-Mails. An wen ist jede gerichtet?

A
I don't know what exactly you are looking for, but Florida seems a good place. At the moment the economic situation is very good, people are spending money, unemployment is falling, and companies need new people.

B
If you're planning to go in July, it could be very hot. When we were there last year, we spent all the time at the swimming pool because it was too hot to do anything else.

C
I'm going away for four months, so if you would like to live at my place that is fine with me. It'll give you time to find something that you like and isn't too expensive.

D
I was on the internet this afternoon, and they say that it's going to be very hot. So maybe it's not a good idea to go hiking.

1. E-Mail .... richtet sich an jemanden, der eine neue Wohnung sucht.
2. E-Mail .... richtet sich an jemanden, der eine neue Arbeitsstelle sucht.
3. E-Mail .... richtet sich an jemanden, der einen Ausflug plant.
4. E-Mail .... richtet sich an jemanden, der eine Urlaubsreise plant.

Punkte ....../4

2 Ordnen Sie jedem Verb zwei Substantive zu.

go on	a mistake
take	a photo
make	a long holiday
	a break
	a diet
	a complaint

Punkte ....../6

3 Ergänzen Sie die einfache Vergangenheit.

1. I'm hungry. I .... (not have) any breakfast this morning.
2. It .... (feel) very cold when we came home.
3. When .... (you leave) home?
4. Who .... (be) that? I don't think I know him.
5. We .... (drive) through snow on the way here.
6. Our friends .... (not be) at home.

Punkte ....../6

Test 2

4 Welcher Satz ist richtig?

1. a. ☐ The train stops automatic.
   b. ☐ The train stops automatically.
2. a. ☐ I am going to the sauna every week.
   b. ☐ I go to the sauna every week.
3. a. ☐ I phone you back later.
   b. ☐ I'll phone you back later.
4. a. ☐ What are you thinking? Is it a good idea?
   b. ☐ What do you think? Is it a good idea?
5. a. ☐ A house is usually bigger as a flat.
   b. ☐ A house is usually bigger than a flat.
6. a. ☐ I was late for work on Thursday.
   b. ☐ I were late for work on Thursday.

Punkte ....../6

5 Vervollständigen Sie die Sätze, indem Sie die deutschen Wörter übersetzen.

1. We will arrive .... (am fünften Juni).
2. Would you like .... (ein Glas Wein)?
3. I can tell you the way .... (wenn) you need help.
4. The boss .... (will) some coffee.
5. ● That was very kind of you. Thank you.
   ● .... (Bitte).
6. How many .... (Personen) were there at the party?

Punkte ....../6

6 Welche Frage und Antwort passen zusammen?

1. How is Ann?
2. What's Ann like?
3. What is Ann doing?
4. What does Ann do?
5. What does Ann like?
6. What would Ann like?

a. She's a tennis fan.
b. She's at her aerobics class.
c. She's an engineer.
d. She's a nice person.
e. She wants something to drink.
f. She's still in hospital.

Punkte ....../6

Gesamt ....../34

Die Schwerpunkte dieser Lektion sind:

- **Gesundheitszustand**, Körperteile, Arztbesuch
- die **Verlaufsform** der Vergangenheit
- die allein stehenden **Possessivpronomen**
- **mustn't** versus **don't / doesn't have to** versus **needn't**
- die unvollständigen **Hilfsverben**

Unit 11

An accident report

Date of accident: *3rd October*
Time of accident: *6.10 pm*
Place of accident: *Desborough Road, London NW12*

Other persons involved in the accident:
Tony Mannering, 85 Desborough Road, London NW12 7ZR

Names and addresses of witnesses:
Julius Manbuto, 13 Winston Road, London NW12 6GW

Exact description of accident occurrence (continue on separate sheet if necessary):

I was driving along Desborough Road, between Beaumont Avenue and Montague Terrace in the direction of Walpole Avenue. I was going slowly because there were parked cars on either side of the street, and some children were playing on the pavement. I wasn't doing more than about 20 miles an hour. I was approaching Montague Terrace when a car (driven by Mr Mannering) drove out of one of the driveways on the left-hand side of the road straight in front of me. Another car (driven by Mr Manbuto) was coming in the opposite direction and I wasn't able to avoid a collision. Mr Mannering said that he didn't see me.

Ein Unfallbericht

Datum des Unfalls: *3. Oktober*
Zeitpunkt des Unfalls: *18.10 Uhr*
Unfallort: *Desborough Road, London NW12*

Andere Unfallbeteiligte:
Tony Mannering, 85 Desborough Road, London NW12 7ZR

Namen und Adressen der Zeugen:
Julius Manbuto, 13 Winston Road, London NW12 6GW

Genaue Beschreibung des Unfallhergangs (Fortsetzung auf Zusatzblatt falls nötig):

Ich fuhr die Desborough Road zwischen der Beaumont Avenue und der Montague Terrace entlang in Richtung Walpole Avenue. Ich fuhr langsam, weil zu beiden Seiten der Straße Autos parkten und Kinder auf dem Bürgersteig spielten. Ich fuhr nicht schneller als etwa 20 Meilen pro Stunde. Ich näherte mich der Montague Terrace, als direkt vor mir ein Auto (Fahrer: Mr Mannering) aus einer der Einfahrten auf der linken Straßenseite herausfuhr. Ein anderes Auto (Fahrer: Mr Manbuto) kam aus der entgegengesetzten Richtung, und ich konnte einen Zusammenstoß nicht vermeiden. Mr Mannering sagte, dass er mich nicht gesehen hat.

What's new? E 7, 8

Aus → Lektion 7 kennen Sie die Verlaufsform der Gegenwart. In dieser Lektion lernen Sie nun die Verlaufsform der Vergangenheit. Sie setzt sich ebenfalls aus einer Form von **be** – in diesem Fall **was(n't)** oder **were(n't)** – und dem Infinitiv des Verbs mit der Endung **-ing** zusammen.

I **was driving** along Desborough Road. *Ich fuhr die Desborough Road entlang.*
I **wasn't doing** more than 20. *Ich fuhr nicht schneller als 20 km/h.*
Children **were playing**. *Kinder spielten.*
They **weren't looking** at the traffic. *Sie haben nicht auf den Verkehr geachtet.*

Fragen und Kurzantworten bilden Sie nach dem Ihnen bekannten Muster:

Frage	Kurzantworten	
Was I **smoking**?	Yes, I **was**.	No, I **wasn't**.
Were you **smoking**?	Yes, you **were**.	No, you **weren't**.
Was he / she / it **smoking**?	Yes, he / she / it **was**.	No, he / she / it **wasn't**.
Were we / they **smoking**?	Yes, we / they **were**.	No, we / they **weren't**.

Mit der Verlaufsform der Vergangenheit beschreiben Sie ein Geschehen, das zu einem bestimmten Zeitpunkt der Vergangenheit gerade im Verlauf begriffen, das heißt, noch nicht abgeschlossen war.

At 6.10 pm on 3rd October, Bob **was driving** along Desborough Road.
Am 3. Oktober um 18.10 Uhr fuhr Bob die Desborough Road entlang.

Mit der Verlaufsform der Vergangenheit beschreiben Sie häufig eine Art Hintergrundsituation, die gerade abläuft, bevor sie von einem anderen Ereignis unterbrochen wird. Die Unterbrechung wird oft mit **when** *als* eingeleitet. Im **when**-Satz verwenden Sie die einfache Vergangenheit:

Hintergrundsituation	Unterbrechung
I **was approaching** Montague Terrace *Ich näherte mich (gerade) der Montague Terrace,*	when a car **drove** out in front of me. *als vor mir ein Auto herausfuhr.*
We **were walking** home *Wir gingen (gerade) nach Hause,*	when it **started** to rain. *als es anfing zu regnen.*

Im Gegensatz zum Deutschen steht vor **when** kein Komma.

It wasn't my fault.

A friend sees Bob in the pub. Bob is limping.

Philip: Hi, Bob. What's the matter with you?
Bob: I had a car accident.
Philip: Another one. What were you doing this time? 85?
Bob: You needn't be so cynical. It wasn't my fault.
Philip: That makes a change.
Bob: Oh come on.
Philip: Yeah, I'm sorry. Is it serious?
Bob: Not really.
Philip: What happened?
Bob: I ran into this other car and hit my knee against the steering column.
Philip: How did you do that?
Bob: Well, I wasn't wearing my seat-belt.
Philip: Ah. I see.
Bob: I mustn't do it again. But I was only going round the corner to Sarah's house. I wasn't even going very fast.
Philip: That's unusual.
Bob: Honestly, I wasn't. The road was full of parked cars, and there were children on the pavement ...
Philip: Right.
Bob: ... and I was listening to the radio, and I looked down to turn up the volume, and ...
Philip: ... your attention was distracted for a split second, and wham.
Bob: Right. But it wasn't my fault.
Philip: So what about the car?
Bob: Mine's not too bad, but the other guy has got a really big dent in the side of his. He's paying of course, or his insurance is paying.
Philip: Even if you weren't wearing your seat-belt?
Bob: Well, for the car damage.
Philip: Oh yes, of course. Tell me, aren't you going away sometime soon, to that jazz festival?
Bob: Yes, it's this weekend. Sarah says that if my car's not repaired in time, I can go in hers.
Philip: That's brave of her.
Bob: What do you mean?
Philip: Well, you with one leg, and your, shall we say, "eventful" driving record.
Bob: Oh, come on. This bandage is coming off tomorrow anyway. I'll be able to drive again then. She didn't have to offer me her car, of course, because the other guy's insurance will pay for the cost of a hire car. But it's less hassle, of course.
Philip: Of course.

Vocabulary

An accident report

accident	*Unfall*
involved in	*beteiligt an*
description	*Beschreibung*
occurrence	*Ereignis*
accident occurrence	*Unfallhergang*
continue	*fortfahren (mit), weitermachen, weiter tun*
separate	*getrennt, hier: Zusatz-*
sheet	*Blatt (Papier)*
necessary	*nötig, notwendig*
direction	*Richtung*
park	*parken*
parked	*parkend, geparkt*
car	*Auto, Wagen*
on either side	*auf beiden Seiten*
pavement	*Bürgersteig, Gehweg*
do 20 miles an hour	*20 Meilen pro Stunde fahren*
mile	*Meile*
approach	*(sich) nähern*
driven by	*gefahren von*
driveway	*(Haus-)Einfahrt*
left-hand	*linke(r, s)*
straight	*direkt, gerade(aus)*
opposite	*entgegengesetzt*
be able to	*können, imstande sein zu*
avoid	*vermeiden*
collision	*Zusammenstoß*

It wasn't my fault

fault	*Schuld*
limp	*humpeln*
What's the matter (with you)?	*Was ist denn (mit dir) los?*
car accident	*Autounfall*
Another one.	*hier: Schon wieder einen.*
needn't	*nicht müssen, nicht brauchen*
cynical	*zynisch*
change	*(Ver-)Änderung, Wechsel*
That makes a change.	*Das ist mal was anderes.*
come on	*komm schon, mach mal halblang*
serious	*ernst(haft)*
run into s.th.	*in etwas hineinfahren*
hit ... against	*stoßen ... an*
against	*gegen*
knee	*Knie*
steering column	*Lenksäule*
wear	*(am Körper) tragen, anhaben*
seat-belt	*Sicherheitsgurt*
mustn't	*nicht dürfen*
not even	*(noch) nicht einmal*
honest(ly)	*ehrlich*
full of	*voll (von, mit)*
radio	*Radio*
down	*hin- / herunter, nach unten*
turn up	*aufdrehen*
volume	*Lautstärke*
attention	*Aufmerksamkeit*

distracted	*abgelenkt*	**brave**	*mutig*
for a split second	*für den Bruchteil einer Sekunde*	**What do you mean?**	*Was soll das (denn) heißen? Was meinst du (denn) damit?*
wham	*wumm*	**leg**	*Bein*
mine	*meine(r, s)*	**shall I / we ...**	*soll ich / sollen wir ...?*
guy	*Kerl*	eventful	*ereignisreich*
dent	*Delle*	driving record	*hier: Vorgeschichte als Autofahrer*
his	*seine(r, s)*	**bandage**	*Verband*
pay	*(be)zahlen*	**off** *Adv*	*hin- / herunter, weg*
even if	*selbst wenn, auch wenn*	**anyway**	*sowieso*
damage	*Schaden, Schäden*	**offer**	*(an)bieten*
sometime	*irgendwann*	**cost**	*Kosten*
soon	*bald*	**hire car**	*Mietwagen*
jazz	*Jazz*	hassle	*Mühe, Umstände*
festival	*Fest, Festival*		
repair	*reparieren*		
in time	*rechtzeitig*		
hers	*ihre(r, s)*		

Grammar

1. Die allein stehenden Possessivpronomen *E 5, 6*

Possessivpronomen können Sie nicht nur zusammen mit einem Substantiv verwenden, sondern auch allein – sie haben dann allerdings eine andere Form:

vor Substantiv	allein stehend	vor Substantiv	allein stehend
my	**mine**	**My** car is OK.	**Mine** is OK.
your	**yours**	**Your** insurance won't pay.	**Yours** won't pay.
his	**his**	**His** car has a big dent.	**His** has a big dent.
her	**hers**	I can go in **her** car.	I can go in **hers.**
its	**its**	Every day has **its** problems.	The computer's problems? **Its** are small.
our	**ours**	This is **our** house.	This is **ours.**
your	**yours**	I like **your** flat.	**Yours** is nicer than ours.
their	**theirs**	Who is **their** doctor?	**Theirs** is someone downtown.

2. mustn't, don't have to, needn't E 9, 11

Die Übersetzung von *nicht müssen, nicht brauchen* und *nicht dürfen* ist etwas tückisch. So entspricht das bejahte Hilfsverb **must** zwar dem deutschen *müssen*, die verneinte Form **mustn't** heißt aber NICHT *nicht müssen*, sondern *nicht dürfen*!
Das deutsche *nicht müssen* drücken Sie dagegen entweder mit der verneinten Form des Verbs **have to** aus (→ Lektion 5), oder mit **needn't**.
I wasn't wearing my seat-belt. I **mustn't** do it again.
Ich war nicht angeschnallt. Ich darf das nicht noch einmal machen.
Sarah **doesn't have to** give me her car. *Sarah muss mir ihr Auto nicht geben.*
She **needn't** give me her car. *Sie braucht mir ihr Auto nicht zu geben.*

Wir haben es hier mit einer ganz gemeinen Sprachfalle zu tun. Beachten Sie:

müssen	**must**	I **must** remember to take my passport. *Ich muss daran denken, meinen Pass mitzunehmen.*
nicht müssen	**don't have to**	You **don't have to** pay now. *Sie müssen nicht jetzt bezahlen.*
	doesn't have to	He **doesn't have to** decide now. *Er muss sich nicht jetzt entscheiden.*
nicht brauchen	**needn't**	You **needn't** go if you don't want to. *Du brauchst nicht zu gehen, wenn du nicht willst. /* *Du musst nicht gehen, wenn du nicht willst.*
nicht dürfen	**mustn't**	I **mustn't** be late. *Ich darf nicht zu spät kommen.*

3. Die unvollständigen Hilfsverben E 10, 11

Must und **can** sind sogenannte „unvollständige" Hilfsverben, weil man mit ihnen nicht alle Zeitformen bilden kann. **Must** hat keine eigene Vergangenheits- oder Zukunftsform. **Can** hat zwar eine Vergangenheitsform, nämlich **could**, aber keine Zukunftsform. Zur Bildung der fehlenden Formen verwenden Sie die „Ersatzverben" **have to** und **be able to**:
I'll be able to drive again tomorrow. *Morgen werde ich wieder Auto fahren können.*
Sarah **didn't have to** offer me her car. *Sarah musste mir ihr Auto nicht anbieten.*

	can	must
Gegenwart	I **can** pay. *Ich kann bezahlen.*	I **must** phone Jimmy. *Ich muss Jimmy anrufen.*
Vergangenheit	We **couldn't** hear you. We **weren't able to** hear you. *Wir konnten dich nicht hören.*	We **didn't have to** wait. *Wir mussten nicht warten.*
Zukunft	You **will be able to** relax. *Du wirst dich entspannen können.*	You **will have to** book early. *Sie werden früh buchen müssen.*

Wie Sie sehen, können Sie die Vergangenheit von **can** auf zwei verschiedene Weisen bilden, entweder mit **could** oder mit **was / were able to**. Vielleicht haben Sie außerdem bemerkt, dass **could** je nach Kontext **konnte(n)** oder **könnte(n)** bedeutet.

Language in use

Sich nach dem Gesundheitszustand einer Person erkundigen *E 4*

What's the matter? *Was ist los?*
What seems to be the matter? *Wo fehlt's denn?*
How are you feeling? *Wie fühlen Sie sich / fühlst du dich?*
You have to make an appointment to see the doctor.
Du musst einen Termin beim Arzt vereinbaren.
What did you have? *Was hattest du (denn)?*
I hope you (will) feel better soon! *Gute Besserung!*

Den eigenen Gesundheitszustand beschreiben *E 4*

I feel ill. *Ich fühle mich krank.*
I feel sick. *Mir ist übel.*
I was sick three times. *Ich habe mich dreimal übergeben.*
My stomach hurts. *Mein Bauch tut weh.*
I have diarrhoea. *Ich habe Durchfall.*
I have a pain in my chest. *Ich habe Schmerzen in der Brust.*
I suffer from asthma. *Ich leide an Asthma.*
I have a temperature. *Ich habe Fieber.*
I feel much better, thank you. *Ich fühle mich (schon) viel besser, danke.*
Not very well, I'm afraid. *Leider nicht so gut.*
Could be worse / better. *Könnte schlimmer / besser sein.*

person – people

Im Unfallbericht auf der Einstiegsseite ist von **other persons** *anderen Personen* die Rede, die an dem Unfall beteiligt waren. Die Mehrzahl **persons** ist jedoch selten und sehr förmlich. Am besten betrachten Sie **people** als die Mehrzahl von **person**:
There was only **one person** in the room. *Es war nur eine Person im Raum.*
There were a lot of **people** in the room. *Es waren viele Leute im Raum.*

Useful expressions E 1, 4

Körperteile

head	*Kopf*
ear	*Ohr*
eye	*Auge*
nose	*Nase*
mouth	*Mund*
tooth, teeth	*Zahn, Zähne*
throat	*Hals*
neck	*Nacken*
shoulder	*Schulter*
hand	*Hand*
finger	*Finger*
wrist	*Handgelenk*
foot, feet	*Fuß, Füße*
ankle	*Knöchel*
toe	*Zeh*

Rund um die Gesundheit

dentist	*Zahnarzt, Zahnärztin*
nurse	*Krankenschwester*
receptionist	*Sprechstundenhilfe*
medical insurance	*Krankenversicherung*
medicine	*Medizin, Arzneimittel*
illness	*Krankheit*
be ill	*krank sein*
have (a) stomachache	*Bauch-/Magenschmerzen haben*
have (a) backache	*Rückenschmerzen haben*
have (an) earache	*Ohrenschmerzen haben*
have a headache	*Kopfschmerzen haben*
have (a) toothache	*Zahnschmerzen haben*
send for the doctor	*einen Arzt rufen*
send for an ambulance	*einen Krankenwagen rufen*

Exercises

1 Beschriften Sie das Bild mit den entsprechenden englischen Begriffen.

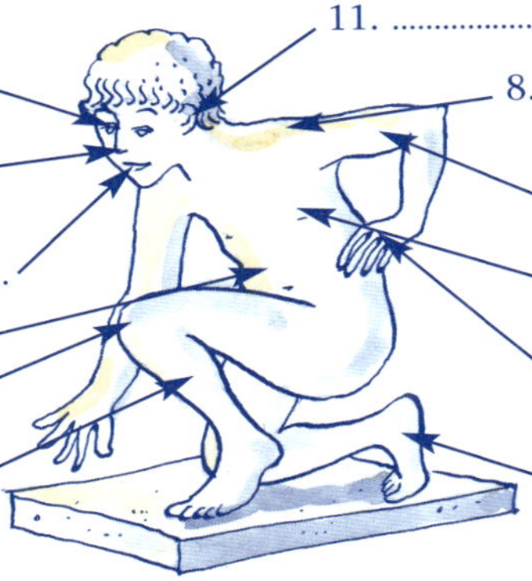

2 Ergänzen Sie die richtigen Präpositionen.

against	for	from	in	into	of

1. a bath full .... water
2. arrive home .... time to say good night to the children
3. hit your foot .... the side of the bed
4. suffer .... a serious illness
5. run .... another car and have a bad accident
6. send .... a pizza

3 Welcher Begriff passt nicht zu den anderen?

1.	☐ doctor	☐ dentist	☐ illness	☐ nurse
2.	☐ hire car	☐ festival	☐ seat-belt	☐ accident
3.	☐ hers	☐ your	☐ mine	☐ ours
4.	☐ pay	☐ cost	☐ appointment	☐ money
5.	☐ wear	☐ ear	☐ hear	☐ year
6.	☐ straight	☐ off	☐ honest	☐ down

4 Ordnen Sie zu und ergänzen Sie.

1. Haben Sie eine Krankenversicherung?
2. Mir ist übel.
3. Wo fehlt's denn?
4. Ich habe Schmerzen in der Schulter.
5. Er hat Fieber.
6. Wir müssen den Arzt kommen lassen.
7. Haben Sie einen Termin?
8. Ich habe Durchfall.

a. I have a .... in my ....
b. We must .... the doctor.
c. Do you have .... insurance?
d. He has a ....
e. I .... sick.
f. I have ....
g. What seems to be .... ?
h. Do you have an .... ?

5 Lösen Sie das Kreuzworträtsel.
Alle gesuchten Wörter sind allein stehende Possessivpronomen.

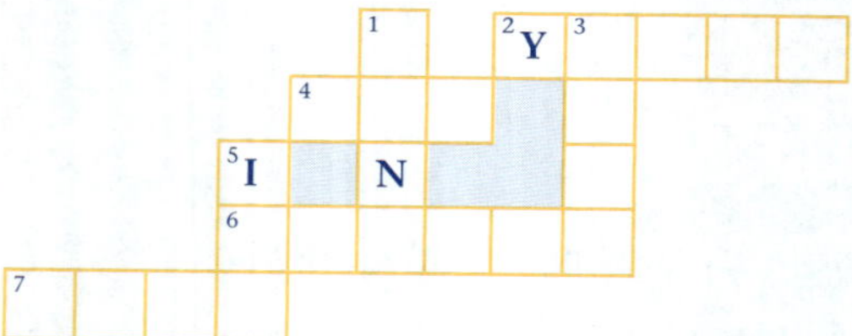

6 Ergänzen Sie das passende Possessivpronomen.

1. We have a new company in the building. .... boss is Chinese.
2. Your flat is bigger than my place. .... is much smaller.
3. How was your holiday? .... was great. We both had a really great time.
4. Tony didn't have the most up-to-date* information. .... was older than this.
5. No, this is not the Beckhams' house. .... is that great big villa, number 202.
6. Jenny's car was much more expensive. .... cost an awful lot more than mine.

* up-to-date: *aktuell, up to date*

7 Ergänzen Sie passende Verben in der Verlaufsform der Vergangenheit.

1. It was a nice morning and the sun ....*was shining*........ brightly.
2. Sorry, I ....n't .... Could you say that again, please?
3. I saw you at the station this morning. Where .... you ....?
4. The Queen .... the most awful outfit*. She looked terrible.
5. I'm sorry. We .... for you outside the other entrance.
6. What .... you .... in Fenchurch Street? –
   I .... to find somewhere to park!
7. Mrs Andrews .... sick, so I sent her home.
8. Four men were repairing the road. One ....,
   and the other three .... him!

* oufit: *Outfit, Kleidung*

8 Ergänzen Sie die Sätze. Ein Verb steht jeweils in der Verlaufsform der Vergangenheit (Hintergrundsituation), das andere in der einfachen Vergangenheit (Unterbrechung).

1. Who .... (drive) when the accident .... (happen)?
2. What .... (happen) when the ambulance .... (arrive)?
3. I .... (walk) to the pub when it .... (start) to rain.
4. When I .... (get) there, it .... (not rain) any more*.
5. When we .... (see) you outside the theatre, ...
   (you, wait) for someone?
6. What .... (you, buy) when we .... (meet) at the
   market?
7. Tony .... (cook) the evening meal when I ....
   (arrive) home.
8. I .... (just read) his email when he .... (phone).

* not ... any more: *nicht mehr*

9 Welches Verb ist das richtige? Streichen Sie jeweils die falschen Wörter durch.

1. We still have lots of time. We *mustn't / needn't* leave for another 30 minutes.
2. You really *don't have to / mustn't* tell anyone what I said. Please!
3. It's a holiday tomorrow, so we *don't have to / mustn't* get up and go to work.
4. Tony *doesn't have to / mustn't* come if he prefers to stay at home.
5. It *mustn't / needn't* rain tomorrow. I'm having a big party – outside!
6. It *doesn't have to / mustn't* cost a lot of money to fly. There are lots of cheap flights.

10 Was werden Sie machen können, wenn Sie diesen Kurs beendet haben?
Machen Sie Aussagen mit **be able to**.

watch English TV — write emails in English — understand what they say in films — help my friends / children / ... with their English — read English books — show tourists the way — travel more easily

....

....

....

....

....

....

....

11 Übersetzen Sie.

1. Wir werden kommen können, aber wir werden nicht lange bleiben können.

   ....

2. Der Flug war verspätet. Wir mussten zwei Stunden warten.

   ....

3. Ich werde dir bald eine Antwort geben können.

   ....

4. Wir werden sehr früh aufstehen müssen.

   ....

Im Mittelpunkt dieser Lektion stehen:
- **gute Wünsche** und Aufforderungen
- **Geschenke** und Reaktionen darauf
- das **Present Perfect** und seine **Abgrenzung** von der einfachen Vergangenheit
- **Signalwörter** für beide Vergangenheitsformen

Unit 12

Home-swapping

Dear Carol & Greg,
As you can see, we've arrived safely, and have managed to start your computer!
You have a wonderful house, and we feel really comfortable here. The weather has been beautiful so far. We've been to Santa Cruz – we went yesterday – and this afternoon we're going down the coast. Your car is still in one piece!
Your neighbours have all been really helpful – we have already met the Delanos, the Swensons and the Taylors. The Taylors have invited us to dinner this evening. Timo has already made friends with Joe, and we think his (Timo's!) English has already improved.
We haven't seen much of your cat, but she's always eaten her food.
Have you found everything you need in our place? If there are any problems, Claudia and Norbert next door will help out. Oh, one thing: has a big package come from a mail-order company? I ordered something 10 days before we left, but it didn't arrive.
Could you let me know? Thanks.
Gisela

Wohnungstausch

Liebe Carol, lieber Greg,
wie Sie sehen, sind wir gut angekommen und haben es geschafft, Ihren Computer zu starten! Sie haben ein wunderbares Haus, und wir fühlen uns hier sehr wohl. Das Wetter ist bis jetzt sehr schön gewesen. Wir waren schon in Santa Cruz – wir sind gestern hingefahren – und heute Nachmittag fahren wir die Küste hinunter. Ihr Auto ist noch heil! Ihre Nachbarn sind alle richtig hilfsbereit gewesen – wir haben schon die Delanos, die Swensons und die Taylors kennengelernt. Die Taylors haben uns heute Abend zum Essen eingeladen. Timo hat sich bereits mit Joe angefreundet, und wir meinen, dass sein (Timos!) Englisch schon besser geworden ist.
Wir haben nicht viel von Ihrer Katze gesehen, aber ihr Futter hat sie immer gefressen. Haben Sie bei uns alles gefunden, was Sie brauchen? Wenn es irgendwelche Probleme gibt, werden Claudia und Norbert von nebenan aushelfen. Ach, eine Sache noch: Ist ein großes Paket von einem Versandhaus gekommen? Ich habe 10 Tage bevor wir losfuhren etwas bestellt, aber es kam nicht an. Könnten Sie mir Bescheid geben? Danke.
Gisela

What's new? *E 4,5,6*

Im Text haben Sie eine neue Verbform kennengelernt: das **Present Perfect**.
The Taylors **have invited** us. *Die Taylors haben uns eingeladen.*
We **haven't seen** much of your cat. *Wir haben nicht viel von Ihrer Katze gesehen.*
Timo **has made** friends with Joe. *Timo hat sich mit Joe angefreundet.*
He **hasn't played** with his Gameboy. *Er hat nicht mit seinem Gameboy gespielt.*

Zunächst wollen wir uns die Bildung ansehen: Das **Present Perfect** setzt sich zusammen aus dem Hilfsverb **have** und dem Partizip Perfekt. Das Partizip ist bei regelmäßigen Verben identisch mit der einfachen Vergangenheit des Verbs (→ Lektion 6) und hat die Endung **-ed**. Meist werden die Kurzformen verwendet:

Aussage	Kurzform	Verneinung	Kurzform
I **have** started.	I'**ve** started.	I **have not** finished.	I **haven't** finished.
You **have** started.	You'**ve** started.	You **have not** finished.	You **haven't** finished.
He **has** started.	He'**s** started.	He **has not** finished.	He **hasn't** finished.
She **has** started.	She'**s** started.	She **has not** finished.	She **hasn't** finished.
It **has** started.	It'**s** started.	It **has not** finished.	It **hasn't** finished.
We **have** started.	We'**ve** started.	We **have not** finished.	We **haven't** finished.
They **have** started.	They'**ve** started.	They **have not** finished.	They **haven't** finished.

Bei unregelmäßigen Verben ist das Partizip manchmal identisch mit der Vergangenheitsform, manchmal aber auch nicht. Eine Aufstellung der wichtigsten unregelmäßigen Formen finden Sie in der → **Verbtabelle** im Anhang.

Grundform	Einfache Vergangenheit	Partizip Perfekt	
be	**was / were**	**been**	*sein*
come	**came**	**come**	*kommen*
do	**did**	**done**	*tun*
drink	**drank**	**drunk**	*trinken*
eat	**ate**	**eaten**	*essen*
find	**found**	**found**	*finden*
give	**gave**	**given**	*geben*
go	**went**	**gone**	*gehen, fahren*
have	**had**	**had**	*haben*
know	**knew**	**known**	*kennen, wissen*
leave	**left**	**left**	*(ver- / hinter-) lassen, ab- / wegfahren*
make	**made**	**made**	*machen*

meet	**met**	**met**	*kennenlernen, treffen*
pay	**paid**	**paid**	*(be)zahlen*
read	**read**	**read**	*lesen*
say	**said**	**said**	*sagen*
see	**saw**	**seen**	*sehen*
speak	**spoke**	**spoken**	*sprechen*
take	**took**	**taken**	*nehmen*
tell	**told**	**told**	*sagen, erzählen*
think	**thought**	**thought**	*(nach)denken*
write	**wrote**	**written**	*schreiben*

Wie immer, wenn ein Hilfsverb im Spiel ist, bilden Sie Fragen durch Umstellung von Hilfsverb und Subjekt. In der Kurzantwort wird das Hilfsverb wiederholt.

Fragen	Kurzantworten	
Have you **found** everything?	Yes, we **have.**	No, we **haven't.**
Has a big packet **come**?	Yes, it **has.**	No, it **hasn't.**

Have you been to the States?

Neighbours Peter and Hildegard Mauel have invited Carol and Greg to a barbecue party in Aachen. It's Peter Mauel's birthday. He introduces them to Silvia and Udo Stoldt.

Carol: We hear that it's your birthday, so we've brought you a little something. Happy birthday!
Peter: Oh, thank you. That's very kind of you. But you really shouldn't have.
...
Peter: Have you met Silvia and Udo?
Carol: No, I don't think so.
Peter: Well, come over, and I'll introduce you. They both speak very good English.
...
Silvia: So where in the States are you from?
Carol: Monterey, California.
Silvia: Oh, my brother worked in San Francisco for a while, about five years ago.
Carol: Really?
Silvia: Yes. He loved it, didn't really want to come back.

Carol: Did you go and see him?
Silvia: No, it didn't work out. He was only there six months.
Carol: That's a pity. Frisco is a great place. Have you been to the States at all?
Silvia: Yes, we have. We've been to Florida. We went last year.
Carol: Right.
Silvia: A friend of Udo's is in real estate there – condos for retired people.
Carol: A good business to be in.
Silvia: Yes, he's earning lots of money. And it's a great place to live.
...
Carol: Where did you learn such good English?

Udo: Oh, we've been abroad. Silvia and I both had a job in the UK. That's where we met, in fact. We only came back five months ago. And we only moved here six weeks ago.
Carol: Right, you're the new neighbours.
Udo: I see you know all about us!
Carol: Gisela told me in one of her emails. "We have some very nice new neighbours," I think she said.
Udo: Wow! I hope we can live up to that!

Vocabulary

Alle unregelmäßigen Partizipien finden Sie im Abschnitt **What's new?**

Home-swapping	
home-swapping	*Wohnungstausch*
safe(ly)	*sicher*
manage to do s.th.	*es schaffen etwas zu tun*
start	*starten, anmachen*
feel comfortable	*sich wohlfühlen*
beautiful	*(wunder)schön*
so far	*bisher*
coast	*Küste*
in one piece	*heil, ganz*
already	*bereits, schon*
invite	*einladen*
make friends with s.o.	*sich mit jdm anfreunden*

improve	*(sich) verbessern*
cat	*Katze*
in our place	*bei uns (zu Hause)*
next door	*nebenan*
help out	*aushelfen*
package	*Paket*
mail-order	*Versand(haus)*
order	*bestellen*
before *Konj; Adv*	*bevor; schon einmal*
let s.o. know	*jdn informieren, jdm Bescheid geben*

Have you been ...?	
barbecue party	*Grillparty*
it's ...'s birthday	*... hat Geburtstag*
birthday	*Geburtstag*
introduce s.o. to s.o.	*jdn jdm vorstellen, jdn mit jdm bekannt machen*
bring (brought, brought)	*(mit)bringen*
a little something	*eine Kleinigkeit, etwas Kleines*
Happy birthday!	*Herzlichen Glückwunsch zum Geburtstag!*
you really shouldn't have	*das wäre nicht nötig gewesen*
Have you met ...?	*Kennen Sie ... schon?*
I don't think so	*ich glaube nicht*
for a while	*eine Weile, eine Zeit lang*
come back	*zurückkommen*
it didn't work out	*es hat nicht geklappt*
that's a pity	*das ist schade*
Frisco	*(Kurzform für San Francisco)*
at all	*überhaupt*
in real estate	*im Immobiliengeschäft*
condo *AE*	*Eigentumswohnung*
retired person	*Rentner(in)*
learn	*lernen*
such	*solch ein(e), solche(r, s)*
hope	*(er)hoffen*
live up to s.th.	*etw. gerecht werden*

Grammar

1. Present Perfect zum Ausdruck eines Ergebnisses *E 7*

Das deutsche *Perfekt* ist dem englischen **Present Perfect** formal ziemlich ähnlich. Wir verwenden diesen Begriff jedoch bewusst nicht, da es entscheidende Unterschiede im Gebrauch beider Zeitformen gibt. Beim **Present Perfect** wird der Zeitpunkt nicht genannt, weil er unbekannt oder unwichtig ist. Nur das (heute noch gültige) Ergebnis ist wichtig.

We'**ve met** the Delanos. *Wir haben die Delanos kennengelernt.* (Jetzt kennen wir sie.)
Timo's English **has improved**. *Timos Englisch hat sich verbessert.* (Er spricht jetzt besseres Englisch.)

2. Abgrenzung von der einfachen Vergangenheit *E 6, 7*

Zeitpunkt genannt?

Wenn Sie den Zeitpunkt oder Zeitraum explizit nennen, können Sie im Englischen nicht das **Present Perfect** verwenden, sondern müssen die einfache Vergangenheit benutzen. Das deutsche Perfekt ist im Gegensatz dazu in solchen Kontexten möglich.

Present Perfect	Einfache Vergangenheit
Sie sagen, dass etwas geschehen ist. Im Mittelpunkt steht das gegenwärtige Ergebnis. Der Zeitpunkt wird nicht genannt.	Sie sagen, wann etwas geschehen ist. Im Mittelpunkt steht die damalige Handlung. Der Zeitpunkt wird meist genannt.
We'**ve been** to Florida. *Wir sind in Florida gewesen.*	We **went** last year. *Wir sind letztes Jahr dort gewesen.*
We **have** already **seen** this film. *Wir haben diesen Film schon gesehen.* (Wir kennen ihn.)	We **saw** Rudi yesterday. *Wir haben Rudi gestern gesehen.* –
I'**ve written** a mail to Carol and Greg. *Ich habe eine E-Mail an ... geschickt.* (Sie sind informiert.)	When **did** they **write** this? *Wann haben Sie das hier geschrieben?* –
Mr Delano **has booked** a table for us. *Herr Delano hat einen Tisch bestellt.* (Ein Tisch ist reserviert.)	We **booked** our flights a long time ago. *Wir haben unsere Flüge (schon) vor langer Zeit gebucht.*

Signalwörter

Sogenannte Signalwörter geben Ihnen einen Hinweis darauf, welche Vergangenheitsform Sie verwenden müssen. Sehen Sie hier eine Übersicht:

Present Perfect mit unbestimmten Zeitangaben		Einfache Vergangenheit mit bestimmten Zeitangaben	
ever	*jemals*	**yesterday**	*gestern*
just	*gerade*	**last ...**	*letzte(n, s) ...*
already	*schon*	**... ago**	*vor ...*
yet?	*schon?*	**at ...**	*um (+ Uhrzeit)*
not yet	*noch nicht*	**on ...**	*an, am (+ Wochentag)*
always	*schon immer*	**in ...**	*in, im (+ Monat, Jahr)*
before	*schon einmal*		
lately / recently	*in letzter Zeit*		
so far	*bisher, bis jetzt*		

Auch wenn der Zeitpunkt nicht explizit genannt, sondern nur gedacht ist und die Handlung (nicht das Ergebnis) im Mittelpunkt steht, müssen Sie die einfache Vergangenheit verwenden:

Present Perfect	Einfache Vergangenheit
Udo **has worked** in England. *Udo hat in England gearbeitet.* (Er hat Auslandserfahrung.) The Taylors **have left**. *Die Taylors sind schon gegangen.* (Sie sind weg.)	My grandmother **worked** very hard. *Meine Großmutter arbeitete sehr hart.* (damals, als sie lebte) They **left** the party very early. *Sie sind früh gegangen.* (um ... Uhr)

Language in use

Geschenke machen und darauf reagieren

We've brought you a little present. *Wir haben Ihnen ein kleines Geschenk mitgebracht.*
I thought you might like this. *Ich dachte, das könnte Ihnen gefallen.*
It's something typically German. *Es ist etwas typisch Deutsches.*
That's very kind / nice / sweet of you. *Das ist sehr freundlich / nett / lieb von Ihnen.*
But you really didn't have to bring anything. *Aber das war wirklich nicht nötig.*
Oh, it's lovely / beautiful! *Oh, das ist aber hübsch / wunderschön.*

have been to

Wenn Sie sagen, welche Länder und Orte Sie besucht haben, verwenden Sie **have been to** oder – wenn Sie die einfache Vergangenheit brauchen – **went to**.
Have you ever been to Oxford? *Waren Sie schon einmal in Oxford?*
I've been to Spain, but not to Portugal. *Ich war schon mal in Spanien, aber nicht in Portugal.*
I went to Peru last year. *Ich war letztes Jahr in Peru.*

in letzter Zeit

Die deutsche Wendung *in letzter Zeit / in der letzten Zeit* ist etwas tückisch, da sie nicht Wort für Wort übersetzt werden kann. Im Englischen verwenden Sie dafür **lately** oder **recently**.
There have been a lot of accidents **lately / recently**.
Es hat in letzter Zeit viele Unfälle gegeben.

schon

Das deutsche *schon* wird in Aussage- und Fragesätzen unterschiedlich wiedergegeben. Im Aussagesatz steht **already**, und zwar nach dem Hilfsverb. In der Frage steht **yet**, und zwar am Satzende.

Aussage	Frage
Glenn has **already** arrived. *Glenn ist schon angekommen.*	Has Glenn arrived **yet**? *Ist Glenn schon angekommen?*

Personal- und Possessivpronomen bei Tieren

Auf Tiere verweisen Sie in der Regel mit den Pronomen **it** und **its**. Wenn jedoch eine persönliche Beziehung zu dem Tier besteht, können Sie auch **he / she, him / her** und **his / her** verwenden.
Mike found a dog. **Its** ears are white.
Mike hat einen Hund gefunden. Seine Ohren sind weiß.
Our cat is very shy. **She** always hides.
Unsere Katze ist sehr schüchtern. Sie versteckt sich immer.

Amerikanisches Englisch

Zwischen dem britischen und dem amerikanischen Englisch gibt es nur sehr wenige grammatikalische Unterschiede. Einer davon betrifft das **Present Perfect**. Im britischen Englisch stehen die Zeitbestimmungen **already, ever, never, just, yet** in aller Regel mit dem **Present Perfect**. Im Amerikanischen können Sie jedoch auch die einfache Vergangenheit verwenden.

BE	*AE*
Joe **has already arrived.** **Have** the others **arrived yet**?	Joe **already arrived.** **Did** the others **arrive yet**?

Und noch eine Kleinigkeit: das Partizip Perfekt des Verbs **get** lautet im Amerikanischen nicht **got**, sondern **gotten**.

Useful expressions E 1

Gute Wünsche und Aufforderungen		... on passing your exam	*zum Bestehen der Prüfung*
All the (very) best.	*Alles (alles) Gute.*	... on passing your driving test	*zum Bestehen der Fahrprüfung*
And the same to you.	*Gleichfalls.*	Please make yourself at home.	*Fühlen Sie sich bitte wie zu Hause.*
Happy Birthday!	*Alles Gute zum Geburtstag!*	Just help yourself.	*Bedienen Sie sich einfach.*
Congratulations!	*Herzlichen Glückwunsch!*	Have a nice holiday.	*Schönen Urlaub.*
Congratulations ...	*Herzlichen Glückwunsch ...*	Have a safe journey home.	*Kommen Sie gut nach Hause.*
... on your new job	*zu Ihrer neuen Arbeitsstelle*	Give my best wishes to ...	*Schöne Grüße an ....*
... on your engagement / marriage	*zu Ihrer Verlobung / Heirat*	Give my love to ...	*Ganz liebe Grüße an ...*
... on your (wedding) anniversary	*zu Ihrem Hochzeitstag*		
... on the birth of your daughter	*zur Geburt Ihrer Tochter*		

Haben Sie es bemerkt? **Congratulations** verwendet man nicht als Geburtstagsgruß, sondern nur, um jemanden zu etwas zu beglückwünschen.

i **Home-swapping** *Haus- oder Wohnungstausch* in den Ferien ist eine amerikanische Erfindung und eine preiswerte, interessante Möglichkeit, für ein paar Wochen in eine fremde Kultur einzutauchen. Seriöse Vermittlerorganisationen sind im Internet leicht zu finden.

Exercises

1 Ordnen Sie zu.

1. *Sie gratulieren zur neuen Stelle.*
2. *Sie bestellen Amy liebe Grüße.*
3. *Sie gratulieren zum Geburtstag.*
4. *Sie bedanken sich für ein Geschenk.*
5. *Sie wünschen einen schönen Urlaub.*
6. *Sie wünschen „Alles alles Gute".*
7. *Sie reagieren auf gute Wünsche.*
8. *Ihr Gast soll sich wie zu Hause fühlen.*

a. Thank you. That's very kind of you.
b. All the very best.
c. And the same to you.
d. Give my love to Amy.
e. Congratulations on your new job.
f. Happy birthday.
g. Please make yourself at home.
h. Have a nice holiday.

2 Ergänzen Sie das richtige Wort.

hope	improve	introduce	invite	learn	make	manage	order

1. Please .... yourself at home.
2. If you want to .... your English, buy a book like this!
3. Can you .... a taxi for me?
4. How did you .... to do that?!
5. My boyfriend is Italian, so I want to .... Italian.
6. You haven't met? Oh, well let me .... you then.
7. We'd like to .... you to dinner.
8. We .... you will be able to come.

3 Schreiben Sie die Sätze um. Ersetzen Sie die *kursiv* gedruckten Wörter mit bedeutungsgleichen Ausdrücken, die Sie in dieser Unit neu gelernt haben.

1. That's very *nice* of you. ....
2. I've been to Rome *already*. ....
3. We've had some good weather *lately*. ....
4. It's a *lovely* part of the country. ....
5. I'll *tell you* the exact address later. ....
6. The people *in the next house* are from Ghana. ....

4 Ergänzen Sie die richtige Form des Hilfsverbs **have**.

1. ● .... you ever been to Canada? ● No, I ....
2. ● .... the package come? ● No, it ....
3. ● .... we paid for our phone calls? ● Yes, we ....
4. ● .... the Delanos ever invited the Swensons?
   ● No, they ....
5. ● .... your cat ever done this before? ● No, it ....
6. ● .... you ever done a home exchange? ● Yes, we ....

5 Vervollständigen Sie die Tabelle.

	Grundform	Einfache Vergangenheit	Partizip Perfekt
1.	be	was / were	....
2.	bring	brought	....
3.	come	came	....
4.	eat	....	....
5.	....	found	....
6.	give	....	....
7.	go	went	....
8.	have	had	....
9.	know	....	....
10.	make	....	....
11.	meet	....	....
12.	....	took	....
13.	tell	....	....
14.	think	thought	....

6 Übersetzen Sie.

1. Silvia hat eine neue Arbeit gefunden. Sie hat letzten Montag angefangen.

   ....

2. Udo hat sich mit den neuen Nachbarn angefreundet. Er hat in letzter Zeit viel Tennis gespielt. Gestern hat er mit Peter Mauel gespielt.

   ....

   ....

3. Udo und Silvia haben bis letztes Jahr in England gelebt.

   ....

4. Gisela hat schon immer die Westküste der USA besuchen wollen.

   ....

7 **a.** Beschreiben Sie in 4 Sätzen, was Sie heute gemacht haben, und in 4 anderen, was Sie nicht gemacht haben. Wählen Sie dazu aus den Stichwörtern die passenden aus oder ergänzen Sie andere Aktivitäten.

travel over 50 kilometres drink wine order a taxi listen to the radio
make coffee read a book speak English write an email play tennis
see the neighbours phone a friend

I've done this:

....

....

....

....

I haven't done this:

....

....

....

....

b. Und nun schreiben Sie zu den Sätzen im ersten Block je einen weiteren Satz in der einfachen Vergangenheit, in dem Sie den Zeitpunkt der Aktivität nennen.

....

....

....

....

Diese Lektion thematisiert:

- **Bewerbung** und Vorstellungsgespräch
- **Nachfrage** und **Meinungsäußerung**
- die **Verlaufsform** des **Present Perfect**
- das Present Perfect mit **since** und **for**
- das Present Perfect mit **always, all** und **how long**
- das **Future Perfect**

Unit

13

A job application

Dear Ms Stanton,

I am writing in reply to your advertisement for an adventure tour guide.

I have fifteen years experience in survival skills training. For the last five years I have been with Canada Wild, and have been responsible for the development of courses for a wide range of customers, from teenagers to senior citizens. I have also taught most of these age groups personally. Since last year I have been Project Leader Whitewater, with responsibility for all water-related survival skills, and I have led groups on adventure holidays in this field.

After 15 years mainly on the training side, I am looking for a change, and would welcome the opportunity to act as group leader for your European customers. I am fluent in both French and English, and also have a good command of German. Please see my résumé for further details.

Yours sincerely,

Jack Walker

Jack Walker

Ein Bewerbungsschreiben

Sehr geehrte Frau Stanton,

Ich schreibe auf Ihre Anzeige hin, in der Sie einen Abenteuer-Reiseleiter suchen.

Ich habe fünfzehn Jahre Erfahrung mit Überlebenstraining. Seit fünf Jahren bin ich bei Canada Wild, und bin verantwortlich für die Entwicklung von Lehrgängen für eine breite Zielgruppe, von Teenagern bis zu Senioren. Ich habe die meisten Altersgruppen auch persönlich unterrichtet. Seit letztem Jahr bin ich Projektleiter Wildwasser, mit Verantwortung für sämtliche wasserbezogenen Überlebensfertigkeiten, und ich habe auf Abenteuerurlauben in diesem Bereich Gruppen geleitet.

Nachdem ich 15 Jahre lang hauptsächlich auf der Ausbilderseite beschäftigt war, suche ich nach einer Veränderung und würde die Gelegenheit begrüßen, als Gruppenleiter für Ihre europäischen Kunden tätig zu sein. Ich spreche sowohl Französisch als auch Englisch fließend, und beherrsche auch das Deutsche gut. Weitere Einzelheiten entnehmen Sie bitte meinem Lebenslauf.

Mit freundlichen Grüßen,

Jack Walker

Jack Walker

What's new? E 5, 6, 9

In → Lektion 12 haben Sie das **Present Perfect** kennengelernt und festgestellt, dass das deutsche Perfekt im Englischen nicht immer damit wiedergegeben werden kann. Jetzt wenden wir uns einer weiteren Sprachfalle zu, die auch das **Present Perfect** betrifft. Wenn Sie sagen, dass ein Zustand aus der Vergangenheit bis jetzt andauert, verwenden Sie im Deutschen das Präsens, im Englischen jedoch das **Present Perfect**:
I **have been** with Canada Wild for five years. *Ich bin seit fünf Jahren bei Canada Wild.*
Since last year I **have been** the project leader. *Seit letztem Jahr bin ich Projektleiter.*

Wenn der Anfangszeitpunkt genannt wird (z. B. *seit 2004*), steht das **Present Perfect** mit **since**, wenn es dagegen um einen Zeitraum oder eine Zeitspanne geht (z. B. *seit fünf Jahren*), steht es mit **for**. Beide werden im Deutschen mit *seit* übersetzt.
I have lived in Toronto **since 2004**. *Ich lebe seit 2004 in Toronto.*
I have worked here **for a long time**. *Ich arbeite seit langer Zeit hier.*

Hier eine Übersicht, mit welchen Zeitangaben Sie welches Wort verwenden:

since		**for**	
since yesterday	*seit gestern*	for two hours	*seit zwei Stunden*
since 8 o'clock	*seit 8 Uhr*	for three days	*seit drei Tagen*
since this morning	*seit heute Morgen*	for six months	*seit sechs Monaten*
since Monday	*seit Montag*	for seven years	*seit sieben Jahren*
since last June	*seit letztem Juni*	for a long time	*seit Langem*
since 30th April	*seit 30. April*		
since 2002	*seit 2002*		

A job interview

Interviewer: You say in your application and résumé that you speak German?
Jack: Yes, that's right. I've been learning it for three years now.
Interviewer: Three years, that's quite a long time.
Jack: I've always been interested in languages. My speaking, listening and reading skills are good. My written German is not quite so good, but I guess I won't need that much out in the wild.

The interviewer laughs.

Interviewer: No, I guess not. But a good command of German is very useful because nearly 45% of our customers are native speakers of German.
Jack: Right.
Interviewer: So how long have you been in your present job?

Jack:	One year, but I've been with the company for five.
Interviewer:	Right. And what sort of groups have you been leading, out in the wild?
Jack:	All kinds, and all ages, but I find I get on best with youngsters, and with older people. We have been offering more and more courses for people who are 50 plus ...

Later, with his wife Sonia.

Sonia:	So how did it go?
Jack:	OK, I think.
Sonia:	It went on a long time. Is that a good sign?
Jack:	I don't know. Maybe. Have you been waiting long?
Sonia:	For about an hour, since six o'clock. Mike has been asking me questions all the time: How long has Dad been gone now? When can we go home? He's just gone to buy a comic. How do you feel?
Jack:	Well, I don't know if I really want the job or not.
Sonia:	They will have noticed that.
Jack:	I don't know. I mean, I've been thinking. If I get it, it'll mean more stress, less time with the family. I'll be away a lot more.
Sonia:	Right. But the kids are getting older. You have to plan ahead and think where you want to be in five, ten years from now.
Jack:	Yeah, I suppose so.
Sonia:	When will you know? I mean, know if they are going to offer it to you?
Jack:	Well, she said they will have interviewed all candidates by tomorrow evening, and successful candidates will get an invitation to a second interview next week.
Sonia:	Well, that will give you time to think it over.

Vocabulary

A job application	
(job) application	*Bewerbung*
reply	*Antwort*
in reply to	*als Antwort auf*
advertisement	*Anzeige, Annonce*
tour guide	*Reiseleiter(in)*
survival	*Überleben*
skill	*Fertigkeit*
survival skills training	*Überlebens-training*
for *zeitl.*	*seit*
responsible	*verantwortlich*
development	*Entwicklung*
course	*Kurs, Lehrgang*
wide	*breit, weit*
range of customers	*Zielgruppe, Kundenkreis*
senior citizen	*Senior(in)*
citizen	*Bürger*
teach (taught, taught)	*unterrichten, beibringen*
group	*Gruppe*
age group	*Altersgruppe*
personal(ly)	*persönlich*
since	*seit*
leader	*Leiter(in), Führer(in)*
project leader	*Projektleiter(in)*
whitewater	*Wildwasser*
responsibility	*Verantwortung*
water-related	*wasserbezogen*
lead (led, led)	*leiten, führen*
adventure holidays	*Abenteuerurlaub*
field	*Gebiet, Bereich, Feld*
welcome	*begrüßen*
opportunity	*Gelegenheit*
act as …	*als … tätig sein*
European	*europäisch*
be fluent in	*fließend sprechen*

both … and	*sowohl … als auch*
have a good command of s.th.	*etw. gut beherrschen*
résumé *AE*	*Lebenslauf*
detail	*Detail, Einzelheit*
A job interview	
(job) interview	*Vorstellungs-gespräch*
interviewer	*Interviewer(in)*
be interested in	*sich interessieren für*
quite	*ziemlich*
speaking skills	*Sprechfertigkeit*
listening skills	*Hörverstehen*
reading skills	*Leseverstehen*
written	*geschrieben*
not quite	*nicht ganz*
not quite so good	*nicht ganz so gut*
guess *AE*	*schätzen*
wild	*Wildnis*
useful	*nützlich*
nearly	*fast, beinahe*
45% (45 per cent)	*45 Prozent*
native speaker	*Muttersprachler(in)*
present *Adj*	*gegenwärtig, jetzig*
kind *Subs*	*Art*
get on (with)	*zurecht- / auskommen (mit)*
youngster	*Kind, Jugendliche(r)*
go on	*andauern*
sign	*Zeichen*
all *zeitl.*	*den / die / das ganze(n) … (lang / über)*
all the time	*die ganze Zeit*

comic	*Comic*	**interview** *V*	*interviewen, befragen*
if	*ob*	**candidate**	*Kandidat(in), Bewerber(in)*
notice	*bemerken*	**by** *zeitl.*	*bis (spätestens)*
kid	*Kind*	**successful**	*erfolgreich*
ahead	*vorn, vorwärts, voraus*	**invitation**	*Einladung*
I suppose so.	*Ja, vermutlich. / Ich nehme es an.*	**think s.th. over**	*über etwas nachdenken*

Grammar

1. Present Perfect mit *all, always* und *How long*? E 7

Wenn es um einen Zeitraum geht, der bis in die Gegenwart andauert, müssen Sie auch in Fragen mit **How long?** und in Aussagen mit **all** oder **always** das **Present Perfect** verwenden. Im Deutschen steht stattdessen oft das Präsens in Kombination mit dem Wörtchen *schon*.
How long have you been in your present job?
Wie lange sind Sie schon in Ihrem jetzigen Job?
I've **always** been interested in languages.
Ich interessiere mich schon immer für Sprachen. /
Ich habe mich schon immer für Sprachen interessiert.
We've lived here **all** our life. *Wir leben schon unser ganzes Leben lang hier.*

2. Verlaufsform des Present Perfect E 8

Wenn Sie betonen wollen, dass ein Zustand zwar in der Vergangenheit begonnen hat, aber ununterbrochen bis zur Gegenwart andauert, oder auch, dass sich etwas über einen bestimmten Zeitraum bis zur Gegenwart wiederholt ereignet hat, verwenden Sie die Verlaufsform des **Present Perfect**. Auch diese Form wird im Deutschen häufig mit dem Präsens und *schon* übersetzt.
I've been thinking. *Ich habe nachgedacht.*
He'**s been learning** German for three years. *Er lernt (schon) seit drei Jahren Deutsch.*
Have you **been waiting** long? *Wartest du schon lange?*

Im Unterschied zur einfachen Form des **Present Perfect** betont die Verlaufsform die Handlung und deren Andauern, weshalb diese Form oft in Fragen mit **how long?** steht. Die einfache Form hingegen betont das Endergebnis.
How long have you been sitting here? *Wie lange sitzt du schon hier?*
We've sat here long enough! I'm going! *Wir haben hier lange genug gesessen! Ich gehe!*

3. Das Future Perfect E 10

Mit dem Future Perfect können Sie ausdrücken, dass etwas zu einem bestimmten Zeitpunkt in der Zukunft bereits stattgefunden haben wird. Es wird mit **will have** und dem Partizip Perfekt gebildet. Diese Zeitform kommt allerdings recht selten zum Einsatz.
They **will have interviewed** all candidates by tomorrow evening.
Sie werden alle Bewerber bis morgen Abend interviewt haben.

Abgesehen davon können Sie mit dem Future Perfect auch eine Vermutung ausdrücken:
They **will have noticed** that. *Das werden sie (vermutlich) bemerkt haben.*

Language in use

Jemanden auffordern, etwas zu berichten

How was it? *Wie war es?*
How did you get on? *Wie bist du zurechtgekommen?*
Did it go all right / well? *Ist es gut gelaufen?*
What happened? *Was ist passiert?*
Tell me what happened. *Erzähl mir, was passiert ist.*
What do you want to do? *Was willst du tun?*
What are you going to do? *Was wirst du tun?*
Have you got any plans? *Hast du irgendwelche Pläne?*

Meinungen und Wünsche äußern

I think it went well. *Ich glaube, es ist gut gelaufen.*
It seemed OK. *Es schien in Ordnung.*
My impression is / was that ... *Ich habe / hatte den Eindruck, dass ...*
In my opinion ... *Meiner Meinung nach ...*
My view is that ... *Meiner Ansicht nach...*
I'd rather (not) ... *Ich würde lieber (nicht) ...*
I'd prefer (to) ... *Ich würde es vorziehen (zu) ...*
I wish we could / they wouldn't ... *Ich wünschte wir könnten / sie würden nicht ...*
Well, I don't know if ... *Nun, ich weiß nicht, ob ...*

résumé – CV

Den *Lebenslauf* bezeichnet man im Amerikanischen Englisch mit **résumé**, im Britischen Englisch mit **CV**. **CV** steht für das lateinische **curriculum vitae**.

by – till E 2

Die Präpositionen **by** und **till** (auch: **until**) entsprechen beide dem deutschen *bis*, sind aber nicht austauschbar: **By** bedeutet *spätestens bis* oder *nicht später als* und beantwortet die Frage *wann? zu welchem Zeitpunkt?* **Till** und **until** bedeuten *solange bis* oder *die ganze Zeit bis* und beantworten die Frage *wie lange?*
They will have interviewed all the candidates **by** tomorrow evening.
Sie werden alle Bewerber bis morgen Abend interviewt haben.
We are staying **till** Friday. *Wir bleiben bis Freitag.*

lange

Wann sagt man **long**, wann **for long**, wann **for a long time**? Als Faustregel gilt:

- in bejahten Aussagen: (for) a long time
  We've lived here (for) a long time. *Wir leben schon lange hier.*
- in verneinten Sätzen und Fragen: (for) long
  We haven't known them (for) long. *Wir kennen sie noch nicht lange.*
  Have you been waiting long? *Warten Sie schon lange?*
- Außerdem haben Sie folgende feststehende Wendung kennengelernt:
  Long time no see. *Lange nicht gesehen.*

Useful expressions E 3, 4

Bewerbung, Aus- und Weiterbildung

apply for	*sich bewerben um*
position	*Stelle*
ability	*Fähigkeit*
professional	*beruflich, Berufs-*
qualification	*Qualifikation*
qualified	*qualifiziert*
education	*(Schul-)Bildung*
attend a school	*eine Schule besuchen*
pass an exam	*eine Prüfung bestehen / ablegen*
leave school	*von der Schule abgehen*
do / serve an apprenticeship	*eine Berufsausbildung / Lehre machen*
study	*studieren*
enclose	*beilegen, anhängen*
school-leaving certificate	*Schulabschlusszeugnis*
degree certificate	*Universitätsabschlusszeugnis*
reference	*Zeugnis*
testimonial	*Zeugnis*
employer	*Arbeitgeber(in)*
employee	*Arbeitnehmer(in)*
join a company	*in ein Unternehmen eintreten*
change jobs	*die Stelle wechseln*
working conditions	*Arbeitsbedingungen*
salary	*Gehalt, Lohn*

i Im angelsächsischen Raum ist die Vergabe von Arbeitszeugnissen beim Jobwechsel nicht verbreitet. Bewirbt man sich, so nennt man Vertrauenspersonen als **references**, die bereit sind, eine schriftliche Erklärung über Charakter und Fähigkeiten abzugeben. Dieses Schriftstück wird ebenfalls **reference** *Zeugnis* genannt. In gleicher Bedeutung wird das Wort **testimonial** verwendet, wobei ein früherer Arbeitsgeber eher als Verfasser eines **testimonial** auftritt, eine andere Vertrauensperson eher als **reference**.

Exercises

1 Vervollständigen Sie die Tabelle.

Verb	Substantiv
1. apply	....
2. qualify	....
3.	invitation
4. arrive	....
5.	departure
6. complain	....
7. meet	....
8.	interview

2 Ergänzen Sie die passende Präposition.

1. Who is responsible .... marketing in Ireland?

2. I have been .... this company for four years.

3. How are you getting on .... your new boss?

4. Can you let me know .... next Monday?

5. .... my opinion, we need more time.

6. I have so much to do. I'll be here .... midnight!

7. I'm not interested .... adventure holidays.

8. Have you been .... any special courses?

3 Ergänzen Sie zu jedem Verb zwei Substantive.

a club | a course | a candidate | a company | a new job | employers | a salary | a new position | a résumé | someone on TV | a school | an apprenticeship | jobs | money | references | training

1. attend ... *a course* ... ...
2. change ... ...
3. apply for ... ...
4. enclose ... ...
5. earn ... ...
6. join ... ...
7. do ... ...
8. interview ... ...

4 Ergänzen Sie die Begriffe an den passenden Stellen.

application | professional experience | certificates | CV | holidays | languages | qualifications | references | responsibilities | salary | skills | working conditions

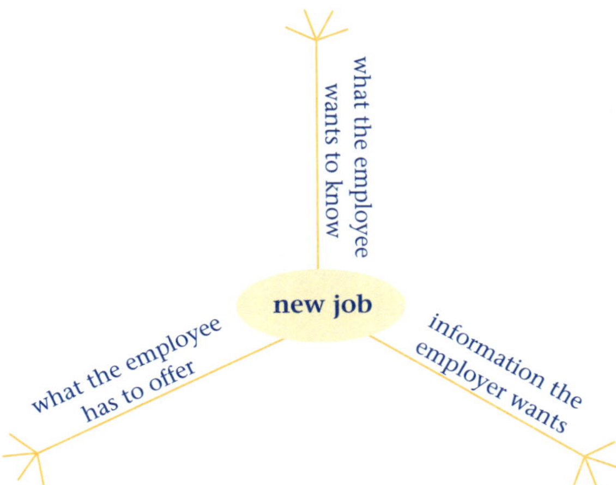

5 Bilden Sie zwei Gruppen.

1997 a week half past six last July one or two minutes seven years
three months Tuesday afternoon two and a half hours yesterday morning

since	for
....	....
....	....
....	....
....	....
....	....

6 Korrigieren Sie das *kursiv* gedruckte Verb und setzen Sie **since** oder **for** ein.

1. I *know* Susanne .... we were children.

....

2. Herr Berger *works* for us .... seven years.

....

3. We *are* colleagues .... 2001.

....

4. The Perth office *is closed* .... the last seven months.

....

5. I *have* a new office .... last month.

....

6. Our company *sells** this product .... over 30 years now.

....

* sell (sold, sold)

7 Übersetzen Sie.

1. Ich weiß schon lange, dass die Firma umzieht.

....

2. Die Firma ist seit 1850 in Berlin.

....

3. Ich fahre schon immer französische Autos.

....

4. Wir haben seit zwei Monaten eine Katze.

....

5. Ich lebe (schon) mein ganzes Leben hier.

....

6. Tony ist seit letzter Woche krank.

....

8 Wie lautet die Frage mit **How long**? Verwenden Sie die Verlaufsform des **Present Perfect**.

1. ● ....
   ● Over thirty minutes, and I'm not going to wait any longer!
2. ● ....
   ● The Beijing project? We've been working on that for over three years.
3. ● ....
   ● Over forty minutes. He phones her every day.
4. ● ....
   ● Not very long. Why don't you sit for a moment, too? It's a lovely view.
5. ● ....
   ● Fifty-five minutes. But they're not playing very well.
6. ● ....
   ● For hours. I've tried every quarter of an hour, but I still can't reach him.

9 Schreiben Sie die Sätze um. Ersetzen Sie die *kursiv* gedruckten Wörter durch die Wörter in Klammern. Verändern Sie die Verbform entsprechend.

1. My son is leaving school *next year*. (last year)

....

2. *Last year* I led a group of Germans up Mount Everest. (This year)

....

3. *He* teaches me survival skills. (At my old school they)

....

4. *For the last three years* I've been working from home. (From 2000 to 2003)

....

5. I learned English *at school*. (since 2002)

....

6. *From 1999 to 2004* we offered six new courses a year. (since 2003)

....

10 Ergänzen Sie das Future Perfect.

1. I hope the rain .... (stop) when we get there.

2. My daughter .... (be) abroad two years when she comes back next summer.

3. We .... (finish) the whole project by next June.

4. It .... (cost*) an awful lot of money.

5. It won't be so full at this time of day. Most of the people .... (leave) by now.

6. If the weather is bad there too, he .... (have to) change his travel plans.

* cost (cost, cost)

In dieser Unit beschäftigen Sie sich mit folgenden Themen:
- **Essen** und **Trinken**
- **Restaurantbesuch**
- die Ausdrücke **used to** und **be used to**
- die **-ing**-Form als Gerundium
- **remember** versus **remind**

Unit 14

Thought for the day / Gedanken für den Tag

We used to eat what we liked. Now we eat what's good for us.

Früher aßen wir, was uns schmeckte. Jetzt essen wir, was gesund ist.

We used to enjoy our free time. Now we work out 6 times a week at the gym.

Früher genossen wir unsere Freizeit. Jetzt trainieren wir 6 Mal die Woche im Fitnessstudio.

We used to have work and a private life. Now we work 60 hours a week so that we can get ahead in our job.

Früher hatten wir die Arbeit und ein Privatleben. Jetzt arbeiten wir 60 Stunden pro Woche, um in unserem Job voranzukommen.

We used to say what we think. Now we are afraid of saying something that is not politically correct.

Früher sagten wir, was wir meinten. Jetzt haben wir Angst etwas zu sagen, was nicht politisch korrekt ist.

We didn't use to worry about life. Now we worry about something all the time.

Früher machten wir uns keine Sorgen ums Leben. Jetzt machen wir uns ständig wegen irgendetwas Sorgen.

We used to be unfit, lazy, prejudiced – and fun. Now we are fit, alert, politically correct – and boring.

Früher waren wir untrainiert, faul, vorurteilsbehaftet – und hatten Spaß. Jetzt sind wir fit, wachsam, politisch korrekt – und langweilig.

What's new? E5

Früher war – natürlich – immer alles besser. So steht es zumindest schmunzelnd-provokativ in den Sprüchen auf der Einstiegsseite. Und dabei wird ständig der etwas eigentümliche Ausdruck **used to** gebraucht, um auszudrücken, was früher (immer) war und jetzt nicht mehr ist. Mit **used to** können Sie also nicht mehr bestehende Gewohnheiten und Zustände in der Vergangenheit ausdrücken.
I **used to** eat what I liked. *Früher aß ich (immer), was mir schmeckte.*
They **used to** play tennis at the weekend.
Sie spielten früher am Wochenende (regelmäßig) Tennis.

Verneinung und Fragen bilden Sie in bekannter Art und Weise mit dem Hilfsverb **do**, d. h. in diesem Fall **did**, da **used to** nur in der Vergangenheitsform existiert. Außerdem gibt es noch eine kleine Besonderheit: Sie können in Verbindung mit **did** sowohl die Infinitivform **use**, als auch die Vergangenheitsform **used** verwenden.
He **didn't use(d) to** like me. *Früher mochte er mich nicht.*
You **didn't use(d) to** smoke, did you? *Sie haben (doch) früher nicht geraucht, oder?*
Where **did** you **use(d) to** live, before you came here?
Wo haben Sie früher gelebt, bevor Sie hierherkamen?

Bob has lost a bet ...

... and has to eat out at an unusual restaurant with his eyes blindfolded.

Waiter: Yes, please. Do you have a reservation?
Tony: Yes, a table for two in the name of Wilkins.
Waiter: Ah yes, Mr Wilkins. If you'd like to take a seat in the bar, we'll call you in a few minutes.
Tony: Sure.
Waiter: Are you all right, sir?
Tony: He's just had an eye operation.
Waiter: Oh, I see.
Bob: Well, actually ... It smells very interesting here, unusual I might say. What did you say your speciality was?
Waiter: Didn't you know, sir? It ...
Tony: I'll tell you in the bar, when I read you the menu. Like with little children.

The waiter smiles and leaves. Bob and Tony go to the bar.

Tony: "What did you say your speciality was?" Bob, may I remind you that we agreed you would eat the whole meal without taking off your blindfold and before asking about the food.
Bob: Right, but it smells funny in here.
Tony: Relax, Bob, you'll enjoy it. Instead of trying to find out what we're going to eat, just sit back and enjoy your aperitif. It's not worth worrying. I'm looking forward to this.
Bob: To seeing how I make a fool of myself.
Tony: To eating. You'll enjoy eating here, honestly.
Bob: Yeah, but I'm not used to eating with my eyes closed.
Tony: Wait and see. Anyway, it wasn't me who suggested coming here. It was Sarah.
Bob: Sarah?
Tony: Yes, she said she couldn't imagine coming here with you of your own free will, and ...
Bob: Oh, my God.
Tony: ... she said you're always against trying out new restaurants, and when you invite her out, you keep going to the same old places. She said you would never dream of coming here.
Bob: That's encouraging.
Tony: And she said that afterwards you would thank me for bringing you here.

After the meal.

Bob: Am I allowed to take the blindfold off now?
Tony: Yes, you can take it off now.
Bob: Well, I really enjoyed that. I'm quite surprised.
Tony: And now you're interested in finding out what you've eaten.
Bob: Right.
Tony: It was seaweed.
Bob: What?!
Tony: Seaweed.
Bob: Oh, my God. I'll die.

Vocabulary

Thought for the day	
thought	*Gedanke*
used to do s.th.	*etw. früher immer / regelmäßig getan haben*
good for you	*hier: gesund*
free	*frei*
free time	*Freizeit*
gym	*Fitnessstudio*
private life	*Privatleben*
so that	*damit, sodass*
get ahead	*vorankommen*
in case	*falls*
politically correct	*politisch korrekt*
worry (about)	*sich Sorgen machen (um), beunruhigt sein (wegen)*
unfit	*untrainiert, nicht fit*
lazy	*faul*
prejudiced	*vorurteilsbehaftet*
be fun	*lustig / amüsant sein*
fit	*fit*
alert	*wach(sam)*
boring	*langweilig*
Bob has lost ...	
bet	*Wette*
eat out	*essen gehen*
blindfolded	*verbunden (Augen)*
table	*Tisch*
in the name of	*auf den Namen*
seat	*(Sitz-)Platz*
take a seat	*Platz nehmen*
bar	*Bar, Theke*
operation	*Operation*
I might say	*ich möchte mal sagen*
speciality	*Spezialität*
menu	*Speisekarte; (Computer-) Menü*
smile	*lächeln*
may	*dürfen*
remind s.o. of s.th.	*jdn an etw. erinnern*
agree	*vereinbaren, beschließen; übereinstimmen, sich einigen*
without	*ohne*
take off	*abnehmen, ausziehen*
blindfold	*Augenbinde*
instead of	*(an)statt*
sit back	*sich zurücklehnen*
aperitif	*Aperitif*
be worth doing s.th.	*sich lohnen zu tun*
look forward to	*sich freuen auf*
make a fool of myself	*mich lächerlich machen*
yeah *ugs*	*ja*
be used to doing s.th.	*gewohnt sein etw. zu tun*
close *V*	*schließen*
closed	*geschlossen*
Wait and see.	*Abwarten (und Tee trinken)!*
suggest	*vorschlagen*
imagine	*sich vorstellen*
of your own free will	*freiwillig*
God	*Gott*
try (out)	*(aus)probieren*

keep (on) doing s.th.	*weitermachen, etw. immer wieder tun*	encouraging	*ermutigend*
dream of doing s.th.	*davon träumen etw. zu tun*	**afterwards**	*hinterher*
you would never dream of ...	*du würdest niemals auf die Idee kommen ...*	**thank s.o. for doing s.th.**	*jdm dafür dankbar sein, dass er etwas tut*
		be allowed to do s.th.	*etw. tun dürfen*
		find out	*herausfinden*
		seaweed	*Seetang*

Grammar

1. Die *-ing*-Form als Gerundium nach bestimmten Verben

E 6, 7

Das englische Gerundium kennen Sie schon aus → Lektion 5. Es wird nach Verben des Mögens und Nicht-Mögens wie **like** und **hate** verwendet. In dieser Unit lernen Sie nun weitere Verben kennen, nach denen Sie die **-ing**-Form verwenden müssen. Zum Beispiel:
Who **suggested coming** here? *Wer hat vorgeschlagen, hierher zu kommen?*
She can't **imagine coming** here with you.
Sie kann sich nicht vorstellen, mit dir hierher zu kommen.
You'll **enjoy eating** here. *Du wirst es genießen, hier zu essen.*
I **don't mind eating** seaweed. *Ich habe nichts dagegen, Seetang zu essen.*

Manche der Verben, auf die ein Gerundium folgt, lassen sich nach ihrer Bedeutung in Gruppen zusammenfassen:

Verben des Mögens und Nicht-Mögens		Verben des Beginnens, Fortsetzens und Beendens		Sonstige Verben	
like	*gern tun*	begin	*anfangen, beginnen*	avoid	*vermeiden*
love	*sehr gern tun*	start	*anfangen, beginnen*	suggest	*vorschlagen*
enjoy	*genießen*	continue	*weitermachen*	imagine	*sich vorstellen*
hate	*sehr ungern tun*	keep (on)	*weitermachen*	miss	*vermissen*
prefer	*lieber ...*	stop	*aufhören*	practise *BE*	*üben*
not mind	*nichts dagegen haben*	finish	*aufhören*	practice *AE*	
		give up	*aufgeben*	risk	*riskieren*

2. Die *-ing*-Form als Gerundium nach Präpositionen

E 4, 8, 9, 10

Nach einer Präposition kann ein Verb im Englischen grundsätzlich nicht im Infinitiv stehen, sondern nur in der **-ing**-Form. Die Entsprechung im Deutschen ist manchmal ein Infinitiv, manchmal ein Satz mit *dass* oder auch mit einer anderen Konjunktion:
Eat everything up **without** taking off the blindfold.
Iss alles auf, ohne die Augenbinde abzunehmen.
I would never dream **of** eating seaweed.
Es würde mir nie im Traum einfallen, Seetang zu essen.
I am looking forward **to** eating here. *Ich freue mich darauf, hier zu essen.*
It is not **worth** worrying. *Es lohnt sich nicht, sich Sorgen zu machen.*
You will thank me **for** bringing you here.
Du wirst mir dafür danken, dass ich dich hierher gebracht habe.

Meistens ist die Präposition Teil einer festen Kombination, zum Beispiel:

Allein stehende Präpositionen + Gerundium

instead of	*(an)statt*
without	*ohne*
after	*nach(dem)*
before	*bevor*

Verb + Präposition + Gerundium

apologize for	*sich dafür entschuldigen, dass ...*
be against	*dagegen sein, dass ...*
decide against	*sich dagegen entscheiden, dass ...*
dream of / about	*davon träumen, dass ...*
look forward to	*sich darauf freuen, dass ...*
speak / talk about	*davon sprechen / reden, dass ...*
thank for	*dafür danken, dass ...*
think about / of	*daran denken, dass ...*
worry about	*sich Sorgen machen, dass ...*

Substantiv + Präposition + Gerundium

idea / thought of	*Idee / Gedanke daran, dass...*
chances of	*Chancen dafür, dass ...*
reason for	*Grund dafür, dass ...*
danger of	*Gefahr, dass ...*

Adjektiv + Präposition + Gerundium

be good / bad at	*gut / schlecht darin sein, ...*
be famous for	*berühmt dafür sein, ...*
be afraid of	*Angst davor haben, ...*
be interested in	*sich dafür interessieren, ...*

3. used to do – be used to doing E 3

Beachten Sie den Unterschied im Gebrauch dieser beiden Ausdrücke:

- **used to** + Infinitiv:
  I used to **eat** a lot of fast food. *Früher habe ich viel Fastfood gegessen.*
- **be used to** + Gerundium:
  I'm used to **eating** strange things like seaweed.
  Ich bin es gewohnt, seltsame Sachen wie Seetang zu essen.

Language in use

Im Restaurant E 2

I'd like to book a table for tonight, please.
Ich möchte einen Tisch für heute Abend reservieren.
A table in the non-smoking section, please. *Bitte einen Tisch im Nichtraucherbereich.*
Are you ready to order? *Haben Sie gewählt?*
I'll try the fish. *Ich probiere den Fisch.*
I'm a vegetarian. *Ich bin Vegetarier(in).*
What would you recommend? *Was würden Sie empfehlen?*
I don't want anything else, thank you. *Ich möchte nichts mehr, danke.*
Just the bill, please. *Nur die Rechnung bitte.*
Do you take credit cards? *Nehmen Sie Kreditkarten?*
Is service included? *Ist die Bedienung inbegriffen?*
I'm sorry, but there's a mistake in the bill.
Es tut mir leid, aber die Rechnung stimmt nicht.
What is this charge for? *Wofür ist dieser Betrag hier?*

remember – remind E 3

Bei diesen beiden Verben besteht Verwechslungsgefahr:

- **remember (someone / something)**
  sich (an jdn / etwas) erinnern, an (jdn / etwas) denken
  I remember him. I met him at that party last year. *Ich erinnere mich an ihn. ...*
  I must remember to take my passport.
  Ich muss daran denken, meinen Pass mitzunehmen.
- **remind (someone of something)** *(jdn an etwas) erinnern*
  This restaurant reminds me of one in Holland.
  Dieses Restaurant erinnert mich an eines in Holland.
  Remind me to phone Jim. *Erinnere mich daran, Jim anzurufen.*

look forward to E 10

Im Abschnitt **Grammar** haben Sie es schon gesehen: Nach **look forward to** steht (trotz **to**) kein Infinitiv, sondern das Gerundium.
I am looking forward to **going** on holiday. *Ich freue mich darauf, in Urlaub zu fahren.*
I'm looking forward to **hearing** from you.
Ich freue mich darauf, von Ihnen zu hören. (Briefende)

menu E 3

In der Computersprache entsprechen sich **menu** und *Menü*, im Restaurant jedoch nicht. Hier bezeichnet **menu** nämlich die *Speisekarte* und nicht etwa eine feste Speisenfolge zu einem Pauschalpreis. Das deutsche *Menü* heißt im Englischen **set meal** oder **special**.

Useful expressions E 1

Speisen und Getränke

starter	*Vorspeise*
main course	*Hauptgericht*
bread	*Brot*
sandwich	*Sandwich*
toast	*Toastbrot*
butter	*Butter*
milk	*Milch*
cream	*Sahne*
soup	*Suppe*
beef	*Rindfleisch*
pork	*Schweinefleisch*
chicken	*Huhn*
lamb	*Lammfleisch*
sausage	*Wurst, Würstchen*
salt	*Salz*
pepper	*Pfeffer*
salad	*Salat*
potato	*Kartoffel*
onion	*Zwiebel*
tomato	*Tomate*
apple	*Apfel*
orange	*Orange, Apfelsine*
banana	*Banane*
mineral water	*Mineralwasser*
juice	*Saft*
beer	*Bier*
cup	*Tasse*
plate	*Teller*
knife	*Messer*
fork	*Gabel*
spoon	*Löffel*

i In vielen Restaurants wird man am Eingang empfangen und zu einem freien Tisch geleitet. Es ist nicht üblich, sich an einen Tisch zu setzen, wo bereits andere Gäste sitzen. Wenn das Bedienungsgeld im Preis inbegriffen ist, ist es meist nicht nötig, den Rechnungsbetrag „aufzurunden". Ist kein Bedienungsgeld enthalten (meist in den USA und Kanada der Fall), sollte man ein *Trinkgeld* **tip** von mindestens 10%, in den USA mindestens 15% hinzufügen, denn häufig lebt die Bedienung davon.

Exercises

1 Ergänzen Sie jeweils drei Begriffe aus dem Wortfeld *Essen und Trinken.*

Brot	Fleisch	Gemüse	Obst	Besteck	Getränke
....	....	....	....	....	....
....	....	....	....	....	....
....	....	....	....	....	....

2 Ordnen Sie zu.

1. Sie rufen im Restaurant an, um einen Tisch zu bestellen.
2. Sie möchten einen Tisch im Nichtraucherbereich.
3. Sie kommen im Restaurant an und sagen, dass Sie eine Reservierung haben.
4. Die Bedienung möchte wissen, ob Sie gewählt haben.
5. Sie wollen das Schweinefleisch probieren.
6. Dessert? Nein, Sie möchten nichts mehr.
7. Nur einen Kaffee und die Rechnung.
8. Etwas scheint mit der Rechnung nicht zu stimmen.

a. Are you ready to order?
b. I think I'll try the pork.
c. I'd like a table in the non-smoking section.
d. I'd like to book a table for four, please.
e. Just a cup of coffee, and the bill, please.
f. No, thank you. I don't think I want anything else.
g. There seems to be a mistake. What is this for?
h. We have a reservation in the name of Meyer.

3 Kreuzen Sie den richtigen Ausdruck an.

1. Give me your mobile number *that / so that* I can send you a text message.
2. I am *used to travel / used to travelling* a long way to work.
3. In my old job I *was used to travelling / used to travel* 80 kilometres a day.
4. If we have time *after / afterwards* the concert, we could go to that new pub.
5. Come in and *sit back / take a seat.*
6. Waiter, could we have the *card / menu* again, please.
7. She didn't laugh, she just *smiled / smelled.*
8. You *remember / remind* me of someone I used to know at school.
9. I know this place so well, I could find my way with my eyes *closed / to.*
10. Now don't worry. Let's just *wait and drink tea / wait and see.*

4 Ergänzen Sie die richtige Präposition.

about	at	in	of (2x)	on

1. .... what name did you make the reservation, sir?
2. I'm quite good .... languages.
3. What is this soup made ....?
4. It's boring to keep .... going back to the same place every year.
5. Are you afraid .... dogs*?
6. Don't worry .... Peter. He'll be all right.

* dog: *Hund*

5 Schreiben Sie, was Sie früher (immer) gemacht haben, und was Sie nicht gemacht haben.

live in ...	work for ...	like school	like fish / bananas ...	play ...
often visit	go to ... a lot	be interested in ...	have friends in ...	

....

....

....

....

....

6 Ergänzen Sie die Sätze mit dem Gerundium der Verben in Klammern.

1. I suggest .... (go) to that new Italian restaurant.
2. I want to avoid .... (be) late.
3. I couldn't imagine .... (live) in China.
4. Can you please stop .... (talk)!
5. It's OK, I don't mind .... (wait).
6. He says he enjoys .... (drive) 80 kilometres to work every day.

7 Kreuzen Sie alle richtigen Formen für die Lücke in der Sprechblase an.

	to speak	speaking
1. have decided	☐	☐
2. suggest	☐	☐
3. usually avoid	☐	☐
4. offered	☐	☐
5. must remember	☐	☐
6. enjoy	☐	☐
7. miss	☐	☐
8. practised	☐	☐
9. want	☐	☐
10. tried	☐	☐
11. managed	☐	☐
12. kept	☐	☐

8 Machen Sie aus zwei Sätzen einen. Verwenden Sie dabei die Wörter in Klammern.

1. Go by train. Don't drive. (instead of)

Go by train instead of ...

2. Book a table. Then call a taxi. (before)

....

3. Carry on for 20 minutes. Don't stop. (without)

....

4. We could try Da Gina in Walton Street. That's a good idea. (I like the idea)

....

5. You were late. Why? (What was your reason)

....

6. I can remember names well. That's one of my skills. (I'm good)

....

9 Ergänzen Sie die richtige Präposition und das Gerundium.

1. What was your reason .... (say) no?
2. I'm very bad .... (plan) things.
3. Is he only famous .... (earn) lots of money?
4. I would never dream .... (ask) Julian for money.
5. Are you interested .... (find out) more?
6. I must apologize .... (not remember) to phone back.

10 Übersetzen Sie.

1. Wir freuen uns darauf, Sie kennenzulernen.

   ....

2. Anstatt hier im Regen zu warten, könnten wir in die Kneipe dort gehen.

   ....

3. Ich möchte die Reise genießen, ohne mich beeilen zu müssen.

   ....

4. Ich bin es gewohnt, nicht viel Geld zu haben.

   ....

5. Wer hatte die Idee, Philip anzurufen?

   ....

6. Ich will aufhören zu rauchen.

   ....

In dieser Lektion lernen Sie:

- Personen zu **beschreiben**
- die **Modalverben** im Überblick
- den Infinitiv mit und ohne **to**
- den Ausdruck **have s.th. done**
- Fragen mit und ohne **do**
- **Frageanhängsel**

Unit 15

A police brochure

Neighbourhood Watch
More than just crime prevention

Neighbourhood Watch groups are now helping to prevent crime across the country. But helping to look after each other's houses and reporting anything unusual to the police is only part of most groups' activities. Neighbourhood Watch can help you build a real community spirit.

We started our group about 12 months ago. We now have about 40 members, and the crime rate has gone down dramatically. We do all the usual things, of course, giving people advice and information on how they can improve the security of their home. So people say "Oh, we'd better put locks on the windows", or "we'd better have an alarm installed." Or they realize that when they go away, they ought to tell somebody who lives nearby. Or if they're going on holiday, they should make sure that anything they may have ordered doesn't come while they're away.
All that works very well now. But the best thing is that people have got to know each other so much better.

Eine Polizeibroschüre

Neighbourhood Watch
Mehr als nur Verbrechensverhütung

Nachbarschaftsinitiativen zur Verbrechensbekämpfung helfen landesweit bei der Verbrechensverhütung. Aber sich zu helfen, gegenseitig auf die Häuser aufzupassen und alles, was ungewöhnlich ist, der Polizei zu melden, ist nur ein Teil der Aktivitäten der meisten Gruppen. Neighbourhood Watch kann helfen, ein echtes Gemeinschaftsgefühl aufzubauen.

Wir haben unsere Gruppe vor etwa 12 Monaten ins Leben gerufen. Wir haben jetzt etwa 40 Mitglieder, und die Kriminalitätsrate ist drastisch zurückgegangen. Wir machen natürlich die ganzen üblichen Dinge, den Leuten Ratschläge und Informationen darüber zu geben, wie sie die Sicherheit ihres Hauses verbessern können. Die Menschen sagen also: „Ach, wir sollten lieber Schlösser an den Fenstern anbringen", oder „Wir sollten besser eine Alarmanlage installieren lassen." Oder ihnen wird klar, dass sie, wenn sie verreisen, jemandem Bescheid sagen sollten, der in der Nähe wohnt. Oder dass sie, wenn sie in Urlaub fahren, sicher gehen sollten, dass etwas, das sie vielleicht bestellt haben, nicht kommt während sie weg sind.
Das funktioniert jetzt alles sehr gut. Aber das Beste ist, dass sich die Menschen viel besser kennengelernt haben.

What's new? E 5, 6

Modalverben bzw. unvollständige Hilfsverben waren bereits in den → Lektionen 5 und 11 ein Thema. Im Werbetext der Polizei finden Sie nun Beispiele weiterer solcher Verben.

They **should** make sure that the neighbours know.
Sie sollten darauf achten, dass die Nachbarn Bescheid wissen.
They **ought to** tell somebody who lives nearby.
Sie sollten jemandem Bescheid geben, der in der Nähe wohnt.
They **may** have ordered something. *Sie haben vielleicht etwas bestellt.*
We'**d better (had better)** put locks on the windows.
Wir sollten lieber Schlösser an den Fenstern anbringen.

Der Ausdruck **had better** ist wie ein Idiom zu behandeln. Er ist unveränderlich. Wie bei allen Modalverben schließen Sie einen Infinitiv ohne **to** daran an.

Hier finden Sie alle wichtigen Modalverben und vergleichbaren Ausdrücke im Überblick.

können	**can / be able to** Fähigkeit	I **can / am able to** speak English. *Ich kann Englisch.*
könnte(n)	**may / might / could** Möglichkeit	It **may / might / could** rain. *Es könnte regnen.*
dürfen	**can / be allowed to** Erlaubnis	We **can / are allowed to** park here on Sundays. *Sonntags dürfen wir hier parken.*
nicht dürfen	**mustn't / be not allowed to** Verbot	You **mustn't / are not allowed to** smoke. *Sie dürfen nicht rauchen.*
müssen	**must / have to** Verpflichtung, Notwendigkeit	I **must / have to** go now. *Ich muss jetzt gehen.*
nicht müssen	**not have to / not need to / needn't** keine Notwendigkeit	You **don't have to** help me. / You **don't need to / needn't** help me. *Sie müssen / brauchen mir nicht (zu) helfen.*
sollten	**should / ought to / had better** Aufforderung, Vorschlag	We **should / ought to / had better** call the doctor. *Wir sollten (lieber) den Arzt rufen.*

Mit folgenden Formen können Sie über vergangene Möglichkeiten und Verpflichtungen sprechen.
You **could have** told me. *Du hättest es mir sagen können.*
They **may have / might have / could have** tried to phone.
Sie haben vielleicht versucht anzurufen. / Sie könnten vielleicht angerufen haben.
It **must have** happened this afternoon. *Es muss sich heute Nachmittag ereignet haben.*
We **should have / ought to have** left home earlier.
Wir hätten früher von zu Hause wegfahren sollen.

Im Broschürentext finden Sie auch die für deutsche Ohren etwas ungewöhnliche Grammatikstruktur **have something done** etwas machen lassen:
We'd better **have an alarm installed**.
Wir sollten lieber eine Alarmanlage installieren lassen.

Weitere Entsprechungen des deutschen Verbs *lassen* finden Sie in der Rubrik **Language in use**.

You have a burglar alarm, don't you?

Tina Berger from Germany is visiting her English relatives.

Tina: So what happened exactly?
Brian: Well, while we were having dinner yesterday evening, two burglars climbed into the house through an upstairs window and stole a lot of things from the bedrooms.
Tina: And you didn't hear them?
Brian: No. There were six of us for dinner, so the conversation was quite loud.
Tina: And what did they take?
Brian: Emma's jewellery, a very expensive digital camera, my laptop, mobile phone, and some cash.
Tina: Oh no! But you're insured, aren't you?
Brian: Yes, thank goodness. But the jewellery was nearly all things that Emma's grandmother left her, very personal things.
Tina: Poor Emma. But I saw a burglar alarm on the house, didn't I? You have one, don't you?
Brian: Yes, but it was switched off. I mean we were at home.
Tina: So you didn't think anyone would break in.
Brian: No. But the police said that this sort of burglary is becoming more and more common. Burglars know that people switch off their alarms when they're at home, and so that's when they come.
Tina: Right.
Brian: But there's a chance the police might catch them. Someone in the neighbourhood watch saw them.

Tina:	Sorry, who saw them?
Brian:	Someone in our neighbourhood watch group. Bill Baker from number 18.
Tina:	Oh neighbourhood watch. I've heard of that. So there was a witness. I was wondering how you knew there were two of them. And who did he see?
Brian:	Two young women.
Tina:	Women? That's unusual, isn't it?
Brian:	Yes, one with short light, probably blond hair, the other quite tall, with dark hair. They were wearing black jackets and gloves.
Tina:	Your neighbour got a really good look at them then, didn't he?
Brian:	Yes, he took a photo of them actually. In the dark.
Tina:	In the dark?
Brian:	Yes, with an infrared camera.
Tina:	Really?
Brian:	Yes, he's a keen photographer. He only managed to get them from behind, but it's a start.
Tina:	Now that was clever, wasn't it?

Vocabulary

A police brochure

brochure	*Broschüre, Prospekt*
neighbourhood watch	*Nachbarschaftsinitiative zur Verbrechensbekämpfung*
crime	*Verbrechen, Kriminalität*
crime prevention	*Verbrechensbekämpfung*
prevent	*verhindern, vorbeugen*
across	*quer durch, überall in*
look after	*aufpassen auf, sich kümmern um*
each other	*einander, sich (gegenseitig)*
report	*berichten, melden*
activity	*Aktivität, Tätigkeit*
build (built, built)	*(auf)bauen, errichten*
real	*echt*
community spirit	*Gemeinschaftsgefühl*
member	*Mitglied*
crime rate	*Kriminalität(srate)*
dramatic(ally)	*drastisch, dramatisch*
usual	*gewöhnlich, üblich*

advice *immer Sg*	*Rat(schlag), Ratschläge*
security	*Sicherheit*
had better	*sollte(n) (lieber, besser)*
lock	*Schloss (zum Absperren)*
window	*Fenster*
have s.th. done	*etw. machen lassen*
alarm	*Alarm(anlage)*
install	*installieren*
realize	*erkennen, einsehen, sich klar machen*
ought to	*sollte(n)*
nearby	*in der Nähe*
should	*sollte(n)*
make sure	*darauf achten, sich vergewissern, sicherstellen*
may (do)	*vielleicht (tun)*
work	*funktionieren*
get to know	*kennenlernen*
stranger	*Fremde(r)*
feeling	*Gefühl*
belong (to)	*gehören*
together	*zusammen*
local	*örtlich, am Ort*
social	*sozial, gesellschaftlich*

You have a burglar alarm ...

burglar	*Einbrecher(in)*
relative	*Verwandte(r)*
while *Konj*	*während*
there were six of us	*wir waren zu sechst*
loud	*laut*
jewellery	*Schmuck, Juwelen*
digital camera	*Digitalkamera*
laptop	*Laptop*
cash	*Bargeld*
insured	*versichert*
thank goodness	*Gott sei Dank*
grandmother	*Großmutter*
leave (left, left)	*hinterlassen, vererben*
poor	*arm*
switch on / off	*ein- / ausschalten*
break in	*einbrechen*
burglary	*Einbruch (in ein Haus)*
common	*häufig, gewöhnlich*
catch (caught, caught)	*fangen, erwischen*
light	*hell*
blond	*blond*
hair	*Haar, Haare*
tall	*groß (gewachsen)*
dark	*dunkel*
black	*schwarz*
jacket	*Jacke, Jackett*
glove	*Handschuh*
get a good look at s.o.	*jdn. gut sehen können*
dark	*Dunkelheit*
infrared	*infrarot*
keen	*eifrig*
photographer	*Fotograf(in)*
behind *Präp; Adv*	*hinter, hinten*
from behind	*von hinten*
start *Subs*	*Anfang*
clever	*klug, clever*

Grammar

1. Fragen mit und ohne *do* E 7

Warum steht **do** in einer dieser beiden Fragen, in der anderen aber nicht?
Who saw them? *Wer hat sie gesehen?*
Who **did** he see? *Wen hat er gesehen?*

In der ersten Frage ist **who** Subjekt des Satzes (*wer?*), in der zweiten Frage Objekt (*wen?*). Das können Sie sich anhand der folgenden Beispiele verdeutlichen. Fett markiert ist jeweils das Subjekt:

- **Who** saw them? *Wer sah sie?*
- **Bill Baker** saw them. *Bill Baker sah sie.*
- Who did **he** see? *Wen sah er?*
- **He** saw two young women. *Er sah zwei junge Frauen.*

Wenn **who** Objekt ist und *wen* (oder *wem*) bedeutet, müssen Sie die Frage mit dem Hilfsverb **do** bilden, sofern kein anderes Hilfsverb (z. B. **be, will, have**) vorhanden ist. Auch Fragen mit **what** als Objekt bilden Sie mit dem Hilfsverb **do**.
What happened? *Was ist passiert?*
What **did** they take? *Was haben sie (mit)genommen?*

2. Frageanhängsel E 3, 8

Oft stellen wir Fragen, die keine echten Informationsfragen, sondern eher rhetorische Fragen sind, das heißt wir suchen dadurch Zustimmung oder Bestätigung durch unseren Gesprächspartner. Im Deutschen verwenden Sie in solchen Fragen Ausdrücke wie *nicht wahr?* und *oder?* Im Englischen verwenden Sie in gleicher Funktion ein sogenanntes **Question tag** oder *Frageanhängsel.* Es wird mit Komma an den vorangehenden Satz angeschlossen:
That's unusual, **isn't it**? *Das ist (doch) ungewöhnlich, oder?*
That was clever, **wasn't it**? *Das war ja clever, nicht wahr?*

In dem Frageanhängsel wiederholen Sie das Vollverb **be** oder das Hilfsverb aus dem vorderen Teil des Satzes und wandeln es um: Ein bejahtes Hilfsverb verneinen Sie im Frageanhängsel, ein verneintes bejahen Sie.

bejaht	verneint	verneint	bejaht
You're Irish,	**aren't you?**	You're not Irish,	**are you?**
We've seen this film,	**haven't we?**	We haven't seen this film,	**have we?**
He can see us,	**can't he?**	He can't see us,	**can he?**
I'll see you tonight,	**won't I?**	I won't see you tonight,	**will I?**

Beinhaltet der vordere Teil des Satzes ein Vollverb, müssen Sie im Frageanhängsel das Hilfsverb **do** einsetzen. Das kann man sich so veranschaulichen:

Aussage	Gedachte Frage	Frage mit Frageanhängsel
The boss knows.	**Does** the boss know?	The boss knows, **doesn't he?**
I saw a burglar alarm.	**Did** I see a burglar alarm?	I saw a burglar alarm, **didn't I?**

Ist das Vollverb im vorderen Teil des Satzes mit **don't / doesn't** oder **didn't** verneint, so wird das Hilfsverb auch hier wiederholt und in eine bejahte Form umgewandelt.
You **don't** know Helen, **do you**? *Du kennst Helen nicht, oder?*
Tony **doesn't** smoke, **does he**? *Tony raucht (doch) nicht, oder?*
It **didn't** rain, **did it**? *Es hat nicht geregnet, nicht wahr?*

Language in use

Personen beschreiben *E 1*

How would you describe the person? *Wie würden Sie die Person beschreiben?*
He was young. *Er war jung.*
He was about 40 / between 30 and 40. *Er war um die vierzig / zwischen dreißig und vierzig.*
He was in his early / late twenties. *Er war Anfang / Ende zwanzig.*
He was good-looking. *Er war gut aussehend.*
He was short / small / tall. *Er war klein / klein / groß.*
He was slim / fat. *Er war schlank / dick.*
He had short / long hair. *Er hatte kurze / lange Haare.*
He had light / dark hair. *Er hatte helle / dunkle Haare.*
He was wearing glasses. *Er trug eine Brille.*
He had blue / brown eyes. *Er hatte blaue / braune Augen.*
He had a long face. *Er hatte ein langes Gesicht.*

lassen *E 9*

Das deutsche Verb *lassen* lässt sich – je nach Bedeutung – auf verschiedene Art und Weise ins Englische übertragen. Hier einige Beispiele.
I'm going to **have** my hair **cut**. *Ich lasse mir die Haare schneiden.*
He **made** me write it all again. *Er hat mich alles neu schreiben lassen. (Er hat mich dazu gezwungen.)*
They **keep** you waiting so long. *Sie lassen einen immer so lange warten.*
Let's send for a pizza. *Lassen wir uns (doch) eine Pizza kommen!*
Mrs Tobias sends her best wishes. *Frau Tobias lässt Sie grüßen.*

Useful expressions E 1, 2

Personenbeschreibung	
middle-aged	*im mittleren Alter*
elderly	*älter*
in his mid-thirties	*Mitte dreißig*
of medium height	*mittelgroß*
ugly	*hässlich*
thin	*dünn*
round	*rund*
square	*quadratisch, viereckig*
grey	*grau*
white	*weiß*
red	*rot*
green	*grün*

Haus und Wohnung	
roof	*Dach*
wall	*Mauer, Wand*
gate	*Tor*
door	*Tür*
floor	*Fußboden*
table	*Tisch*
chair	*Stuhl*
cupboard	*(Geschirr-) Schrank*
carpet	*Teppich*
curtain	*Vorhang, Gardine*
lamp	*Lampe*
light	*Licht*

i Es ist richtig, dass Nachbarschaftsinitiativen zur Verbrechensbekämpfung in Großbritannien einen spürbaren Beitrag zur Senkung der Kriminalität leisten. Solche Initiativen werden jedoch nicht von allen positiv aufgenommen, manche stören sich daran, dass die Nachbarn in ihre Privatsphäre eindringen und sich als „Freizeitpolizisten" fühlen.

Exercises

1 Bilden Sie Wortpaare, die entweder bedeutungsähnlich oder aber Gegensätze sind.

behind cash common dark far away friend may
on prevent realize relative stupid tell ugly

1. beautiful ....
2. clever ....
3. unusual ....
4. family member ....
5. in front of ....
6. light ....
7. might ....
8. money ....
9. nearby ....
10. notice ....
11. off ....
12. report ....
13. stop ....
14. stranger ....

2 Nummerieren Sie die Sätze, sodass sich eine Geschichte ergibt.

☐ **a.** At first I didn't see them because it was so dark.
☐ **b.** But I shouted*, "I'm going to call the police."
☐ **c.** But then I saw them. She shouted, "They're trying to steal my car!"
☐ **d.** I heard someone call for help from a side street.
☐ **e.** I ran across the road and into the street.
☐ **f.** I was a bit afraid (they were both young and quite tall).
☐ **g.** I was nearly back at my hotel when ...
☐ **h.** In fact it was well after midnight, nearly half past one.
☐ **i.** She was shouting and pointing at** two men further up the street.
☐ **j.** There was a woman at an upstairs window.
☐ **k.** There were not many street lights, but there were lights in a house on the left.
☐ **l.** They looked in my direction. When they saw me with my mobile, they ran away.
1 **m.** I was in London last year, and was walking back to my hotel one night after midnight.

* shout: *rufen* ** point at s.o.: *auf jdn. zeigen*

3 Ergänzen Sie das Frageanhängsel.

1. It's a lovely day, *isn't it*?

2. You aren't cold, ...?

3. The same thing won't happen again, ...?

4. The group is growing fast, ...?

5. You haven't seen my bag, ...?

6. We've seen enough, ...?

7. This can't go on, ...?

8. Bill's changed his job, ...?

4 Ergänzen Sie **to** überall dort, wo es benötigt wird.

1. You can't .... park here in the week.
2. It may .... be dark when we get there.
3. You mustn't .... do that!
4. You are not allowed .... do that!
5. They ought .... be in London by now.
6. They should .... be in London by now.
7. We weren't able .... get tickets.
8. Don't worry, it might not .... happen.
9. It's late, I think we'd better .... go.
10. When do we have .... get up tomorrow morning?
11. You needn't .... worry.
12. You don't need .... worry.

5 Kreuzen Sie alle Sätze an, die richtig sind.

1. **a.** ☐ We ought to leave.
   b. ☐ We should leave.
   c. ☐ We have to leave.
2. **a.** ☐ Tony can know the phone number.
   b. ☐ Tony might know the phone number.
   c. ☐ Tony ought to know the phone number.
3. **a.** ☐ I may be late.
   b. ☐ I need to be late.
   c. ☐ I might be late.
   d. ☐ I had better be late.
4. **a.** ☐ You don't have to come if you don't want to.
   b. ☐ You needn't come if you don't want to.
   c. ☐ You don't need to come if you don't want to.
   d. ☐ You mustn't come if you don't want to.

6 Ordnen Sie zu.

1. They must have known.
2. They could have phoned.
3. They ought to have asked.
4. They may not have checked.
5. They must have driven fast.
6. They should have remembered.

a. *Sie haben wenig Zeit gebraucht.*
b. *Sie haben es vergessen.*
c. *Es ist möglich, dass sie nicht nachgeschaut haben.*
d. *Sie haben vielleicht angerufen.*
e. *Sie können es unmöglich nicht gewusst haben.*
f. *Es war nicht richtig, dass sie sich nicht erkundigt haben.*

7 Ergänzen Sie eine Frage mit **who**. In welchen Fällen brauchen Sie **do / does** oder **did**?

1. ● *I know Bill Baker.*
   ● *Sorry? Who do you know?*
2. ● The burglar had beautiful hair.
   ● Sorry? Who ....?
3. ● Everybody had an alarm installed.
   ● Sorry? Who ....?
4. ● I saw Emma's grandmother.
   ● Sorry? Who ....?
5. ● I don't like Boris.
   ● Sorry? Who ....?
6. ● The boss needs friends.
   ● Sorry? Who ....?
7. ● He never invites Tina.
   ● Sorry? Who ....?
8. ● We see a police officer here every day.
   ● Sorry? Who ....?

8 Ergänzen Sie ein Frageanhängsel mit **don't, doesn't** oder **didn't**.

1. We need more time, ...?
2. You installed an alarm, ...?
3. Bill takes a lot of photos, ...?
4. They know our number, ...?
5. You gave them our address, ...?
6. I eat enough fruit and vegetables, ...?
7. She likes her new job, ...?
8. It rained quite a lot, ...?

9 Übersetzen Sie.

1. Ich will den Arzt kommen lassen.

   ....

2. Emma lässt sich heute Nachmittag die Haare schneiden.

   ....

3. Er ließ mich zwanzig Minuten warten.

   ....

4. Ich lasse euch zu Fuß gehen, wenn ihr nicht aufhört!

   ....

1 Lesen Sie diesen Weihnachtsrundbrief und entscheiden Sie, ob die Aussagen 1–4 wahr (**true**) oder unwahr (**false**) sind.

Merry Christmas and a Happy New Year to all our friends. What a year it has been! In the spring Jeremy found a job – in Germany after applying for more than 30 jobs here. In June we nearly had burglars – but someone from the Neighbourhood Watch saw them and called the police. In September John & I did a home-swap with a family in New Zealand. They used to be our neighbours, but moved away six years ago. In October John had a car accident. It wasn't serious, and also not his fault. And me? I've had a good year, and I'm looking forward to the next!

	True	False
1. Jeremy found a job locally.	☐	☐
2. The family had burglars, but they were OK because they were insured.	☐	☐
3. Some neighbours have moved to New Zealand for six years.	☐	☐
4. Helen's husband had a bad accident.	☐	☐

Punkte ....../4

2 Ein Wort passt nicht in die Reihe. Kreuzen Sie es an.

1.	☐ present	☐ anniversary	☐ engagement	☐ marriage
2.	☐ application	☐ wedding	☐ interview	☐ curriculum vitae
3.	☐ pork	☐ beef	☐ sausage	☐ onion
4.	☐ light	☐ dark	☐ slim	☐ short
5.	☐ spoon	☐ potato	☐ fork	☐ knife
6.	☐ eye	☐ tooth	☐ knee	☐ throat

Punkte ....../6

3 Wer sagt es? Ordnen Sie zu.

1. Doctor
2. Sick person
3. Waiter
4. Customer
5. Wedding guest
6. Police officer

a. I have diarrhoea.
b. So we're looking for a short woman with dark hair.
c. Congratulations.
d. Are you ready to order?
e. What seems to be the matter?
f. The bill, please.

Punkte ....../6

Test 3

4 Welches Wort ist richtig? Kreuzen Sie an.

1. What was the man's name? Do you ☐ remember / ☐ remind?
2. Do you think we'll be home ☐ by / ☐ until six o'clock?
3. I'm looking forward to ☐ meet you / ☐ meeting you.
4. You went to Wyoming this summer, ☐ haven't you / ☐ didn't you?
5. I ☐ am used to smoking / ☐ used to smoke, but I gave up last year.
6. Have you ever been ☐ in / ☐ to Australia?

Punkte ....../6

5 In jedem Satz ist mindestens ein Fehler. Korrigieren Sie.

1. I haven't played much tennis in the last time.

   ....

2. We live here since seven years.

   ....

3. ● Who know you here? – ● I don't know anybody here.

   ....

4. You mustn't decide now if you don't want to.

   ....

5. I will can meet you next Tuesday, but not before then, I'm afraid.

   ....

6. I had a shower when the phone was ringing.

   ....

Punkte ....../6

6 Ergänzen Sie die einfache Vergangenheit oder das Present Perfect.

1. I .... (see) a great movie yesterday.
2. We .... (not go) abroad last year.
3. When .... (they tell) you this?
4. The Swansons .... (move) from here a long time ago.
5. I .... (be) ill quite a lot lately.
6. I .... (visit) England in 2001, but I haven't been to Scotland before.

Punkte ....../6

Gesamt ....../34

Die Schwerpunkte dieser Lektion sind:
- **Kleidung, Reise, Panne, Landschaft**
- **Paarwörter**
- **Reflexive Verben** und **Pronomen**
- Hilfsverben als **„Stellvertreter"**
- Kurzsätze mit **so**, **neither** und **nor**

Unit 16

Things to do

To do
- Pack clothes
- Key to Susanna (+ ask her to water flowers & check mail)
- Make copy of magazine article about Uncle Julian
- Check tent in case there are holes

Packing
- shoes and walking boots
- 2 (3?) pairs of jeans
- thick pullover
- warm socks
- pair of shorts
- swimsuit
- yellow blouse
- blue dress
- Juan's stuff?
- toothbrush, toothpaste, soap, etc.
- pair of sunglasses
- camera
- towels
- my pillow
- umbrella?
- maps
- ~~hair drier~~
- pen & paper, color pencils

Dinge, die zu tun sind

Zu tun
- Kleidung packen
- Schlüssel an Susanna (+ sie bitten, die Blumen zu gießen und nach der Post zu schauen)
- Kopie des Zeitschriftenartikels über Onkel Julian machen
- Zelt kontrollieren, ob es Löcher hat

Packen
- Schuhe und Wanderschuhe
- 2 (3?) Jeans
- dicker Pullover
- warme Socken
- Shorts
- Badeanzug
- gelbe Bluse
- blaues Kleid
- Juans Sachen?
- Zahnbürste, Zahnpasta, Seife usw.
- Sonnenbrille
- Fotoapparat
- Handtücher
- mein Kopfkissen
- Regenschirm?
- Karten
- ~~Föhn~~
- Stift und Papier, Farbstifte

What's new? E 6

Die **To-Do**-Liste enthält eine ganze Reihe nützlicher neuer Vokabeln. Darunter befinden sich einige sogenannte „Paarwörter". Dabei handelt es sich um Bezeichnungen für Gegenstände, die aus zwei gleichen Teilen bestehen. Diese Substantive gibt es im Englischen nur als Pluralwörter. Um daraus eine Singularform zu machen, verwenden Sie das Wort **pair**. Hier ein paar Beispiele:
My **sunglasses are** broken. I need **a** new **pair**.
Meine Sonnenbrille ist kaputt. Ich brauche eine neue.
These jeans are very comfortable. **They are** my favourite **pair**.
Diese Jeans ist sehr bequem. Sie ist meine Lieblingsjeans.
Should I pack **a pair of shorts**? *Sollte ich eine kurze Hose einpacken?*

Zu den häufigsten Paarwörtern zählen:

glasses	*Brille*
sunglasses	*Sonnenbrille*
trousers	*Hose (BE)*
pants	*Unterhose (BE); Hose (AE)*
tights	*Strumpfhose*
shorts	*kurze Hose, Shorts*
jeans	*Jeans*

Auch einige andere Nomen stehen im Englischen immer im Plural und verbinden sich mit einem Verb oder Pronomen im Plural.
The **police are** looking everywhere. *Die Polizei sucht überall.*
I like **your clothes**. *Ich mag deine Kleidung.*
Careful, the **stairs are** steep. *Vorsicht, die Treppe ist steil.*

Andererseits gibt es ein paar wenige Substantive, die trotz **-s**-Endung immer im Singular stehen (im Deutschen dagegen im Plural):
The **news is** not good. *Die Nachrichten sind nicht gut.*
The **United States is** a big country. *Die Vereinigten Staaten sind ein großes Land.*

An unusual idea

Ann: So how was the trip to New England?
Marge: Great, thanks. We saw all my Vermont side of the family again, uncles, aunts, grandparents, cousins.
Ann: So it was a big family party?
Marge: Yes. And it was great. You know, you write to each other and phone, but it's not the same as meeting. We last met, I mean all of us together, about 12 years ago, when some of my cousins were still boys and I was still a girl. They're all adults now, of course.

Ann: They must be, because so are you!
Marge: Yeah, sure. Anyway, it was so strange.
Ann: But you went camping, too, didn't you?
Marge: Mm, in the wilds of upstate New York.
Ann: I've always wanted to see New England in the fall. They say the colors are really pretty.
Marge: They are. Did Juan tell you about the bear?
Ann: What bear?
Marge: Well, it was on the way to the Adirondacks after the family weekend. We were going west towards Lake Champlain, where we wanted to get the boat across to upstate New York, when we had a breakdown.
Ann: Oh no.
Marge: A red light went on, there was something wrong with the engine, so we stopped to have a look. This was in the middle of nowhere, quite a distance from Burlington and Lake Champlain, and it was getting dark.

Ann: Spooky.
Marge: You bet. Anyway, we saw what the problem was immediately. The fan-belt was broken. Now I have never repaired a fan-belt in my life.
Ann: Neither have I.
Marge: Nor has Juan. I don't think he's ever repaired anything himself. Anyway, there we were in the middle of nowhere, wondering what to do. Then I had an idea. I said to myself, "Tights."
Ann: Tights?
Marge: Yeah, you see I remembered that my aunt Evelyn, a great person by the way, she once repaired a broken fan-belt with a pair of tights.
Ann: You're kidding.
Marge: No, I'm not. She did. Anyway, I told Juan my plan. We looked at each other, and we just started laughing. We couldn't stop. So there we were killing ourselves with laughter when this bear suddenly appeared in the forest behind us. I tell you, I've never moved so fast in all my life. I was back in that car in seconds. And so was Juan, of course.
Ann: What did you do?
Marge: We just sat and waited till it lost interest.
Ann: And did it?
Marge: It did.
Ann: And did you repair the fan-belt with your tights?
Marge: Well, I was just starting to take them off, when this truck came along. I don't know what the driver thought I was doing, but anyway he towed us into Burlington.

Vocabulary

Things to do	
clothes	*(Be-)Kleidung*
key	*Schlüssel*
water	*Wasser; gießen*
flower	*Blume*
mail *AE*	*Post*
copy	*Kopie; kopieren*
magazine	*Zeitschrift*
article	*Artikel*
uncle	*Onkel*
tent	*Zelt*
in case	*falls*
hole	*Loch*
shoe	*Schuh*
walking boots	*Wanderschuhe*
boot	*Stiefel*
jeans *immer Pl*	*Jeans*
thick	*dick*
sock	Socke
shorts *immer Pl*	*Shorts, kurze Hose*
swimsuit	*Badeanzug*
yellow	*gelb*
blouse	*Bluse*
dress	*Kleid*
stuff	*Zeug, Sachen*
toothbrush	*Zahnbürste*
toothpaste	*Zahnpasta*
soap	*Seife*
sunglasses *immer Pl*	*Sonnenbrille*
towel	*Handtuch*
pillow	*Kopfkissen*
umbrella	*Regenschirm*
map	*(Land-)Karte*
watch	*(Armband-)Uhr*
stopwatch	*Stoppuhr*
hair drier	*Föhn*
pen	*Füller, Kugelschreiber, Stift*
paper	*Papier*
color *AE*, **colour** *BE*	*Farbe, Farb-*
pencil	*Bleistift*
color / colour pencil	*Buntstift*

An unusual idea	
New England	*Neuengland* (USA)
aunt	*Tante*
grandparents	*Großeltern*
grand-	*Groß-*
cousin	*Cousin(e)*
you	*hier: man*
boy	*Junge*
girl	*Mädchen*
adult	*Erwachsene(r)*
so are you	*du auch*
wilds *Pl*	*Wildnis*
upstate New York	*nördlicher / ländlicher Teil des Bundesstaates New York*
fall *AE*	*Herbst*
pretty	*hübsch*
bear	*Bär(in)*
Adirondacks	*Adirondack-Berge*
lake	*See*
boat	*Boot, Fähre*
breakdown	*Panne*
on	*an*
wrong	*nicht in Ordnung*
engine	*Motor*
have a look	*nachsehen*
in the middle of nowhere	*am Ende der Welt*
middle	*Mitte*
nowhere	*nirgendwo, nirgends*

distance	*Entfernung*
spooky	*gespenstisch*
you bet *AE*	*aber sicher, und wie, das kannst du mir aber glauben*
immediately	*sofort*
fan-belt	*Keilriemen*
neither have I	*ich auch nicht*
nor has Juan	*Juan auch nicht*
himself	*selber, selbst*
practical	*praktisch*
myself	*mich / mir selber*
by the way	*übrigens*
once	*einmal*
you're kidding	*das ist doch nicht dein Ernst*
we were killing ourselves with laughter	*wir lachten uns tot*
kill	*töten*
ourselves	*uns (selbst)*
suddenly	*plötzlich*
appear	*erscheinen, auftauchen*
forest	*Wald*
move	*(sich) bewegen*
perhaps	*vielleicht*
interest	*Interesse*
truck	*Lastwagen*
driver	*Fahrer(in)*
tow	*(ab)schleppen*

Grammar

1. Reflexivpronomen mit Rückbezug auf das Subjekt *E 7, 8*

Wenn Sie im Deutschen Rückbezug auf das Subjekt des Satzes nehmen, verwenden Sie oft ein Objektpronomen (*mich, mir, dich, dir, sich, ...*). Im Englischen benötigen Sie für diesen Zweck ein eigenes, sogenanntes Reflexivpronomen. Vergleichen Sie:
May **I** introduce **myself**? *Darf ich mich vorstellen?*
I said to **myself** ... *Ich sagte mir ...*
Have **you** hurt **yourself**? *Hast du dich verletzt? / Hast du dir wehgetan?*
We were killing **ourselves** with laughter. *Wir lachten uns tot.*

Singular		**Plural**	
my**self**	*mich / mir (selbst)*	our**selves**	*uns (selbst)*
your**self**	*dich / dir / (Sie) sich (selbst)*	your**selves**	*euch / (Sie) sich (selbst)*
him**self**	*sich (selbst)*	them**selves**	*sich (selbst)*
her**self**	*sich (selbst)*		
it**self**	*sich (selbst)*		

Nach den Ortspräpositionen **behind** *hinter*, **in front of** *vor*, **with** *bei* verwenden Sie allerdings nicht die Reflexivpronomen, sondern die Objektpronomen.
We saw a bear behind **us**. *Wir sahen hinter uns einen Bären.*
Have **you** got a map with **you**? *Hast du eine Karte bei (dir)?*

Wie Sie aus der Tabelle ersehen, kann das deutsche *sich* je nach Kontext **herself, himself, itself, yourself, yourselves** oder **themselves** heißen.
She taught herself Chinese. *Sie hat sich selbst Chinesisch beigebracht.*
He bought himself a bottle of champagne.
Er hat sich eine Flasche Champagner gekauft.
The animal has hurt itself. *Das Tier hat sich verletzt.*
Have you already introduced yourself / yourselves? *Haben Sie sich schon vorgestellt?*
They told themselves, "Now or never". *Sie sagten sich: „Jetzt oder nie"!*

2. Each other *E 7*

Wenn *uns, euch, sich* die Bedeutung *uns / euch / sich gegenseitig* hat, verwenden Sie kein Reflexivpronomen, sondern **each other**.
We looked at **each other**. *Wir sahen uns (gegenseitig) an.*
They couldn't see **each other** because it was dark.
Sie konnten sich (gegenseitig) nicht sehen, weil es dunkel war.

3. Reflexivpronomen in der Bedeutung *selbst*

Reflexivpronomen verwenden Sie auch dann, wenn Sie ausdrücken wollen, dass jemand etwas selbst tut und nicht etwa eine andere Person.
He repaired it **himself**. *Er hat es selbst repariert.*
They drove the truck **themselves**. *Sie haben den Lkw selbst gefahren.*

4. Im Deutschen reflexiv, im Englischen jedoch nicht *E 8*

Ein reflexives Verb ist ein Verb, das immer zusammen mit einem Reflexivpronomen verwendet wird. Dies kann von Sprache zu Sprache unterschiedlich sein. So hat das Deutsche wesentlich mehr reflexive Verben als das Englische. Vergleichen Sie:

Englisch	Deutsch
I can't **concentrate**.	*Ich kann **mich** nicht konzentrieren.*
The situation **is changing**.	*Die Situation ändert **sich**.*
I **remembered** my aunt.	*Ich erinnerte **mich** an meine Tante.*

Weitere Beispiele sind:

change	*sich (ver)ändern*	concentrate	*sich konzentrieren*
hurry	*sich beeilen*	sit down	*sich setzen*
complain	*sich beschweren*	worry	*sich Sorgen machen*
decide	*sich entscheiden*	meet	*sich treffen (mit)*
remember	*sich erinnern*	change	*sich umziehen*
feel	*sich fühlen*	imagine	*sich vorstellen*
lie down	*sich hinlegen*	wonder	*sich wundern / fragen*

5. Hilfsverben als „Stellvertreter" *E 3, 9*

Wenn Sie die Wiederholung eines längeren Ausdrucks vermeiden wollen, können Sie stattdessen einen Kurzsatz mit einem Hilfsverb verwenden. Das Hilfsverb hat dann die Funktion eines „Stellvertreters" für den längeren Ausdruck.

Doch welches Hilfsverb wählen Sie jeweils? Enthält der längere Satz bereits ein Hilfsverb, so wiederholen Sie dieses im Kurzsatz. Enthält er jedoch keines, so verwenden Sie im Kurzsatz eine Form des Hilfsverbs **do**.

- I can't speak Chinese. **Can** you?
  Ich kann kein Chinesisch. Und Sie? (wörtl. Können Sie?)

- Evelyn repaired a fan-belt with a pair of tights.
  Evelyn hat mit einer Strumpfhose einen Keilriemen repariert.
- Really? *Wirklich?*
- Yes. She **did**. *Ja (, hat sie)!*

- We waited till the bear lost interest. *Wir warteten, bis der Bär das Interesse verlor.*
- And **did** it? *Und hat er (das Interesse verloren)?*
- It **did**. *Ja (, er hat).*

Kurzsätze mit **neither**, **nor** und **so** entsprechen im Deutschen solchen mit *auch nicht* und *auch*.

- I have never repaired a fan-belt. *Ich habe noch nie einen Keilriemen repariert.*
- **Neither have** I. *Ich auch nicht.*
- **Nor has** Juan. *Juan auch nicht.*

- I was back in that car in seconds. And **so was** Juan.
  Ich war innerhalb von Sekunden wieder im Auto. Und Juan auch.

Language in use

Eine Geschichte erzählen E5

Have I ever told you the story about ...?
Habe ich dir jemals die Geschichte von ... erzählt?
Well, it was like this. *Nun, es war so.*
Anyway, ... *Jedenfalls / Wie dem auch sei, ...*
And guess what happened. *Und rate mal, was passiert ist.*
Suddenly ... *Plötzlich ...*
So in the end ... *Am Ende also ...*
And that was that. *Und das war's.*

Useful expressions E1, 4

Landschaft

mountain	*Berg*
hill	*Hügel*
valley	*Tal*
river	*Fluss*
bridge	*Brücke*
sea	*Meer*
island	*Insel*
village	*Dorf*
farm	*Farm, Bauernhof*
nature	*Natur*
tree	*Baum*
grass	*Gras*

Kleidung und Gepäck

coat	*Mantel*
shirt	*Hemd*
pocket	*Tasche*
suit	*Anzug*
put on	*anziehen*
what size?	*welche Größe?*
bag	*Tasche*
baggage *AE / BE*	*Gepäck*
luggage *BE*	*Gepäck*

Exercises

1 Tina Berger ist auf einer Geschäftsreise und übernachtet in einem Hotel der gehobenen Kategorie mit guten Fitnesseinrichtungen. Kreuzen Sie die acht Gegenstände an, die sie aller Wahrscheinlichkeit nach nicht mitnehmen wird.

- ☐ clothes
- ☐ flowers
- ☐ tights
- ☐ identity card
- ☐ engine
- ☐ dress
- ☐ money
- ☐ umbrella
- ☐ tent
- ☐ truck
- ☐ swimsuit
- ☐ shoes
- ☐ tree
- ☐ glasses
- ☐ toothbrush
- ☐ lake
- ☐ towel
- ☐ pillow

2 Tragen Sie die Begriffe in die Tabelle ein.

saleswoman father waiter burglar tour guide mother
police officer uncle boss aunt daughter son husband
chemist sister adult grandfather waitress

♂	♀	♂♀
....	....	....
....	....	....
....	....	....
....	....	....
....	....	....
....	....	....

3 Ergänzen Sie mit **so** oder **neither**. Ihnen geht es wie dem Sprecher.

1. ● I am tired. ● So ....
2. ● I need a break. ● ....
3. ● I don't like fish. ● ....
4. ● I haven't seen Juan today. ● ....
5. ● I've spent too much money. ● ....
6. ● I'm not interested. ● ....

4 Was gibt es auf der Zeichnung alles zu sehen? Beschriften Sie sie.

5 In welcher Reihenfolge ergeben die Sätze eine sinnvolle Geschichte?

1. ☐ And guess what happened?
2. ☐ And I only had T-shirts and jeans with me. I was so cold.
3. ☐ And when I got home I only had ten minutes to pack a bag.
4. ☐ Anyway, the day I flew, there were problems on the subway.
5. ☐ Have I ever told you what happened to me in September, when I went up to Maine to see my cousin?
6. ☐ It was like this. It was unusually warm down here, and people were going around in summer clothes.
7. ☐ Luckily, my cousin is the same size as me, so she let me wear some of her things.
8. ☐ So I just took the first clothes that came into my hands, and took a cab to the airport.
9. ☐ When I landed in Bangor, it was just five degrees!

6 Streichen Sie die falsche Form durch und übersetzen Sie die deutschen Wörter.

- Have you seen my .... (Brille)?
- No, sorry.
- *It was / They were* on my desk. Well, I think so.
- There *are / is* a pair here on the table.
- No, that's not *it / them*.
- Where *are / is* .... (die Kleidung) I was wearing this afternoon?
- Upstairs on the bed. Shall I go and look for you?
- OK, thanks. But be careful, die .... (Treppe) *are / is* very steep.
- I have .... (Neuigkeiten) for you, and *it's / they are* not good. Your .... (Brille) *was / were* in the pocket of your .... (Jeans), and .... (sie, d.h. die Jeans) *was / were* on the bed, and someone has sat on the bed, so your .... (Brille) *are / is* now broken.

7 Ergänzen Sie das passende Reflexivpronomen, sofern es im Englischen nötig ist.

1. May we introduce ....? Our name is Hamberger.
2. Tina was a clever child. She taught .... to read before she went to kindergarten.
3. Quick, one of the men has hurt ....
4. Bob, Jill, Tony – please make .... at home. I'll be back in a moment.
5. I looked behind ...., but saw nobody I knew.
6. I'm really looking forward to the holiday. I can already see .... on the beach in the sun.
7. Do you two know ....? Let me introduce you.
8. They are old enough now to look after .... They don't need me.
9. Have you bought .... a new dress, Ann?
10. We told .... what we knew. Tom knew things that I didn't know, and I knew things that he didn't know.

8 Übersetzen Sie.

1. Ich werde mich beschweren.

....

2. Wir treffen uns jeden Mittwoch.

....

3. Ich kann mich nicht konzentrieren.

....

4. Wir sahen ein schwarzes Auto vor uns.

....

5. Sie sagte sich: „Er muss lernen, sich selbst zu helfen."

....

6. Erinnerst du dich? Wir kauften uns Schokolade.

....

9 Ergänzen Sie eine Rückfrage mit Hilfsverb.

1. ● It can be very cold. ● *Can it?*
2. ● The car needs a new engine. ● ....
3. ● Dennis was ill last week. ● ....
4. ● We had a great holiday. ● ....
5. ● The bear stopped only 20 metres away. ● ....
6. ● Sonia is working too hard. ● ....
7. ● You'll like the color. ● ....
8. ● I would like to see Japan. ● ....

Im Mittelpunkt dieser Unit stehen:

- Unterwegs mit **Bus** und **Bahn**
- das **Past Perfect**
- das **Partizip Präsens**
- Substantive auf **-er**
- **every** in Zusammensetzungen

Unit 17

French pensioner deals kissogram girl knockout blow

When a kissogram girl arrived in his hotel room to tell Frenchman Bertrand Dupont that he had won a lottery prize, his wife knocked the girl unconscious with an alarm clock. "We were just going to bed," she said. "I thought it was a burglar."

The couple had come to Britain to celebrate their golden wedding anniversary. Mr Dupont had bought the winning ticket several weeks before, and then forgotten it.

The girl arrived on Tuesday evening with a huge bouquet of flowers and a big bottle of champagne. "They were a very pleasant, quiet couple," the manager told our reporter. The Duponts had originally planned to visit Canada, but the couple's doctor had warned Madame Dupont that the trip might not be good for her heart condition. "Mrs Dupont seems to have survived the exploit much better than me," the girl told our reporter: "I had expected to surprise them, but it was the other way round."

Französische Rentnerin schlägt „Kissogram-Girl" k.o.

Als ein Kissogram-Mädchen das Hotelzimmer des Franzosen Bertrand Dupont betrat, um ihm zu sagen, dass er einen Lotteriepreis gewonnen hatte, schlug seine Ehefrau das Mädchen mit einem Wecker bewusstlos. „Wir wollten gerade ins Bett gehen", sagte sie. „Ich dachte, sie wäre eine Einbrecherin."

Das Paar war nach Großbritannien gekommen, um seine goldene Hochzeit zu feiern. Herr Dupont hatte das Siegerlos einige Wochen zuvor gekauft und es dann vergessen.

Die junge Frau reiste am Dienstagabend mit einem riesigen Blumenstrauß und einer großen Flasche Champagner an. „Es war ein sehr angenehmes, ruhiges Paar", sagte der Hoteldirektor unserer Reporterin. Die Duponts hatten ursprünglich geplant, nach Kanada zu fahren, aber die Ärztin des Ehepaars hatte Madame Dupont gewarnt, dass die Reise vielleicht nicht gut für ihr Herzleiden wäre. „Frau Dupont scheint die Tat viel besser überstanden zu haben als ich", sagte die junge Frau unserer Reporterin. „Ich hatte damit gerechnet, sie zu überraschen, aber es kam genau andersherum."

What's new? E 6, 7

Aus → Lektion 12 kennen Sie das **Present Perfect**.
Nun kommt das **Past Perfect** als weitere Vergangenheitsform hinzu:
Bertrand Dupont **had bought** the lottery ticket serveral weeks before.
Bertrand Dupont hatte den Lotterieschein mehrere Wochen zuvor gekauft.
The couple **had come** to Britain to celebrate their wedding anniversary.
Das Paar war nach Großbritannien gekommen, um seinen Hochzeitstag zu feiern.

Das Past Perfect bilden Sie mit **had** (Kurzform **'d**) und dem Partizip Perfekt des Verbs:

Aussage	Verneinung
I **had started.**	I **hadn't finished.**
You **had started.**	You **hadn't finished.**
He / She / It **had started.**	He / She / It **hadn't finished.**
We / They **had started.**	We / They **hadn't finished.**

Frage	Kurzantworten	
Had I **started**?	Yes, I **had.**	No, I **hadn't.**
Had you **started**?	Yes, you **had.**	No, you **hadn't.**
Had he / she / it **started**?	Yes, he / she / it **had.**	No, he / she / it **hadn't.**
Had we / they **started**?	Yes, we / they **had.**	No, we / they **hadn't.**

Mit dem **Past Perfect** drücken Sie aus, was in der Vergangenheit bereits Vergangenheit war.
When we got to the station, the train **had** already left.
Als wir den Bahnhof erreichten, war der Zug schon abgefahren.

An amazing experience

Bob and his friend Tony are at a railway ticket office.

Bob: Return to Westbury, please. Well actually, there are two of us. But we're paying separately. What's the cheapest fare?
Clerk: When are you coming back?
Bob: Sunday.
Clerk: The cheapest is a Saver then.

Bob pays by credit card.

Bob: When is the next train?
Clerk: 14.28, from platform 11.
Bob: Thanks.

Outside the ticket office

Announcement: The train now standing at platform 11 is the 14.28 service to Exeter, calling at Newbury, Westbury, Taunton and Exeter only.

Bob: That's us.

On the train.

Tony: You haven't told me how your trip to Cologne was.

Bob: Oh, it was great, a fascinating experience, a great place, really fun-loving people. And I had the most amazing experience.

Tony: Why? What happened?

Bob: It was one night, after I'd been out. I got the last S-Bahn, that's a suburban train, back to my hotel. But I fell asleep and missed my stop!

Tony: So what did you do?

Bob: Well, I woke up when we got to the end of the line, the last station. So there I was in the middle of nowhere wondering what to do. You know, should I call a taxi, or start walking back? I had no idea how far it was, and I didn't know the way.

Tony: What time was this?

Bob: Almost one in the morning.

Tony: Great!

Bob: So anyway, I got out of the train and walked down the empty platform wondering what to do. I got to the station exit, and I stood there, looking up and down the road. Everybody else was gone. There were no taxis, there wasn't even a phone box. Then a car went past. I waved, but the woman driving it just drove on. I don't know if she didn't see me, or didn't want to see me. Well, it wasn't an easy situation for her, in the middle of the night and a man, a complete stranger trying to get her to stop.

Tony: Right.

Bob: So I stood there another five minutes, then another car came along. I did the same, and this time the driver stopped. The man inside opened his window and I asked him, in my terrible German, if he could help me. He said, "Are you English?", so I said, "Yes". And then he asked me, in a very friendly way, and with a fantastic accent, "How can I help you? What's the problem?" So I told him, and without a moment's hesitation, he said, "Get in. I'll take you to your hotel." And he did, although he didn't live in that direction at all. It was about 20 kilometres, and he wouldn't take any money for it. He dropped me right outside my hotel, up on a high hill, wished me "good night" and drove off. And I thought to myself while climbing the stairs to my room: would that happen to you in your country?

Tony: I don't ...

Announcement:	This train is now approaching Westbury. Westbury will be our next station stop.
Bob:	Our stop.
Tony:	Yes, we don't want to miss it, do we?

Vocabulary

French pensioner deals ...	
pensioner	*Rentner(in)*
kissogram girl	*verkleidete junge Frau, die einen Glückwunsch mit Küsschen überbringt*
kiss *Subs; V*	*Kuss; küssen*
deal knockout blow	*k.o. schlagen*
Frenchman	*Franzose*
win (won, won)	*gewinnen, siegen*
lottery	*Lotterie*
prize	*Preis, Prämie*
knock unconscious	*bewusstlos schlagen*
alarm clock	*Wecker*
couple	*Paar*
celebrate	*feiern*
wedding anniversary	*Hochzeitstag*
golden wedding anniversary	*goldene Hochzeit*
ticket	*(Eintritts-, Fahr-) Karte, hier: Lotoschein, Los*
winning ticket	*Siegerlos*
several	*einige, mehrere*
before *Adv*	*vorher, zuvor*
forget (forgot, forgotten)	*vergessen*
huge	*riesig*
bouquet	*Strauß*
pleasant	*angenehm*
manager	*Manager(in), Leiter(in), hier: Hoteldirektor(in)*
reporter	*Reporter(in)*
original(ly)	*ursprünglich*
warn s.o.	*jdn. warnen*
heart condition	*Herzleiden*
seem	*(er)scheinen, den Anschein haben*
survive	*überleben, überstehen*
exploit	*Tat*
expect	*erwarten, rechnen mit*
surprise s.o.	*jdn. überraschen*
the other way round	*andersherum, umgekehrt*
An amazing experience	
ticket office	*Fahrkartenschalter*
return	*hier: Rückfahrkarte*
fare	*Fahrpreis*
Saver	*hier: Sparpreis*
platform	*Bahnsteig*
announcement	*Ansage, Ankündigung*
stand	*stehen*

service	hier: *Verbindung, Zug*
calling at ...	*über, mit Halt in ...*
fascinating	*faszinierend*
fun-loving	*lebenslustig*
amazing	*erstaunlich*
suburban train	*Nahverkehrszug, S-Bahn*
fall asleep	*einschlafen*
stop *Subs*	*Halt(estelle), Station*
almost	*fast, beinahe*
everybody else	*alle anderen*
exit	*Ausgang, Ausfahrt*
phone box	*Telefonhäuschen*
past *Adv*	*vorbei*
wave	*winken*
open	*öffnen, aufmachen*
way	*Art und Weise*
accent	*Akzent*
without a moment's hesitation	*ohne zu zögern*
although	*obwohl*
drop	*fallen lassen, hier: absetzen*
high	*hoch*
wish	*wünschen*
drive off	*wegfahren*

Grammar

1. Partizip Präsens *E 8, 9*

Das Partizip Präsens hat im Englischen die Endung **-ing**, im Deutschen die Endung **-end**:
fascinat**ing** *faszinierend*, runn**ing** *laufend*, mov**ing** *sich bewegend, fahrend*

- Das Partizip Präsens können Sie entweder wie ein Adjektiv vor einem Substantiv gebrauchen:
  a fascinating experience *ein faszinierendes Erlebnis*
  running costs *laufende Kosten*
  a moving train *ein fahrender Zug*

- Oder Sie verbinden es mit einem anderen Wort (z. B. Substantiv, Adverb oder Adjektiv) zu einem zusammengesetzten Ausdruck (mit Bindestrich):
  fun-loving people *lebenslustige Menschen*
  a German-speaking guide *ein deutschsprachiger Reiseleiter*
  a fast-moving story *eine sich schnell entwickelnde Geschichte*

- Zusammen mit einem Objekt oder einer adverbialen Bestimmung können Sie ein Partizip auch als eine Art verkürzten Relativsatz verwenden. Das Partizip steht dann anstelle der Verlaufsform:
the train (which is) now standing at platform 7 *der Zug, der am Gleis 7 bereitsteht*
the woman (who was) driving the car *die Frau, die am Steuer saß*

- In einem Nebensatz mit zeitlicher Bedeutung kann das Partizip eine Verlaufsform ersetzen; allerdings nur dann, wenn das Subjekt in beiden Teilsätzen identisch ist.
I thought to myself while (I was) climbing the stairs to my room, ...
Ich dachte mir, während ich die Treppe zu meinem Zimmer hinaufstieg, …

- Das Partizip können Sie nach Verben der Ruhe und der Bewegung sowie nach Verben der Wahrnehmung verwenden:
I stood there looking up and down the road.
Ich stand da und schaute die Straße hinauf und hinunter.
She came running down the platform. *Sie kam den Bahnsteig entlanggelaufen.*
I could see it coming. *Ich sah es kommen.*

- Schließlich können Sie mit dem Partizip Präsens Zusatzinformationen geben. Sie brauchen dafür in der Regel kein Komma. Im Deutschen steht meist ein Hauptsatz mit *und* bzw. ein Nebensatz mit *wobei* oder *indem*.
I walked down the platform wondering what to do.
Ich ging den Bahnsteig entlang und fragte mich, was ich tun sollte.

2. Substantive auf -er E5

Mit der Endung **-er** können Sie – wie im Deutschen – von Verben Substantive ableiten.

drive	*fahren*	►	driv**er**	*Fahrer(in)*
work	*arbeiten*	►	work**er**	*Arbeiter(in)*
write	*schreiben*	►	writ**er**	*Schriftsteller(in)*
report	*berichten*	►	report**er**	*Berichterstatter(in), Reporter(in)*
listen	*zuhören*	►	listen**er**	*(Zu-)Hörer(in)*
play	*spielen*	►	play**er**	*Spieler(in)*
sing	*singen*	►	sing**er**	*Sänger(in)*
to travel	*reisen*	►	travell**er**	*Reisende(r)*

3. Every in Zusammensetzungen

In → Lektion 10 haben Sie Zusammensetzungen mit **some**, **no** und **any** kennengelernt. Jetzt ist es an der Zeit, diese Gruppe mit **every** zu vervollständigen.

- **everybody / everyone** (immer Sg.) *jeder(mann), alle*
  Everyone is here. *Alle sind hier.*
- **everything** *alles*
  I heard everything. *Ich habe alles gehört.*
- **everywhere** *überall*
  She's been everywhere. *Sie war schon überall.*

Language in use

Am Bahnhof und im Zug E 2, 3, 4

A single to London, please. *Eine einfache Fahrkarte nach London, bitte.*
A (day) return to Southampton. *Eine (Tages-)Rückfahrkarte nach Southampton.*
Do I have to change? *Muss ich umsteigen?*
When is the next connection? *Wann habe ich Anschluss?*
What is the cheapest fare? *Was ist der günstigste Fahrpreis?*
What conditions are there? *Welche Bedingungen sind dabei zu beachten?*
The 17.15 service to Taunton is delayed / cancelled.
Der 17.15-Zug nach Taunton hat Verspätung / ist gestrichen.
The next station stop is Westbury. *Der nächste Halt ist Westbury.*

Bezahlen

Separately or together? *Getrennt oder zusammen?*
Could you give me a receipt? *Könnten Sie mir eine Quittung geben?*
Is VAT included? *Ist die Mehrwertsteuer inbegriffen?*

warn somebody not to do something E 3

Das deutsche Verb *warnen* enthält bereits den Gedanken, dass man etwas *nicht* tun soll. Im Englischen ist dies jedoch nicht der Fall: Sie müssen **not** extra dazu sagen.
I warned you **not** to invite Sheila and Martin together.
Ich habe dich davor gewarnt, Sheila und Martin zusammen einzuladen.

Useful expressions E 2, 3, 4

Unterwegs mit Bus und Bahn

a through train	*ein durchgehender Zug, eine direkte Verbindung*
go direct	*durchfahren (ohne umzusteigen)*
a first-class ticket	*eine Fahrkarte erster Klasse*
a second-class carriage	*ein Waggon zweiter Klasse*
buffet car	*Speisewagen*
a queue at the ticket office	*eine Schlange am Fahrkartenschalter*
timetable	*Fahrplan*
catch a train / bus	*einen Zug / Bus nehmen / bekommen*
get on a train / bus	*in einen Zug / Bus einsteigen*
get off a train / bus	*aus einem Zug / Bus aussteigen*
passenger	*Passagier(in), Fahrgast*

i Der Eisenbahnverkehr ist in Großbritannien privatisiert und wird von verschiedenen Bahngesellschaften organisiert. In Bezug auf Komfort, Zuverlässigkeit und Pünktlichkeit schneidet der Service meist nicht so gut ab wie hierzulande. Auch ist das Bahnfahren ziemlich teuer. In London gibt es nicht nur einen, sondern mindestens fünf größere Bahnhöfe, die verschiedene Landesteile bedienen. Auf diesen Bahnhöfen wird der Bahnsteig, von dem ein Zug abfährt, meist kurzfristig festgelegt. Die entsprechende Information findet man nicht auf einer Fahrplantafel, sondern erst 10 bis 15 Minuten vor Abfahrt auf einer großen elektronischen Anzeigetafel.

Exercises

1 Ergänzen Sie Wörter mit gleicher bzw. mit entgegengesetzter Bedeutung aus dem Wortschatz dieser Lektion.

gleiche Bedeutung:

1. nice ....

2. some ....

3. earlier ....

4. very big ....

5. nearly ....

entgegengesetzte Bedeutung:

6. remember ....

7. lose ....

8. low ....

9. get on ....

10. single ....

2 Lösen Sie das Kreuzworträtsel. Alle Wörter sind senkrecht.
Welchen waagerechten Ausdruck finden Sie am Ende versteckt?

1. a country (the biggest city is Brussels)
2. a line of people
3. the price that you pay for a railway ticket
4. If something is very very interesting, you find it ...
5. all the people
6. the plan that tells you when trains leave
7. two people who are together
8. a person travelling on a bus, plane, train etc.
9. someone who works for a newspaper

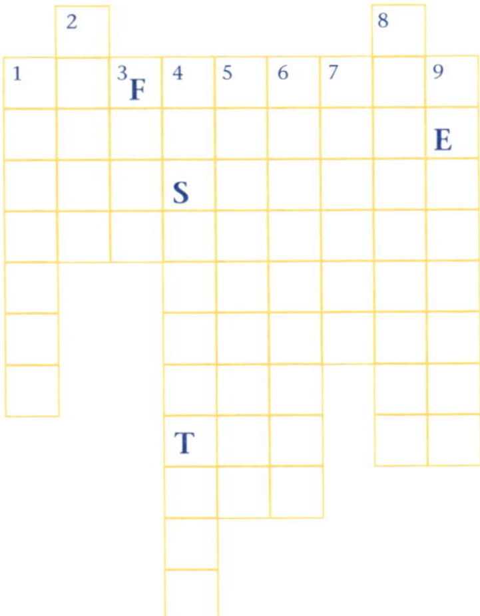

3 Wie drückt man es anders aus?

1. The train is late. — The train is ....
2. How much does the ticket cost? — What is ....
3. You can go direct. — You don't have to ....
4. I said, "Don't do it!" — I warned him ....
5. I'm paying for myself and my friend is paying for himself. — We are ....
6. I started to sleep. — I ....

4 Vervollständigen Sie dieses Gespräch am Fahrkartenschalter.
Zu jedem Satz finden Sie eine Hilfestellung auf Deutsch.

Beamtin: Yes, please.
Sie: *Sie möchten eine Rückfahrkarte nach Bristol.*

....

Beamtin: When are you travelling?
Sie: On Thursday. I'm coming back on Sunday.
Fragen Sie nach dem günstigsten Fahrpreis.

....

Beamtin: £32.80.
Sie: *Fragen Sie, welche Bedingungen dabei zu beachten sind.*

....

Beamtin: You can't travel on a Friday with this ticket.
Sie: Oh, that's OK. When is the next train?
Beamtin: At 10.37.
Sie: *Fragen Sie, ob Sie umsteigen müssen.*

....

Beamtin: No, it's a through train.
Sie: Thank you.

5 Wie heißt das gesuchte Substantiv auf **-er**?

1. In the year 2000, Harry Meistrup from Denmark was the oldest .... (person who plays tennis) in the world. He was 101 years old at the time.
2. One of the most famous .... (person who travels) of all time is Phileas Fogg, a character in Jules Verne's book *Around the World in 80 Days*.
3. If you want to become a .... (person who drives a taxi) in London, you have to do an exam.
4. How many million .... (person who reads a magazine) does the *New Yorker* have?
5. .... (people who go camping) are usually friendly people.
6. On a holiday weekend you often meet lots of .... (people who like to go hiking) in the national parks.

6 Schreiben Sie einen Satz mit dem **Past Perfect** und **before**.

1. The Duponts stayed in the Larch Hotel. *They hadn't stayed there before.*
2. Mr Dupont won a lot of money.

   .... in the lottery ....
3. They saw a kissogram girl for the first time.

   .... one ....
4. The Duponts went back to France on Eurostar.

   .... it ....
5. It was Bob's first visit to Cologne.

   .... there ....
6. At his father's birthday he met some cousins from Australia.

   .... them ....

7 Ergänzen Sie in jedem Satz einmal die einfache Vergangenheit, einmal das **Past Perfect**.

1. When Bob .... (get) to Brussels, his connecting train .... (leave).
2. I .... (know) some of the people at the party, but I .... (not expect) to see so many strangers.
3. We .... (phone) the office immediately, but someone .... (already inform) them.
4. I .... (sleep) very little the night before, so I .... (feel) very tired that morning.
5. It .... (snow), so I .... (have to) drive carefully.
6. When we .... (find) the restaurant, the other guests .... (already eat) their main course.

8 Bilden Sie aus zwei Sätzen einen, indem Sie das Partizip Präsens benutzen.

1. We lay in the tent. We listened to the rain.

....

2. I saw Tony. He was driving to work.

....

3. Can you hear Olaf? He's singing in the shower.

....

4. We stood on the street corner. We watched the parade.

....

5. We listened to the salesman. We wondered what it would all cost.

....

9 Ergänzen Sie jeweils das Partizip Präsens des passenden Verbs.

begin	finish	look	sound	think	try (2x)

The phone rang at about lunchtime. I answered it while .... the last sentence of a letter, so I missed the first couple of words. A man's voice said something like, "I've just heard about your special offer*." "Special offer?" I said politely, ... to decide what he could mean. We didn't have any special offers. "Yes," he said. "Do you want the name and address first?" "OK," I said .... for a pen and a piece of paper. "And I need to know what exactly you want." "What exactly I want?" he said, ... a bit confused. "Two extra-big ones, with everything." "Sorry," I said, ... that I had misunderstood. "Can you say that again?" "Two extra-big ones with everything," he said, ... to sound now not quite so pleasant. "Two extra big what?" I asked. "Pizzas, of course," he said. "What else?" "I'm sorry," I said, ... not to laugh. "You must have the wrong number. This is not a pizzeria. We are a kissogram agency**."

* special offer: *Sonderangebot* ** agency: *Agentur*

Diese Lektion thematisiert:
- **Vorschläge** und Reaktionen darauf
- Idiomatische **Redewendungen**
- **Fernsehen** und **Medien**
- das **Passiv**
- Verben mit **zwei Objekten**
- **hundred, thousand, million**

Unit 18

An American quiz   Ein Amerikaquiz

1 The world's first skyscraper was built in 1885. In which city?

A Chicago
B Los Angeles
C New York

1 Der erste Wolkenkratzer der Welt wurde 1885 erbaut. In welcher Stadt?

2 The Statue of Liberty was given to the USA by which nation?

A The British.
B The French.
C The Irish.

2 Von welcher Nation wurde die Freiheitsstatue den Vereinigten Staaten geschenkt?

3 In which year was the Model T Ford first produced?

A 1908
B 1912
C 1919

3 Welches war das erste Produktionsjahr des Model T Ford?

4 How many Model T Fords were made?

A 5 million
B 10 million
C 15 million

4 Wie viele Model T Fords wurden produziert?

5 The famous Golden Gate Bridge was built in 1937. Near which US city?

A Los Angeles
B San Francisco
C Seattle

5 Die berühmte Golden-Gate-Brücke wurde 1937 errichtet. In der Nähe welcher US-Stadt?

6 Microsoft was founded in 1974 by Bill Gates and who else?

A Paul Allen
B Steven Jobs
C Stephen Wozniak

6 Microsoft wurde 1974 von Bill Gates und welcher anderen Person gegründet?

7 In which US city was President John F. Kennedy killed in 1963?

A Dallas, Texas
B Miami, Florida
C Oklahoma City, Oklahoma

7 In welcher US-Großstadt wurde Präsident John F. Kennedy 1963 getötet?

Lösungen: 1A, 2B, 3A, 4C, 5B, 6A (die anderen beiden waren die Gründer der Konkurrenzfirma Apple), 7A

What's new? E 7, 8

Man unterscheidet in der Grammatik zwischen Aktivsätzen und Passivsätzen. In einem Aktivsatz wird gesagt, dass jemand etwas (aktiv) tut und somit der Handelnde in einem Sachverhalt ist. In einem Passivsatz dagegen wird gesagt, was mit jemandem oder mit etwas geschieht bzw. getan wird.

- Aktiv:
  Bill Gates and his partner **founded** Microsoft.
  *Bill Gates und sein Partner **gründeten** (die Firma) Microsoft.*
- Passiv:
  Microsoft **was founded** by Bill Gates and his partner.
  *Microsoft **wurde** von Bill Gates und seinem Partner **gegründet**.*

In einem Passivsatz kann der Handelnde oder Urheber ebenfalls erwähnt werden. Der betreffende Satzteil wird dann im Englischen mit **by** *von, durch* angeschlossen. Oft ist ein Passivsatz aber auch ohne Nennung des Urhebers vollständig:
The world's first skyscraper was built in 1865.
Der erste Wolkenkratzer der Welt wurde 1865 errichtet.

Vielfach wird ein Sachverhalt gerade deshalb als Passivsatz formuliert, weil es unwichtig oder unbekannt ist, wer aktiv agiert hat. Zum Beispiel ist es im obigen Beispiel unwichtig, wer den ersten Wolkenkratzer der Welt gebaut hat; uns interessiert nur, wann das war. Deshalb drücken wir diesen Sachverhalt mit einem Passivsatz aus.

Übrigens: nicht immer wird ein englischer Passivsatz auch im Deutschen mit dem Passiv wiedergegeben. Stattdessen verwendet man manchmal einen Aktivsatz mit *man*, zum Beispiel:
English **is spoken** here. *Man spricht Englisch.*

Weitere Informationen zu diesem Thema finden Sie im Abschnitt **Grammar**.

A bit of rumba

It's evening, and Juan Vargas and his girlfriend, Marge, are in front of the TV.

TV quiz presenter: And your next question, for one thousand dollars, Sharon, is this: In which US city is the world-famous Coca Cola™ produced? Is it, A Atlanta, Georgia, or B Fort Worth, Texas, or is it C Pittsburgh, Pennsylvania? I'll repeat that: Is Coca Cola™ produced in A Atlanta, Georgia, or B Fort Worth, Texas, or C Pittsburgh, Pennsylvania?

TV contestant: Oh, my God. I don't know. I'll have to guess. Is it Washington, DC?

Quiz presenter:	That was not one of the choices, Sharon, and I'm afraid you've just lost one thousand dollars. The right answer is Atlanta, Georgia.
Marge:	I knew that. Any kid knows that, don't they?
Juan:	What?
Marge:	I said any kid knows that.
Juan:	Knows what?
Marge:	Where Coca Cola™ is made.
Juan:	I don't know where it's made, and I'm not a kid. Where is it made?
Marge:	Aren't you listening?
Juan:	No.
Marge:	Aren't you interested?
Juan:	Nope.

Marge:	OK, so what do you want to do instead of watching TV?
Juan:	Well, we've been invited to the Brazilians upstairs. They're having a party. It's somebody's birthday.
Marge:	So that is what all the noise is.
Juan:	Do you feel like going?
Marge:	You?
Juan:	Why not?
Marge:	If you can't beat them, join them, you mean?
Juan:	Right.
Marge:	OK. A bit of rumba will loosen you up.
Juan:	What do you mean, "loosen me up"?
Marge:	You're stressed out, Juan. You're being eaten alive by that job of yours.
Juan:	I have been working hard lately, it's true. But it's been worth it. Next month is bonus time, and I'm going to be given a big fat bonus. I thought we might go away for a week. Mexico maybe, or Brazil?
Marge:	But that's wonderful.
Juan:	Yeah. And we can get a taste of Brazil upstairs tonight. Come on, let's go.
Marge:	Whoopee!

Vocabulary

An American quiz	
quiz	*Quiz, Ratespiel*
skyscraper	*Wolkenkratzer*
which?	*welche(r, s)?*
Statue of Liberty	*Freiheitsstatue*
by	*von, durch*
nation	*Nation*
the British	*die Briten*
the Irish	*die Iren*
model	*Modell*
produce	*produzieren, herstellen, (an)fertigen*
million	*Million*
found	*gründen*
A bit of rumba	
rumba	*Rumba (südamerikanischer Tanz)*
TV (television)	*Fernseher; Fernsehen*
presenter	*Moderator(in), Showmaster(in)*
contestant	*Kandidat(in), Teilnehmer(in)*
choice	*(Aus-)Wahl*
choose (chose, chosen)	*(aus)wählen*
any	*jede(r, s), egal welche(r, s), irgendein(e) (x-beliebige)*
nope *ugs*	*nö, nee*
Brazilian	*Brasilianer(in); brasilianisch*
have a party	*ein Fest / eine Party feiern*
noise	*Lärm, Geräusch*
feel like doing s.th.	*Lust haben etwas zu tun*
If you can't beat them, join them.	*Wenn du nicht gegen den Strom schwimmen kannst, schwimm mit ihm.*
loosen up	*auflockern*
stressed out	*völlig gestresst*
alive	*lebendig*
true	*wahr*
bonus	*Prämie*
Mexico	*Mexiko*
Brazil	*Brasilien*
taste *Subs*	*(Vor-)Geschmack*

Grammar

1. Das Passiv

Bildung E 7, 8

- Das Passiv bilden Sie mit einer Form von **be** und dem Partizip Perfekt.

Einfache Gegenwart	Coca Cola™ **is drunk** all over the world. *Coca Cola wird auf der ganzen Welt getrunken.*
Einfache Vergangenheit	The first skyscraper **was built** in 1885. *Der erste Wolkenkratzer wurde 1885 gebaut.*
Present Perfect	We **have been invited** to a party. *Wir sind zu einer Party eingeladen worden.*
Past Perfect	By 1929 15 million cars **had been sold**. *Bis 1929 waren 15 Millionen Autos verkauft worden.*

- Den Infinitiv des Passivs bilden Sie mit dem Infinitiv von **be** und dem Partizip Perfekt. Sie verwenden diese Form z. B. nach **will, going to** und nach Modalverben:
  You will **be missed**. *Man wird dich vermissen.*

- Die Verlaufsform des Passivs bilden Sie mit einer Form von
  be + being + Partizip Perfekt:
  You **are being eaten** alive. *Du wirst lebendig aufgefressen.*
  While the bridge **was being built** … *Während die Brücke gebaut wurde …*

Das Passiv bei Verben mit zwei Objekten E 8

Der Quizsatz **The Statue of Liberty was given to the USA** könnte auch anders lauten, nämlich so:
The USA was given the Statue of Liberty.
Den Vereinigten Staaten wurde die Freiheitsstatue geschenkt.

Im Deutschen verdeutlicht der Artikel *den*, dass es sich um ein indirektes Objekt (Dativobjekt, Sie fragen: *Wem oder was?*) handelt. Im englischen Passivsatz gibt es dagegen kein Anzeichen dafür, dass es sich bei **the USA** um ein indirektes Objekt handelt, vielmehr sieht **the USA** wie ein Subjekt aus. Und das ist auch so: Bei Verben, die im Aktiv zwei Objekte haben, können Sie das indirekte Objekt zum Subjekt des Passivsatzes machen. Dies sehen Sie auch an den Pronomen, die im Englischen Subjekt sind, im Deutschen aber mit dem Dativ übersetzt werden:

Aktiv	Passiv
They offered **me** the job.	**I** was offered the job. ***Mir** wurde die Stelle angeboten.*
She showed **him** his office.	**He** was shown his office. *Man zeigte **ihm** sein Büro.*
They asked **us** questions.	**We** were asked questions. *Man stellte **uns** Fragen.*

Hier eine Auswahl von Verben, die im Englischen zwei Objekte haben.
Sie alle können in Passivsätzen so konstruiert werden wie eben angesprochen:

ask	*fragen, bitten*	promise	*versprechen*
buy	*kaufen*	sell	*verkaufen*
give	*geben, schenken*	send	*schicken, senden*
lend	*(aus)leihen*	show	*zeigen*
offer	*(an)bieten*	teach	*beibringen, unterrichten*
pay	*(be)zahlen*	tell	*erzählen, sagen*

2. Verben mit zwei Objekten *E 6*

Zurück zu den Aktivsätzen: Fast alle der oben genannten Verben (Ausnahmen: **ask, tell**) können Sie in Aktivsätzen auf zwei verschiedene Arten konstruieren:

- Das indirekte Objekt steht zwischen Verb und direktem Objekt:
  They offered **me** the job. *Sie boten mir den Job an.*
  She bought **us** a drink. *Sie kaufte uns ein Getränk.*
- Das indirekte Objekt steht nach dem direkten Objekt und wird mit **to** oder **for** angeschlossen:
  They offered the job **to someone else**. *Sie boten den Job jemand anderem an.*
  She bought drinks **for everybody**. *Sie kaufte Getränke für alle.*

Es gibt jedoch eine kleine Gruppe von Verben, bei denen das indirekte Objekt immer mit **to** angeschlossen werden muss.
They **described** the work **to** me. *Sie haben mir die Tätigkeit beschrieben.*
Can you **explain** that **to** me again, please? *Können Sie mir das noch einmal erklären?*
I **reported** it **to** my boss. *Ich habe es meiner Chefin berichtet.*
I **suggested** several hotels **to** them. *Ich habe ihnen mehrere Hotels vorgeschlagen.*

Bei den Verben der letzteren Gruppe kann das indirekte Objekt (die Person) nicht zum Subjekt eines Passivsatzes werden.

Language in use

Vorschläge machen E 4

Why don't we ask Juan? *Warum fragen wir nicht Juan?*
How / What about looking on the internet?
Wie wäre es, wenn wir ins Internet schauen?
We could try the new Italian (restaurant) maybe?
Wir könnten vielleicht den neuen Italiener ausprobieren?
If you like, I can get some flowers on my way home.
Wenn du magst, hole ich auf dem Nachhauseweg Blumen.
Shall we take a taxi? *Sollen wir ein Taxi nehmen?*
Let's just stay at home. *Lass uns doch einfach zu Hause bleiben.*

Auf Vorschläge reagieren

OK. *In Ordnung.*
Sure. *Sicher.*
Why not? *Warum nicht?*
That's a good idea / suggestion. *Das ist eine gute Idee / ein guter Vorschlag.*
I'd rather not. *Lieber nicht.*
I'd prefer to go to the movies. *Ich würde lieber ins Kino gehen.*
Let's go to the Thai place instead. *Lasst uns stattdessen zum Thailänder gehen.*
Sorry, but I don't think that's such a good idea.
Tut mir leid, aber ich halte das nicht für eine so gute Idee.

any

Any kennen Sie bereits als Gegensatz von **some**, auch in Zusammensetzungen wie **anyone** oder **anywhere**. In dieser Lektion begegnet Ihnen **any** in einer anderen Bedeutung, nämlich *jeder, egal welcher oder irgendein (x-beliebiger).*
Any child knows that. *Das weiß doch jedes Kind.*
You can ask anybody. *Du kannst jeden fragen.*
● Which sort do you want? *Welche Sorte möchtest du?*
● Oh, just bring any one. *Ach, bring einfach irgendeine.*

hundred

- Wenn **hundred, thousand** und **million** auf eine andere Zahl folgen, so wird kein **-s** angehängt:
  three hundred people *dreihundert Menschen*
  two thousand years *zweitausend Jahre*
  six million Model T Fords *sechs Millionen Model T Fords*
- Stehen sie dagegen vor **of**, so enden sie auf **-s**:
  hundreds / thousands / millions of cars *Hunderte / Tausende / Millionen von Autos*

If you can't beat them, join them E 5

Wenn du nicht gegen den Strom schwimmen kannst, schwimm mit ihm! Es gibt im Englischen wie im Deutschen eine große Anzahl von idiomatischen, sprichwortartigen Redewendungen. Einige weitere begegnen Ihnen in Übung 5.

Useful expressions E 3

Medien

daily / weekly (news)paper	*Tages-, Wochenzeitung*
TV programme *BE* / program *AE*	*Fernsehsendung*
radio programme *BE* / program *AE*	*Radiosendung*
record s.th. *V*	*etwas aufnehmen*
download a file from the internet	*eine Datei aus dem Internet herunterladen*
surf the net	*im Internet surfen*
browse the web	*im Web surfen*
go / be online	*online gehen / sein*
have access to the internet	*Zugang zum Internet haben*
use a search engine	*eine Suchmaschine benutzen*
attachment	*Anhang, Attachment*
bookmark a site	*ein Lesezeichen auf einer Webseite setzen*

Exercises

1 Welches Adjektiv passt zum Substantiv? Benutzen Sie jedes nur einmal.

difficult fast high interesting long loud

1. .... walls
2. a .... bridge
3. a .... car
4. a .... noise
5. a .... quiz
6. an .... suggestion

2 Vervollständigen Sie die Tabelle.

Land	Sprache	Nationalität	Staatsbürger(in)
Germany	....	....	a German
France	....	....	a .... / ....
....	....	....	an Englishman / Englishwoman
....	.... /	....	an Irishman / Irishwoman
the USA	....	....	an ....
....	....	Italian	an ....
....	....	....	a Spaniard
Austria	....	....	an ....
Switzerland	....	....	a .... (person)

3 Ordnen Sie zu.

be invited bookmark browse download found read record use watch write

1. .... a new company
2. .... a letter
3. .... a website
4. .... to a party
5. .... a daily newspaper
6. .... a video
7. .... a TV program(me)
8. .... the web
9. .... a search engine
10. .... a file

4 Vervollständigen Sie dieses Gespräch.

- What are we going to do tonight?
- .... about .... to a movie?
- Not again. We've seen three in the last ten days.
- All right. Well, ... we go out to eat?
- We can't afford to eat out after that big bill that arrived yesterday.
  Have you forgotten?
- Well, if you ...., we .... phone June and Jason and ask what they're doing.
- I don't like Jason, if you remember.
- OK, then why .... we go swimming or jogging?
  Do something to keep us fit.
- I'm too tired for that.
- OK, I've made four suggestions and you don't like one of them.
- .... just stay at home.
- It's always the same. You ask me, then at the end you suggest .... at home.

5 Erraten Sie, was die folgenden Redewendungen bedeuten.
Ordnen Sie ihnen die deutschen Entsprechungen zu.

1. He really gets up my nose.	**a.** *Bleib schön ruhig.*
2. He was caught red-handed.	**b.** *Das Ganze war ein Schlag ins Wasser.*
3. Keep your hair on!	**c.** *Das ist etwas genau nach meinem Geschmack.*
4. She has green fingers.	**d.** *Du nimmst mich auf den Arm.*
5. The whole thing was a complete wash-out.	**e.** *Er geht mir richtig auf die Nerven.*
6. They're selling like hot cakes.	**f.** *Er wurde auf frischer Tat ertappt.*
7. This is right up my street.	**g.** *Sie hat den grünen Daumen.*
8. We are breaking new ground.	**h.** *Sie verkaufen sich wie warme Semmeln.*
9. We need someone who will pour oil on troubled waters.	**i.** *Wir beschreiten neue Wege.*
10. You're pulling my leg.	**j.** *Wir brauchen jemanden, der die Wogen glättet.*

6 Die folgenden Verben haben zwei Objekte. Manche davon können auf zwei verschiedene Arten konstruiert werden. Bilden Sie dementsprechend jeweils einen oder zwei Sätze (immer mit **they** und **me**).

1.	offer / the job	*They offered me the job.*	*They offered the job to me.*
2.	explain / the plan	——	*They explained the plan to me.*
3.	ask / questions	....	....
4.	send / an angry email	....	....
5.	suggest / some changes	....	....
6.	describe / the building	....	....
7.	give / the key	....	....
8.	show / a model	....	....

7 Übersetzen Sie. Verwenden Sie dabei einen Passivsatz.

1. Mein Fotoapparat ist gestohlen worden.

....

2. Die Sendung wurde von 30 Millionen Menschen gesehen.

....

3. Meine Firma ist übernommen* worden.

....

4. Sie ist von einer amerikanischen Firma gekauft worden.

....

5. Man hat mir eine Arbeitsstelle in New York angeboten.

....

6. Jemand kocht gerade den Kaffee.

....

* *übernehmen:* take over

8 Verwandeln Sie die Aktivsätze in Passivsätze ohne **by**.

1. They opened the hotel in 1920.

   ....

2. We ask passengers to check in early.

   ....

3. People can only buy tickets on the internet.

   ....

4. They have sold all the tickets.

   ....

5. Someone has already written the report.

   ....

6. How do you spell this word?

   ....

7. They will decide the date soon.

   ....

8. Someone has lost the keys.

   ....

9. Someone booked two tables.

   ....

10. They spent $6 million.

   ....

In dieser Lektion beschäftigen Sie sich mit folgenden Themen:

- **Hypothesen** und **Bedingungen** formulieren
- **Ausrufe** und höfliche **Proteste**
- **Bedingungssätze**
- **Phrasal Verbs**

Unit 19

A song

There's a hole in my bucket, dear Nigel,
dear Nigel.
There's a hole in my bucket, dear Nigel,
a hole.
Then mend it, dear Andrew, dear
Andrew, dear Andrew.
Then mend it dear Andrew, dear
Andrew, mend it.
With what shall I mend it, ... ?
With straw, dear Andrew, ...
But if the straw was too long, ... ?
You'd have to cut it, ...
With what would I cut it, ... ?
With a knife, ...
But if the knife was too blunt, ... ?
You'd have to sharpen it, ...
With what would I sharpen it, ... ?
With a stone, ...
But if the stone was too dry, ... ?
You'd have to wet it, ...
With what would I wet it, ... ?
With water, ...
With what would I fetch it, ... ?
With a bucket, ...
But there's a hole in my bucket, ...
There's a hole in my bucket, dear Nigel,
a hole.

Ein Lied*

Ein Loch ist im Eimer, lieber Nigel, lieber Nigel.
Ein Loch ist im Eimer, lieber Nigel, ein Loch.
Dann stopf es, lieber Andrew, lieber Andrew,
lieber Andrew.
Dann stopf es, lieber Andrew, lieber Andrew,
stopf es.
Womit soll ich es stopfen, ... ?
Mit Stroh, lieber Andrew, ...
Wenn das Stroh aber zu lang wäre, ... ?
Du müsstest es schneiden, ...
Womit würde ich es schneiden, ... ?
Mit einem Messer, ...
Wenn das Messer aber zu stumpf wäre, ... ?
Du müsstest es schärfen, ...
Womit würde ich es schärfen, ... ?
Mit einem Stein, ...
Wenn der Stein aber zu trocken wäre, ... ?
Du müsstest ihn nass machen, ...
Womit würde ich ihn nass machen, ... ?
Mit Wasser, ...
Womit würde ich es holen, ... ?
Mit einem Eimer, ...
Aber ein Loch ist im Eimer, ...
Ein Loch ist im Eimer, lieber Nigel, ein Loch.

* Die Übersetzung orientiert sich am englischen Text, nicht an dem auch in Deutschland bekannten Lied.

What's new? E 5, 6

Das bekannte Lied *Wenn der Topf nun aber ein Loch hat* bzw. *Ein Loch ist im Eimer* hat also auch einen „Verwandten" im angelsächsischen Kulturraum. Sprachlich gilt unser Augenmerk den darin vorkommenden Konditional- oder Bedingungssätzen. Die Konstruktion und das Grundprinzip solcher Sätze ist Ihnen ja schon aus → Lektion 8 bekannt: Ein Bedingungssatz besteht aus zwei Teilen, einer durch **if** eingeleiteten Bedingung und einer Folge. Beide zusammen drücken aus, was unter bestimmten Umständen geschieht, oder etwas genauer gesagt: Bedingungssätze drücken aus, was geschehen *wird*, was geschehen *würde* oder aber was geschehen *wäre* (jedoch in Wirklichkeit nicht geschehen ist). Dafür gibt es drei verschiedene Typen von Bedingungssätzen. Mit dem ersten haben Sie sich bereits beschäftigt, nun lernen Sie die beiden anderen. Das Lied enthält Beispiele des zweiten Typs: Es geht dabei immer um die Frage *Was wäre, wenn …*, das heißt: *Was würde* eintreten, *wenn* eine bestimmte Bedingung erfüllt wäre?

Bedingung	Folge
If the straw was too long ... *Wenn das Stroh zu lang wäre, ...*	you'd have to cut it. *müsstest du es schneiden.*

In Sätzen wie diesem steht **'d** nicht für **had** (→ Lektion 17), sondern für **would** – ein Wort, das Ihnen bereits mehrfach als Vokabel begegnet ist, beispielsweise im Ausdruck **I'd like (I would like)** *ich möchte*.

Mehr zum Thema Bedingungssätze erfahren Sie im Abschnitt **Grammar**.

In the country

Bob Walker and his girlfriend, Sarah, are on their way to a village in the country where his niece is performing in a school pantomime. But Bob has left the piece of paper with the address of the school at home, they have no road atlas …*

Bob: If only I hadn't forgotten my mobile, we could ring them up.
Sarah: True. But it can't be helped. We'll just have to carry on till we find someone we can ask. ... So you think the place is called "Lower" something?
Bob: I think so. If it was daytime, this would be easier.
Sarah: And if it wasn't so cold, I'd feel more comfortable.
Bob: Shall I turn the heating up?
Sarah: Please. Oh, look, here's a crossroads coming now.
Bob: Can you see what it says on the sign?
Sarah: "Nettlebed" this way, a place called "Worthington Stacey" that way, and "Cublington" straight on.

Bob: None of those sound familiar. If we had an atlas, we could look them up. Or if this car had a navigation system.
Sarah: Oh, look. There's another car coming. Let's stop it.

Bob gets out, stops the other car, talks to the driver, then comes back.

Bob: He's not from here. I'm sorry. If I hadn't been in such a hurry, none of this would have happened.
Sarah: Let's put it down to stress. Anyway, it's quite exciting. These old-fashioned place names.

They drive on.

Sarah: Stop! There was a sign down that little road we've just passed. Yes, look. "Upper Slaughter". If there's an "Upper" something near here, there's probably a "Lower" something, too. Let's go and look.

They continue until they come to a village with a pub. Bob says that he will go in and ask. Fifteen minutes later he finally returns.

Sarah: What took so long? Wait, I don't believe it! You've been drinking, I can smell it on your breath! While I've been waiting here in the cold! Sometimes I really don't know why I put up with it.
Bob: I can explain. You see, they were having a quiz evening, and I asked a question. I said, "Which team can name me a place round here with a word meaning 'lower'? I'll buy a round for the team with the most names." And it came up in one of the team's lists: Nether Puckington. I recognized it straightaway when I saw it. Then I had to stay and buy the drinks of course, and I couldn't really then just leave.
Sarah: Oh, OK. So it wasn't "Lower" something at all.
Bob: Well, "Nether" means the same as "Lower".
Sarah: That's true. So where is Nether Puckington?
Bob: Oh no! I forgot to ask.
Sarah: You forgot to ask?! OK, I'll go in this time. And while I'm about it, I'll have a vodka or something to warm me up.

* Ein *pantomime* ist die Bearbeitung eines Märchens als fröhliches Theaterstück mit Gesang, Tanz und Witzen. In Großbritannien wird es traditionell um die Weihnachtszeit gespielt.

Vocabulary

A song	
song	*Lied*
bucket	*Eimer*
mend	*stopfen, flicken, reparieren*
straw	*Stroh*
blunt	*stumpf*
sharpen	*schärfen*
stone	*Stein*
wet *V*	*anfeuchten, nass machen*
fetch	*holen*
In the country	
niece	*Nichte*
perform	*aufführen, (mit)spielen*
pantomime	*(kleines Theaterstück)*
atlas	*Atlas*
ring s.o. up	*jdn anrufen*
it can't be helped	*daran lässt sich nichts mehr ändern*
carry on	*weiterfahren*
be called	*heißen, genannt werden*
Lower-	*Unter- (bei Ortsnamen)*
daytime	*(bei) Tag*
heating	*Heizung*
crossroads	*(Straßen-) Kreuzung*
it says	*da steht*
sign	*Schild*
this way	*hier entlang, hierhin*
that way	*dort entlang, dorthin*
straight on	*geradeaus*
none	*keine(r, s)*
familiar	*bekannt, vertraut*
look s.th. up	*etw. nachschlagen*
navigation system	*Navigationssystem*
be in a hurry	*in Eile sein, es eilig haben*
put s.th. down to s.th.	*etw. auf etw. zurückführen*
stress	*Stress*
old-fashioned	*altmodisch, veraltet*
pass	*vorbeigehen / -fahren (an)*
Upper-	*Ober- (bei Ortsnamen)*
finally	*endlich*
return	*zurückkehren*
I don't believe it!	*Das ist doch nicht zu fassen!*
breath	*Atem*
put up with s.th.	*etw. ertragen, etw. mitmachen*
name *V*	*(be)nennen*
round here	*hier in der Nähe*
round *Subs*	*Runde*
come up	*auftauchen, hochkommen*
Nether-	*Nieder-, Unter- (bei Ortsnamen)*
recognize	*(wieder) erkennen*
straightaway	*sofort*
while I'm about it	*wenn ich schon mal dabei bin*
warm s.o. / oneself up	*jdn / sich aufwärmen*

Grammar

1. Bedingungssätze Typ 2 *E 5, 6*

Mit Bedingungssätzen des Typs 2 und 3 können Sie Hypothesen aufstellen.

Mit Typ 2 spekulieren Sie darüber, was wäre, wenn die Gegenwart anders aussähe (was ja in Wirklichkeit unmöglich ist):
If it **was** daytime, it **would be** easier to find the place. (But it's not daytime, it's night.)
Wenn es Tag wäre, wäre es leichter den Ort zu finden. (Aber es ist nicht Tag, sondern Nacht.)
If we **had** a road atlas, we **could** look the places up. (But we don't have one with us.)
Wenn wir einen Straßenatlas hätten, könnten wir die Orte nachschlagen.
(Aber wir haben keinen dabei.)

In der Bedingung (**if**-Satz) verwenden Sie die einfache Vergangenheit – obwohl Sie über die jetzige Gegenwart sprechen! In der Folge verwenden Sie **would** + Infinitiv, oder aber ein Modalverb.

Tipp: Vermeiden Sie folgenden häufigen Fehler: Im **if**-Satz kann man NICHT **would** verwenden! Dies ist besonders tückisch, da in der deutschen Übersetzung meist *würde* oder der Konjunktiv steht.

Mit Typ 2 können Sie auch darüber spekulieren, wie die Zukunft aussehen würde, wenn bestimmte Bedingungen erfüllt wären:
If I **became** famous, I **would** need a bodyguard.
Wenn ich berühmt würde, bräuchte ich einen Bodyguard.

Mit Bedingungssätzen vom Typ 1 sprechen Sie ebenfalls über die Zukunft, jedoch mit folgendem Unterschied: Typ 1 verwenden Sie, wenn Sie etwas als möglich oder wahrscheinlich einstufen, Typ 2 dagegen, wenn Sie etwas als unwahrscheinlich empfinden.

- Typ 1:
  If it is nice at the weekend, I'll go surfing.
  Wenn es am Wochenende schön ist, gehe ich surfen.
  (Es ist vorstellbar und möglich, dass das Wetter am Wochenende schön wird.)
- Typ 2:
  If I won €5 million, I'd give up my job.
  Wenn ich 5 Millionen Euro gewinnen würde, würde ich aufhören zu arbeiten.
  (Es ist unwahrscheinlich, dass ich 5 Millionen Euro gewinne.)

2. Bedingungssätze Typ 3 E7

Während Typ 2 etwas über die Gegenwart oder Zukunft aussagt, befasst sich Typ 3 mit der Vergangenheit. Hier geht es immer um die Frage *Was wäre gewesen, wenn die Dinge anders gewesen wären?* Die Vergangenheit ist „festgeschrieben", das heißt, es geht immer um Bedingungen, die 100 % irreal sind und niemals Wirklichkeit werden können.

If I **had brought** my mobile with me, I **would have phoned** to ask the way.
(But I didn't bring it.)
Wenn ich mein Handy mitgebracht hätte, hätte ich angerufen, um nach dem Weg zu fragen.
(Aber ich habe es nicht mitgebracht.)
If I **hadn't been** in such a hurry, this **wouldn't have happened**.
(But I was in a hurry and so it happened.)
Wenn ich nicht so in Eile gewesen wäre, wäre dies nicht passiert.
(Aber ich war in Eile und deshalb ist es passiert.)

In der Bedingung (**if**- Satz) verwenden Sie das **Past Perfect** (**had** + Partizip Perfekt). In der Folge verwenden Sie **would have / could have / might have** + Partizip Perfekt. In Bedingungssätzen vom Typ 3 ist oft eine der beiden Verbformen verneint.

3. Gemischte Bedingungssätze

Es gibt auch Bedingungssätze, bei denen die Zeitenfolge der Verben etwas von den drei Grundtypen abweicht. Dies ist meistens aus dem Sinnzusammenhang heraus erklärbar. Hier einige Beispiele:

If you **have** a navigation system, it **is** usually easy to find your way.
Wenn man ein Navigationssystem hat, findet man meist leicht den Weg.
If Tim **was** older, we **would have taken** him with us.
Wenn Tim älter wäre, hätten wir ihn mitgenommen.
If I **hadn't forgotten** my mobile, I **could** now phone them.
Wenn ich mein Handy nicht vergessen hätte, könnte ich sie jetzt anrufen.

4. *Phrasal verbs* E 2, 3

Ein **Phrasal verb** ist eine Kombination aus Verb + Präposition / Adverb oder Verb + Präposition + Adverb. Präposition bzw. Adverb nennt man auch *Partikel*. Im Dialog finden Sie die folgenden Beispiele:

We could **ring** them **up**. *Wir könnten sie anrufen.*
Shall I **turn** the heating **up**? *Soll ich die Heizung aufdrehen.*
We could **look** the places **up** in the atlas. *Wir könnten die Orte im Atlas nachschlagen.*
Let's **put** it **down** to stress. *Führen wir es auf Stress zurück.*
I don't know why I **put up with** it. *Ich weiß nicht, warum ich das mitmache.*
The name **came up** on one of the lists. *Der Name ist auf einer der Listen aufgetaucht.*
I'll have a vodka to **warm** me **up**. *Ich trinke einen Wodka, um mich aufzuwärmen.*

Sie sehen schon: bei einigen Kombinationen ist die Bedeutung aus den Einzelteilen leicht zu erschließen, bei anderen überhaupt nicht. Oft hat die Kombination den Charakter eines Idioms.

Intransitive *Phrasal verbs*

Es gibt sowohl transitive (mit Objekt) als auch intransitive (ohne Objekt) **Phrasal verbs.** Bei intransitiven können Sie die Elemente des Verbs nicht trennen, das heißt kein anderes Wort kann zwischen Verb und Partikel stehen. Zu diesen Verben zählen z. B. die folgenden:

break in	*einbrechen*	go on	*andauern*
call back	*zurückrufen*	go out	*ausgehen*
eat out	*essen gehen*	lie down	*sich hinlegen*
get up	*aufstehen*	sit down	*sich setzen*
go away	*weggehen, verreisen*	stand up	*aufstehen*
go down	*zurückgehen*	wake up	*aufwachen*

Transitive *Phrasal verbs*

Bei transitiven **Phrasal verbs** variiert die Stellung des Objekts.

- Gruppe 1: Das Objekt kann entweder zwischen Verb und Partikel oder auch nach der Partikel stehen. Ist das Objekt lang, so steht es in der Regel nach der Partikel. Ist es ein Pronomen, so muss es zwischen Verb und Partikel stehen. Vergleichen Sie:
  I rang up **everybody**.
  I rang **everybody** up.
  I rang up **everybody that I knew from my many years in the club**.
  I rang **them** up.

- Gruppe 2: Verb und Partikel können nicht getrennt werden.
  Who is going to look after **your cat**? *Wer wird auf eure Katze aufpassen?*
  Can you please look through **your list**? *Können Sie bitte Ihre Liste durchsehen?*

Gruppe 1		Gruppe 2	
give away	*verschenken*	get in(to) / out of	*einsteigen in / aussteigen aus*
give up	*aufgeben*	get on / off	*einsteigen in / aussteigen aus*
look up	*nachschlagen*	get on with	*auskommen mit*
put down	*ab-, hinstellen*	look after	*aufpassen auf*
put on	*anziehen*	look for	*suchen*
ring up	*anrufen*	look forward to	*sich freuen auf*
take off	*abnehmen, ausziehen*	look through	*durchsehen*
try out	*ausprobieren*	put up with	*ertragen*
turn up	*aufdrehen, lauter machen*	run into	*hineinfahren in*

Darüber hinaus gibt es eine kleine Gruppe von Verben, bei denen das Objekt nur zwischen Verb und Partikel stehen kann.
I'll call / phone / ring **you / the person** back later. *Ich rufe Sie / die Person später zurück.*
I'll put **you / the person** through. *Ich stelle Sie / die Person durch.*

Language in use

Protestieren E 4

Protestieren kann man auf verschiedene Art und Weise. Die folgenden Ausdrücke sind auf einer Skala von *höflich* bis *entrüstet* angeordnet. Die richtige Wahl ist wichtig!
I'm sorry. I think there has been a misunderstanding.
Entschuldigung, mir scheint, dass hier ein Missverständnis vorliegt.
There is something I feel I must put right. *Da ist etwas, das ich richtigstellen muss.*
You don't really mean that …?
Sie wollen doch nicht sagen / Sie meinen doch nicht im Ernst, dass …?
I don't believe it! *Das ist doch nicht zu fassen!*
I beg your pardon! *Ich muss doch sehr bitten!*

It says, they say

Die Ausdrücke **it says** und **they say** entsprechen dem deutschen *da steht.*
What **does it say** on the sign? *Was steht auf dem Schild?*
Do they say anything about the cost? *Steht da irgendetwas über die Kosten?*

With what shall I mend it?

In den Fragen des Einstiegstextes steht die Präposition **with** vor dem Fragewort **what**. Diese Wortstellung wirkt im modernen Alltagsenglisch etwas gestelzt. Üblich ist die Stellung Fragewort am Satzanfang, Präposition am Satzende.
Who did you go **with**? *Mit wem bist du (mit-, hin-)gegangen?*
What are you looking **at**? *Was schaut ihr an?*

Useful expressions E 2, 3

Weitere *Phrasal verbs*

ask for s.th.	*um etwas bitten*
calm down	*sich beruhigen*
go back	*zurückgehen*
grow up	*aufwachsen*
hang s.th. up / hang up s.th.	*etwas aufhängen*
leave s.th. out / leave out s.th.	*etwas weglassen*
look up	*hochschauen*
pick s.th. / s.o. up	*etwas aufheben, jdn / etwas abholen*
pull s.th. down / pull down s.th.	*etwas abreißen*
put s.th. away / put away s.th.	*etwas wegstellen*
set off	*aufbrechen*
show s.o. round	*jdn herumführen*
stand up	*aufstehen*
stay up	*aufbleiben*
take s.th. out / take out s.th.	*etwas herausnehmen*
throw s.th. away / throw away s.th.	*etwas wegwerfen*
try s.th. on / try on s.th.	*etwas anprobieren*
turn s.th. down / turn down s.th.	*etwas herunterdrehen*
turn s.th. off / turn off s.th.	*etwas ausschalten*
turn s.th. on / turn on s.th.	*etwas einschalten*
turn round	*sich umdrehen*
wait up	*aufbleiben*
wash up	*abwaschen, spülen*
wash s.th. up / wash up s.th.	*etwas abwaschen, spülen*

i Ortsnamen sind eine Wissenschaft für sich. Alte Ortsnamen wie die im Dialog wirken für unsere Ohren oft komisch oder urig. Sie sagen uns etwas über die Geschichte des Ortes. In der neuen Welt verrät der Ortsname oft die Herkunft der ersten Siedler. So gibt es in den USA und Kanada mindestens fünf größere Städte, die den Namen London tragen. Daneben finden sich dort übrigens auch Ortsnamen wie *Frankfurt, Mannheim* oder *Berlin*.

Exercises

1 Ergänzen Sie gleichbedeutende Ausdrücke aus dieser Lektion.

1. phone s.o. ....

2. get (something from somewhere) ....

3. in this direction ....

4. not one, not any ....

5. check (a number in a phone book) ....

6. come or go back ....

7. in this area ....

8. immediately ....

2 Setzen Sie die richtige Partikel ein.

down	for	off	on	out (2x)	round	up (3x)

1. Could you pick me .... at the station?

2. In the winter it's so much more difficult to get .... in the mornings.

3. On the list of guests you can leave .... Steve and Susanne because they're away in Australia.

4. Would you like to try the jacket ...., too?

5. ● Where do we get .... this bus? ● At the next stop.

6. Turn the music ...., I can't hear it.

7. Who shall we ask .... help? David or Janine?

8. When she turned .... I recognized who it was.

9. Just calm .... You really needn't worry.

10. I don't feel like cooking. Let's eat ....

3 Bilden Sie aus den Einzelteilen Sätze.

1. after / our neighbours' cat / this week we're looking

   ....

2. smoking / are you / when / give / going to / up

   ....?

3. it / take / off

   It looks awful. ....!

4. where / hang / the pictures / are we / up / going to

   ....?

5. I / through / the list / looked

   ....

6. you / me / can / back / phone

   ....?

4 Ergänzen Sie das Gespräch mit Ausdrücken des Protests.

Situation: Sally Walters has been given room 657 at a hotel, but when she gets to the room, she finds that the room has already been given to someone else, a man. She goes to reception.

Sally: I'm sorry, I think there has been ....
I am not with the gentleman in 657.

Receptionist: I have no other room. Mr Swallow has a double room, and he is happy to share* it with you.

Sally: You don't .... that you think I should share a room with a complete stranger!? I don't ....!

Receptionist: He seems very nice. Maybe the two of you will really hit it off**.

Sally: I beg ....!

* share: *teilen* ** hit it off: *sich prächtig verstehen*

5 Die folgenden Sätze sind Bedingungssätze des Typs 2. Ergänzen Sie die Verben.

1. If I ...sold... my car, I .... (walk) more.
2. If I .... (walk) more, I .... (get) fitter.
3. If I .... (get) fitter, I .... (have) more energy to go out.
4. If I .... (go) out more, I .... (meet) new people.
5. If I .... (meet) new people, perhaps I .... (find) a girlfriend.
6. If I .... (find) a girlfriend, perhaps I .... (need) a car.

6 Schreiben Sie einen passenden Bedingungssatz des Typs 3.

1. I forgot my mobile, so I couldn't phone my friends and ask for directions.
   If I hadn't ....
2. I missed my train, so I arrived late for work.
   ....
3. I booked too late. I didn't get a ticket.
   ....
4. I didn't listen to the radio, so I didn't know that it was going to snow.
   ....

7 Übersetzen Sie.

1. Ich hätte die Wohnung nicht genommen, wenn ich gewusst hätte, wie laut die Nachbarn sind.
   ....
2. Es wäre nicht passiert, wenn wir langsamer gefahren wären.
   ....
3. Wenn du nicht angerufen hättest, wäre ich zu spät aufgestanden.
   ....
4. Ich wäre nicht mitgekommen, wenn ich gewusst hätte, dass das Auto keine Heizung hat.
   ....

In dieser Lektion lernen Sie:
- **Bericht** zu erstatten
- **Informationen** zu erfragen und zu geben
- die **indirekte Rede**
- Verben des **Sagens**, **Glaubens** und **Meinens**
- die Verben **lie** und **lay** sowie **say** und **tell**

Unit 20

Incident report

Filed by Steve Duvalier, 14 March, 11.30 a.m.
At 10.17 today I received an emergency cellphone call from Mason Falls. I alerted the Emergency Rescue helicopter at 10.18. The caller was a Canada Wild survival trainer by the name of Jack Walker. He operates regularly in the nature reserve and is known to the security service as an experienced and trustworthy guide. He gave me the following details. He said that he was standing at the foot of the Falls and a man had fallen down the waterfall, about 30 ft. He said it looked as if his leg was broken. He said he didn't know how long the man had lain there, but he thought the accident must have happened in the preceding 30 minutes because he had passed that way with his group only 30 minutes before. He said he had given the man emergency first aid but didn't want to move him ...

Steve Duvalier
Park administration

Bericht über einen Zwischenfall

Erstattet von Steve Duvalier, 14. März, 11.30 Uhr
Heute um 10.17 Uhr erhielt ich einen Handy-Notruf vom Wasserfall Mason Falls. Den Rettungshubschrauber alarmierte ich um 10.18 Uhr. Der Anrufer war ein Überlebenstrainer namens Jack Walker von „Canada Wild". Er arbeitet regelmäßig im Naturpark und ist dem Sicherheitsdienst als erfahrener und vertrauenswürdiger Führer bekannt. Er gab mir folgende Einzelheiten. Er sagte, er stehe am Fuße des Wasserfalls, wo ein Mann etwa 30 Fuß in die Tiefe gestürzt sei. Er sagte, es sehe so aus, als ob sein Bein gebrochen sei. Er sagte, er wisse nicht, wie lange der Mann schon dort gelegen habe, aber er vermute, dass sich der Unfall in den vorausgegangenen 30 Minuten ereignet haben müsse, weil er mit seiner Gruppe erst 30 Minuten zuvor an dieser Stelle vorbeigegangen sei. Er sagte, er habe dem Mann Erste Hilfe geleistet, aber er wolle ihn nicht bewegen ...

Steve Duvalier
Parkverwaltung

What's new? *E 5, 6, 7, 8*

Es gibt verschiedene Möglichkeiten einen Vorfall als Bericht wiederzugeben. Eine Boulevardzeitung würde aus dem oben beschriebenen Ereignis eine Story machen, die Neugierde weckt und Sensationslust stillt. Dort würden nur wenige Zitate wortgetreu wiedergegeben werden. Bei dem Bericht des Parkwächters geht es dagegen um eine möglichst genaue, sachliche Wiedergabe des Notrufs. Diese ist allein schon aus versicherungstechnischen Gründen geboten. Wie exakt der Bericht ist, können Sie feststellen, wenn Sie sich den genauen Wortlaut des Notrufs im Dialog unten ansehen.

Sprachlich geht es im Einstiegstext um die indirekte Rede. Nach welchen Regeln diese im Englischen funktioniert, erfahren Sie, wenn Sie die direkte, wörtliche Rede im Dialog mit der indirekten Wiedergabe im Einstiegstext vergleichen.

An emergency call

Warden: Park Security Service. How can I help you?
Jack: Steve? This is Jack Walker. I need help, fast.
Warden: Is it an emergency?
Jack: Yes. Someone's hurt, pretty bad.
Warden: One person?
Jack: Right.
Warden: And where?
Jack: Prince's Glen.
Warden: Do you need a helicopter?
Jack: Yes, and a stretcher.
Warden: OK. Let me alert the Emergency Service, then I'll come back to you for the details. You're on your cellphone?
Jack: Right.
Warden: Can you hang on?
Jack: Sure.
Warden: OK, I'll be right back.

The warden alerts the park's emergency helicopter, then continues the phone call.

Warden: OK, the helicopter is on its way. The team is listening in to us now. Let's have the details.
Jack: I'm standing right at the foot of the Mason Falls. Someone has fallen down the waterfall, about 30 feet. He's pretty badly injured. It looks as though his leg is broken. I don't know how long he's been here, but it must have happened in the last 30 minutes because I passed this way with my group only 30 minutes ago. I've given him emergency first aid, but I don't want to move him.

Warden:	How cold is he?
Jack:	Still quite warm. I don't think he can have been here more than a few minutes.
Warden:	Good. *(To the helicopter:)* How long do you guys need?
Voice:	About 12 minutes.
Warden:	Did you hear that, Jack?
Jack:	Sure.
Warden:	OK, Jack. Can you help find a place where they can land?
Jack:	Sure. I've already asked some of my group to start looking.
Warden:	Great. OK, I'm going to pass you over to the helicopter now, Jack. Thanks, and good luck.

Two weeks later the phone goes in the Walkers' apartment.

Jack:	Hello?
Man:	Hello. Is this Jack Walker?
Jack:	Speaking.
Man:	I'm Gerd Trenkelmann, the man who fell down the waterfall.
Jack:	Oh, hi! How are you doing?
Man:	Fine, just fine. I'm flying back to Germany today, and I wanted to say thank you for all you did for me. If you hadn't found me, I don't know what would have happened.
Jack:	No problem. Anybody else would have done the same.
Man:	I don't know. Look, Jack. Have you ever been to Germany?
Jack:	No. No, I haven't.
Man:	Well, I wanted to ask you – I feel so grateful to you – if you and your family ...

Vocabulary

Incident report	
incident	*Zwischenfall, Vorfall*
filed	*erstattet*
receive	*erhalten*
emergency	*Notfall, Not-*
... Falls	*... (Wasser-) Fall / Fälle*
alert *V*	*alarmieren*
rescue	*Rettung, Rettungs-*
helicopter	*Hubschrauber*
caller	*Anrufer*
by the name of	*namens, mit Namen*
operate	*tätig sein*
regular	*regelmäßige (r, s)*
nature reserve	*Naturschutzgebiet*
security	*Sicherheit(s-)*
experienced	*erfahren*
trustworthy	*vertrauenswürdig*
guide	*Führer(in)*
waterfall	*Wasserfall*
ft (feet)	*Fuß (Maßeinheit)*
as if	*als ob*
lie (lay, lain)	*liegen*
preceding	*vorangegangene(r, s)*
first aid	*Erste Hilfe*
An emergency call	
warden	*Parkaufseher*
hurt	*verletzt*
pretty *Adv*	*ziemlich*
stretcher	*Trage*
hang on	*dranbleiben*
be on one's way	*unterwegs / auf dem Weg sein*
injured	*verletzt*
as though	*als ob*
pass s.o. over to s.o.	*jdn an jdn weiterreichen*
land	*landen*
Good luck!	*Viel Glück!*
grateful	*dankbar*

Grammar

1. Die indirekte Rede *E 5, 6, 7, 8*

Eine Aussage können Sie direkt oder indirekt wiedergeben.

- Aussage:
  "I am standing here at the foot of the waterfall. I was here yesterday, too."
- Direkte Wiedergabe:
  He said, "I am standing here at the foot of the waterfall. I was here yesterday, too."
- Indirekte Wiedergabe:
  He said (that) he was standing there at the foot of the waterfall.
  He said (that) he had been there the day before, too.

Bei der indirekten Wiedergabe verändern Sie Ihre Aussage wie folgt:

- Sie leiten Ihren Satz mit einem Verb des Sagens oder Berichtens, z. B. **said** ein.
- Nach diesem Verb setzen Sie (ohne Komma) **that** ein oder Sie schließen den Bericht direkt an.
- Die Pronomen werden verändert, z. B. von **I** zu **he, my** zu **his.**
- Ortsangaben verändern sich, z. B. von **here** zu **there**.
- Zeitbestimmungen verändern sich, z. B. von **yesterday** zu **the day before**
- Die Zeitform des Verbs verändert sich, z. B. von **am standing** zu **was standing**.

2. Zeitverschiebung in der indirekten Rede *E 5, 6*

Steht das einleitende Verb des Sagens in der Gegenwart, so verändert sich die Zeitform in dem Satz, der wiedergegeben wird, nicht:
He **says** (that) he **is standing** there at the foot of the waterfall.

Steht das Verb des Sagens jedoch in der Vergangenheit, so wird das Verb in dem Satz, der wiedergegeben wird, um eine Zeitstufe in die Vergangenheit „verschoben“.

Gegenwart		Vergangenheit
"I **am** at Mason Falls."	▶	Jack said he **was** at Mason Falls.
"I **am standing** at the foot of the falls."	▶	He said he **was standing** at the foot of the falls.
"I **know** Jack Walker."	▶	Steve said he **knew** Jack Walker.
"I **don't know** the man."	▶	Jack said he **didn't know** the man.
Present Perfect		**Past Perfect**
"He **has** fallen."	▶	Jack said the man **had** fallen.
will		**would**
"The helicopter **will** be there in 12 minutes."	▶	Steve said the helicopter **would** be there in 12 minutes.
can, may		**could, might**
"I **can** help."	▶	Jack said he **could** help.
"It **may** be difficult."	▶	Jack thought it **might** be difficult.

Vergangenheitsformen können ins **Past Perfect** verschoben werden, müssen es aber meist nicht:
"I **passed** this way." ▶ Jack said he (**had**) **passed** that way.

Past-Perfect-Formen sowie **would**, **could**, **might** und **should** verändern sich nicht.

3. Fragen in der indirekten Rede E 8

Bei der Wiedergabe von Fragen in der indirekten Rede ist es wichtig, zwischen sogenannten Entscheidungsfragen und Fragen mit Fragewörtern zu unterscheiden. Entscheidungsfragen werden mit *Ja* oder *Nein* beantwortet, Fragewort-Fragen mit einer Information.

Entscheidungsfragen berichten Sie mit **asked if** oder **asked whether**, Fragewort-Fragen mit **asked** + Fragewort. Die Zeitform des Verbs wird „verschoben".
"Can you hang on?" ▶ Steve asked **if / whether** Jack could hold on.
"**How** old is the man?" ▶ He asked **how** old the man was.

Die Wortstellung bleibt die einer Aussage, d. h. Subjekt und Verb werden nicht vertauscht:
He asked how old the man was. *Er fragte mich, wie alt der Mann war.*

4. Befehlssätze und Bitten in der indirekten Rede E 7

Befehle geben Sie mit **tell s.o. to do s.th.** wieder, Bitten mit **ask s.o. to do s.th.**
"Start immediately!" ▶ Steve **told** the helicopter **to** start immediately.
"Can you help to find a place where they can land?" ▶ Steve **asked** Jack **to** help to find a place where they could land.

5. Verben des Sagens E 3, 5

Say, **ask** und **tell** sind die häufigsten Verben des Sagens. Eine indirekte Rede können Sie jedoch auch mit anderen Verben einleiten, insbesondere mit solchen des Glaubens und Meinens wie z. B. **think**.
"He'll be OK." ▸ Jack **thought** the man would be OK.

Weitere Möglichkeiten sind:
- anstelle von **say** / **tell**:
  hope *hoffen*, **promise** *versprechen*, **complain** *sich beschweren*, **explain** *erklären*, **suggest** *vorschlagen*, **answer** *antworten*, **remember** *sich erinnern*, **warn** *warnen*
- anstelle von **ask**:
  want to know *wissen wollen*, **want to find out** *herausfinden wollen*, **wonder** *sich fragen*.

Weitere Verben zur Einleitung der indirekten Rede finden Sie bei **Useful expressions**.

Language in use

Informationen erfragen

Can you tell me ...? *Können Sie mir sagen, ...?*
I have to / must / need to know ... *Ich muss wissen, ...*
Who / What / When / Where ...? *Wer / Was / Wann / Wo ...?*
How exactly ...? *Wie genau ...?*
Just a moment, please. *Einen Augenblick, bitte.*
I'll be right back. *Ich bin gleich zurück.*

lie – lay E 4

Die folgenden drei Verben haben sehr ähnliche Formen und bergen daher eine gewisse Verwechslungsgefahr:
- **lie** (lying), **lay**, **lain** *liegen*:
  He lay in bed. *Er lag im Bett.*
  How long has he lain there? *Wie lange liegt er schon da?*
- **lie** (lying), **lied**, **lied** *lügen*:
  Don't lie to me! *Lüg mich nicht an.*
  You lied to her. *Du hast sie angelogen.*
- **lay** (laying), **laid**, **laid** *legen*:
  They laid the man carefully on the stretcher.
  Sie legten den Mann vorsichtig auf die Tragbahre.

say – tell E 4

Say und **tell** heißen beide *sagen*. Wann verwenden Sie welches der beiden?

- Wenn Sie die Person, der etwas gesagt wird, nennen, verwenden Sie **tell**:
  Jack **told** Steve that the man was injured. *Jack sagte Steve, dass der Mann verletzt war.*
- Wenn Sie sie nicht nennen, benutzen Sie **say**:
  Jack **said** that the man was injured. *Jack sagte, dass der Mann verletzt war.*

Useful expressions E 3, 5

Weitere Verben des Sagens			
add	*hinzufügen*	shout	*schreien*
reply	*erwidern*	whisper	*flüstern*
state	*erklären, feststellen*	demand	*verlangen*
		mention	*erwähnen*

Exercises

1 Welche Vokabeln fallen Ihnen zum Begriff **nature reserve** ein?

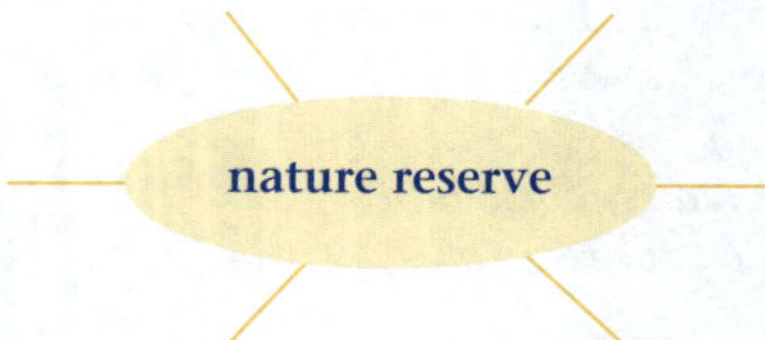

2 Hier sehen Sie einige Abkürzungen. Erraten Sie, was sie bedeuten?

ft	Monday	Ankunft
m	metres	bitte
pls	frequently asked questions	Dezember
asap	arrival	Fuß
Mon	feet	häufig gestellte Fragen
Dec	miles per hour	Meilen pro Stunde
arr	December	Meter
e.g.	please	Montag
FAQ	as soon as possible	so bald wie möglich
mph	for example	zum Beispiel

3 Ergänzen Sie ein Verb des Sagens in der angegebenen Bedeutung.

1. say very quietly ....
2. say very loudly ....
3. answer ....
4. ask very strongly ....
5. say as extra information ....
6. ask oneself ....

4 Streichen Sie jeweils die falsche Form durch.

1. The president *lay* / *lied* to the people, but they didn't seem to worry.
2. How long had the man *laid* / *lain* at the foot of the waterfall?
3. Please *lay* / *lie* the table. Lunch is in five minutes.
4. She *laid* / *layed* her baby very carefully into its bed.
5. I *lied* / *lay* on my back and looked up at the sky.
6. Julia is *lieing* / *lying* on the sofa.
7. What are you trying to *say* / *tell* me?
8. ● What did you just *say* / *tell*?
   ● I *said* / *told* that I can't be with you before 7 o'clock.

5 Setzen Sie die Aussagen in die indirekte Rede. Achten Sie dabei auf die Zeitverschiebung.

1. "I'm not coming."
   Tony told me that ....
2. "I'll phone again later."
   Steve promised that ....
3. "We've lost our passports."
   Jack and Brenda explained that ....
4. "Tony doesn't know yet."
   Anna whispered that ....
5. "I can't see."
   The child complained that ....
6. "Sophie is ill again."
   Her colleague reported that ....

6 Vervollständigen Sie die Einwände des zweiten Sprechers. Verwenden Sie dabei die Informationen in Klammern.

1. ● We won't hear before Friday.
   ● But yesterday you said *we wouldn't hear before Thursday.* (Thursday)
2. ● I will have to work at the weekend.
   ● But on Monday you said .... (not have to work)
3. ● I think we can park at the station.
   ● But ten minutes ago you said .... (parking not allowed there)
4. ● The same thing is going to happen as last year!
   ● But you always said .... (can never happen again)
5. ● What are we having for lunch?
   ● Ten minutes ago you said .... (not hungry)
6. ● My boss is coming to our party.
   ● But on Saturday you said .... (not come)

7 Berichten Sie über die Befehle und Bitten wie im Beispiel.
In der Klammer finden Sie Informationen über die beteiligten Personen.

1. "Don't wait." (my colleague / me)
   My colleague told me not to wait.
2. "Can you phone me back?" (I / my wife)
   ....
3. "Bring the newspaper article." (My boss / me)
   ....
4. "Please tell me your name." (the injured man / me)
   ....
5. "Don't forget to wear gloves." (the trainer / the people on the course)
   ....
6. "Could you repeat the address, please?" (the reporter / me)
   ....

8 Übersetzen Sie. Ein Deutscher berichtet amerikanischen Freunden über ein Gespräch mit einer Taxifahrerin.

1. Sie fragte mich, wo ich her sei.
   ....
2. Ich sagte ihr, ich käme aus Deutschland.
   ....
3. Sie sagte, sie hätte Verwandte in Salzburg.
   ....
4. Sie dachte, Salzburg wäre in Deutschland.
   ....
5. Ich sagte, ich bliebe nur vier Tage.
   ....
6. Die Taxifahrerin fragte, wo sie halten solle.
   ....

9 Als Jack sich zu Hause meldet, wird er von seiner Familie mit Fragen bestürmt. Geben Sie diese in der indirekten Rede wieder.

1. What has happened?

4. How are you going to get home?

5. When will you be home?

2. Where are you?

6. Why are you going to the hospital?

3. Who is the man?

1. My wife Sonia asked me ....
2. My son Mike wanted to know ....
3. My daughter Fiona asked ....
4. Sonia wanted to know ....
5. The whole family wanted to know ....
6. Mike couldn't understand and kept asking me ....

1 Lesen Sie diese Anzeige und entscheiden Sie, ob die Aussagen 1–4 wahr (**true**) oder unwahr (**false**) sind.

121 – The ideal English course

You stay in an English family, live, eat and sleep in the house, as a personal guest of your fully qualified teacher.
Two hours of conversation every morning, followed by two hours of reading, listening and writing skills training. A further two hours of grammar and vocabulary work in the late afternoon or evening.
Organized trips every day with your teacher as your personal guide.
Tests on arrival and at the end of your two-week stay. Your English will have improved 100% – or we give you your money back!
Private lessons!

	True	False
1. The advertisement doesn't say how big the groups are.	☐	☐
2. You get six hours of lessons every day.	☐	☐
3. A member of the teacher's family will show you places of interest nearby.	☐	☐
4. The advertisement says they will give you your money back if your English is not better at the end of the course.	☐	☐

Punkte ....../4

2 Ordnen Sie zu.

1. the coming	a. news
2. some surprising	b. experience
3. an interesting	c. traffic
4. high running	d. months
5. an English-speaking	e. costs
6. slow-moving	f. guide

Punkte ....../6

3 Welches Wort ist richtig? Kreuzen Sie an.

1. Everybody ☐ has / ☐ have heard the news except me.
2. Ten ☐ million / ☐ millions people live in the city.
3. We've known ☐ us / ☐ each other since we were students.
4. I'll explain it ☐ to you / ☐ you.
5. I had a red car in front of ☐ me / ☐ myself.
6. ☐ These / ☐ This jeans won't be warm enough.

Punkte ....../6

4 Übersetzen Sie die deutschen Wörter.

1. They've bought .... (sich) a house in Spain.
2. ● We haven't paid yet.
   ● .... (Wir auch nicht).
3. I warned you .... (hier zu parken).
4. ● We live here. – ● .... (Ach ja) you?
5. On their homepage .... (steht) that the guides speak German.
6. Windows was developed .... (von) Microsoft.

Punkte ....../6

5 Bilden Sie Passivsätze mit den markierten Wörtern als Subjekt.

1. They've eaten **all the sandwiches**. ....
2. They are giving **me** a new office. ....
3. People shouldn't leave **the windows** open. ....
4. When did they build **this house**? ....
5. When will we have to pay **this bill**? ....
6. How do you spell **that**? ....

Punkte ....../6

6 Setzen Sie die Verben in Klammern in die richtige Form.

1. If I .... (know) the answer, I .... (tell) you. But I don't.
2. We were lucky. If we .... (not take) a taxi, we .... (miss) the train.
3. If you .... (phone) me, I .... (can warn) you. Why didn't you?
4. Why didn't you tell me that you .... (will be) late? I've been expecting you for over half an hour.
5. The man asked the boys what they .... (do) in his garden.
6. I told them that I .... (lose) my ticket, but they didn't believe me.

Punkte ....../6

Gesamt ....../34

Übersetzung der Dialoge

1 Auf einer Tagung in Madrid

Bob:	Hallo. Sie müssen Tina Berger aus Deutschland sein.
Tina:	Ja, das ist richtig.
Bob:	Nett Sie kennenzulernen. Ich bin Bob Walker vom Londoner Büro.
Tina:	Ach ja. Hallo.
Bob:	Ich mache Sie mit dem Rest der Mannschaft bekannt. Das ist Juan Vargas vom US-Büro. Er ist aus Texas, aber sein Büro ist in Florida.
Juan:	Hi. Nett Sie kennenzulernen.
Tina:	Und Sie, Juan.
Bob:	Juans Chefin ist in New York, sie ist nicht hier auf der Tagung. Und das ist Sonia Walker. Sie ist vom Büro in Toronto. Ihr Gebiet ist Kanada.
Sonia:	Hi.
Tina:	Sie heißen also beide Walker. Sind Sie verwandt?
Sonia:	Nein, wir sind nicht verwandt.
Bob:	Nur Kollegen.
Sonia:	Nicht gute Freunde, Bob?
Bob:	Freunde auch ...
Sonia:	Danke, Bob.
Bob:	... manchmal. Sonia und Juan sind unsere zwei Vertreter in Nordamerika. Ihr Gebiet ist sehr groß, aber sie sind sehr gut. Sie sind Experten ...
Juan:	Danke für diese Komplimente, Bob.
Bob:	... manchmal.
Juan:	He!
Sonia:	Ihr Englisch ist sehr gut, Tina.
Tina:	Nun, meine Mutter ist Engländerin.
Sonia:	Ach so.
Tina:	Ja. Meine Mutter ist Engländerin und mein Vater ist Deutscher.
Sonia:	Ich verstehe. Nun, willkommen in der Mannschaft.
Tina:	Danke.

2 Ein Telefongespräch

Tina Berger meldet sich für ein Seminar am Brown's Training Institute an.

Mann:	Kann ich bitte Ihren Namen und Ihre Adresse haben?
Tina:	Der Name ist Tina Berger.
Mann:	Burger, wie in 'Burger King'?
Tina:	Nein, mit einem 'e': B E R G E R.
Mann:	Sind Sie Deutsche?
Tina:	Ja, bin ich.
Mann:	Und sind Sie ein Hamburger (eine Hamburgerin)?
Tina:	Wie bitte?

Mann: Sind Sie aus Hamburg?
Tina: Nein, bin ich nicht. Warum?
Mann: Sie wissen schon: Burger, Hamburger, Hamburg – Entschuldigung, das ist nicht sehr lustig. Nun, wo sind Sie her?
Tina: Ich bin ein Berliner.
Mann: Wie bitte?
Tina: Ich bin Berlinerin – ich bin aus Berlin. Auf Deutsch ist 'Berliner' das Wort für einen Berliner (Pfannkuchen / Krapfen).
Mann: Ach so. Und wie ist bitte Ihre Adresse? In der Stadt der Berliner.
Tina: Zuckerstraße …
Mann: Ach, können Sie das bitte buchstabieren?
Tina: Klar. Z U C K E R und dann Straße.
Mann: Das ist S T R A S S E, richtig?
Tina: Ja. Das ist Zuckerstraße.
Mann: Zuckerstraße in der Stadt der Berliner. Und sind alle süß in Ihrer Straße?
Tina: Nein, sie sind es nicht.
Mann: Tut mir leid. Und wie ist bitte die (Haus-)Nummer?
Tina: Hundertsiebenundfünfzig.
Mann: Eins fünf sieben. Danke. Und wie ist die Postleitzahl?
Tina: 14783.
Mann: Eins, vier, sieben, acht, drei. Gut, das habe ich alles, danke. Schönen Tag noch!
Tina: Auf Wiederhören.
Mann: Wiederhören.

3 Auf der Straße

Bob Walker ist auf dem Weg von seiner Wohnung in London zur U-Bahn-Station.
10.18 Uhr, vor der Bank

Tourist 1: Entschuldigung. Gibt es hier in der Nähe eine Apotheke?
Bob: Eine Apotheke? Lassen Sie mich mal nachdenken. Ja, Sie gehen hier entlang, und es gibt eine nach etwa 200 Metern links. Sie ist neben einem großen Supermarkt. Vor dem Supermarkt.
Tourist 1: 200 Meter hier entlang, auf der linken Seite, vor dem Supermarkt.
Bob: Das ist richtig. Sie können sie nicht verfehlen.
Tourist 1: Danke.
Bob: Kein Problem.

10.21 Uhr, in der Nähe des Sportzentrums

Tourist 2: Entschuldigung. Können Sie mir den Weg zum Walton Hotel sagen?
Bob: Das Walton Hotel?
Tourist 2: Ja.
Bob: Gut. Gehen Sie hier entlang und nehmen Sie die erste Straße links.
Tourist 2: Erste Straße links.

Bob: Das ist richtig. Es ist diese Straße entlang auf der rechten Seite nach dem Park. Gegenüber der Post.
Tourist 2: Also, erste Straße links, dann die Straße entlang, auf der rechten Seite, gegenüber der Post.
Bob: Genau.
Tourist 2: Danke.
Bob: Gern geschehen.

10.23 Uhr, an der Ampel

Tourist 3: Entschuldigung. Ist das hier die Cumberlandstraße?
Bob: Nein. Biegen Sie hier nach rechts in die Grovestraße ab. Die Cumberlandstraße kommt dann auf der linken Seite.
Tourist 3: Danke.

10.24 Uhr, vor der Kirche

Tourist 4: Entschuldigung, ist das hier der Weg zu ...
Bob: (*zu sich*) Nicht schon wieder ein Tourist!
(*zum Touristen*) Entschuldigen Sie, ich bin selbst fremd hier.

10.25 Uhr, am Eingang der U-Bahn-Station

Tourist 5: Entschuldigung, ...
Bob: Fahren Sie geradeaus weiter, 25 Meilen. Halten Sie nicht an.
Dann fragen Sie noch einmal.
Tourist 5: Wie bitte?

4 Zwei Jobs

Ein Gespräch am Flughafen. Tina Berger ist auf dem Weg von einem Geschäftstreffen in London nach Deutschland. In einem Café trifft sie einen Amerikaner.

Tina: ... und wo in den Staaten sind Sie her?
Greg: Von der Westküste, Monterey.
Tina: Oh, Monterey.
Greg: Kennen Sie es?
Tina: Nein, aber ich habe eine alte Schulfreundin in San José.
Greg: Ach so, wirklich?
Tina: Ja. Sie ist dort verheiratet. Sie ist Schauspiellehrerin.
Greg: Schauspiellehrerin?
Tina: Ja. Warum?
Greg: Ich bin Schauspieler.
Tina: In Filmen?
Greg: Nein, nicht in großen Filmen. Eigentlich bin ich nur Kellner.
Tina: Sie haben also zwei Berufe?
Greg: Zwei in einem. Ich mache Dinnertheater.
Tina: Ach, ich verstehe. Sie arbeiten also in einem Restaurant und die Leute kommen zum Abendessen, und Sie machen eine Show.

Greg: Genau. Sie essen und wir spielen für sie. Wir bieten immer drei warme Mahlzeiten an: etwas mit Fisch, etwas mit Fleisch und etwas Vegetarisches.
Tina: Ist es teuer?
Greg: Nun, es ist nicht billig. Aber man wird mit Dinnertheater nicht zum Millionär.
Tina: Mögen Sie es?
Greg: Ja. Das ist der Grund, warum ich es tue. Es macht Spaß – den Gästen und uns.
Tina: Und machen Sie das jeden Abend?
Greg: Nein. Nur vier Abende die Woche. Es ist harte Arbeit. Wir fangen abends um 18.30 Uhr an, die Show ist um 20.00 Uhr, und wir machen um 23 Uhr Schluss. Aber oft gehen die Gäste nicht vor Mitternacht nach Hause.
Tina: Wann kommen Sie dann gewöhnlich nach Hause?
Greg: Um ein Uhr nachts.
Tina: Haben Sie Familie?
Greg: Nun, ich lebe mit meiner Partnerin zusammen. Wir haben keine Kinder. Sie ist Köchin bei einem Tonstudio-Catering-Service, und wenn sie viel zu tun haben, kommt sie oft sehr spät. Manchmal bin ich sogar vor ihr zu Hause.

5 Nichts Neues

Sonia Walkers Vater lebt in St. John's in Neufundland. Er ist im Krankenhaus und Sonia muss hinfahren und ihn besuchen. Sie ruft das Reisebüro an, das all ihre Geschäftsreisen organisiert.

Brad: Welcome Travel. Wie kann ich Ihnen behilflich sein?
Sonia: Hi, Brad. Ich bin's, Sonia Walker.
Brad: Ah, hi Sonia. Wie geht's?
Sonia: Danke, gut. Und Ihnen?
Brad: Wunderbar. Was kann ich für Sie tun?
Sonia: Ich brauche Flüge, aber es ist privat. Ich muss nach St. John's.
Brad: O.K. Wann?
Sonia: Am Freitag.
Brad: Und welche Tageszeit?
Sonia: Früher Abend.
Brad: Es gibt einen Flug um 18.20 Uhr.
Sonia: Wann kommt er in St. John's an?
Brad: 20.35 Uhr.
Sonia: Das ist gut. Und am Samstagabend zurück?
...
Brad: Der letzte Flug am Samstag geht um 16.20 Uhr, über Halifax.
Sonia: Das ist zu früh. Geht dieser Flug auch am Sonntag?
...

Brad:	Ja. Sie kommen um 20.05 Uhr in Toronto an.
Sonia:	Gut. Was kostet das?

Sonia ist nun am Flughafen. Ihr Handy klingelt. Es ruft jemand von zu Hause aus an.

Sonia:	Hi.
Jack:	Ich bin's. Es tut mir leid, aber Fionas Spiel am Sonntag ist nicht um vier, sondern um halb acht. Es gibt also ein Problem.
Sonia:	Du kannst nicht gleichzeitig im Stadion und am Flughafen sein.
Jack:	Richtig.
Sonia:	Gut, ich nehme ein Taxi. Sonst alles in Ordnung?
Jack:	Danke, ja. Am Sonntagmorgen sind wir im Weston Hotel. Zum Brunch.
Sonia:	Das ist (ja) nichts Neues. Mikes Idee?
Jack:	Nein, meine.

6 Urlaubskatastrophen

Bob Walker ist nicht verheiratet und musste im August in seinem Büro die Stellung halten, als alle seine Kollegen mit Kindern verreisten. Sein Kollege Tony ist gestern aus dem Urlaub zurückgekommen. Heute ist wieder sein erster Arbeitstag.

Bob:	Nun, wie war der Urlaub, Tony?
Tony:	Eine Katastrophe.
Bob:	Warum? Was ist passiert? Wo bist du noch mal hingefahren?
Tony:	Tunesien. Aber es war von Anfang bis Ende eine Katastrophe. Es begann schiefzugehen, sobald wir von zu Hause weggefahren sind. Brian, unser Nachbar, hat uns zum Flughafen gebracht. Aber es war viel Verkehr und wir sind mit einer Stunde Verspätung am Flughafen angekommen.
Bob:	Habt ihr euren Flug verpasst?
Tony:	Nein. Aber nur weil er neuneinhalb Stunden Verspätung hatte.
Bob:	Oh.
Tony:	Und als wir in Tunesien ankamen, war die Hotelbuchung völlig falsch. Wir haben drei Zimmer gebucht, eins für Julia und mich, eins für Gary, und eins für Anthea. Aber der Mann an der Rezeption sagte, sie hätten nur ein Familienzimmer. Ich habe mich natürlich beschwert, aber es gab nichts anderes. Wenigstens für die erste Woche.
Bob:	Wie alt sind sie noch mal?
Tony:	Gary ist 13, und Anthea ist 15.
Bob:	Genau.
Tony:	Also haben wir die ganze erste Woche alle vier in einem Zimmer verbracht. Du weißt nicht, wie es mit zwei Teenagern ist. Sie haben sich die ganze Zeit gestritten. Furchtbar.
Bob:	Es tut mir leid. Aber war es nicht ein Kluburlaub? Habt ihr nicht alle unterschiedliche Sachen gemacht?
Tony:	Ja. Aber Gary hat sich auf dem Tennisplatz den Arm gebrochen. Und jemand hat Antheas Laptop gestohlen.
Bob:	Hat sie einen Laptop mit in Urlaub genommen?

Tony:	Ja. Sie hat diesen neuen Fotoapparat, und sie wollte den Laptop haben, um die ganzen Bilder abzuspeichern.
Bob:	Ich verstehe. Aber den Fotoapparat haben sie nicht gestohlen.
Tony:	Nein, den haben sie nicht gestohlen.
Bob:	Was war mit dir?
Tony:	Ich habe einen furchtbaren Sonnenbrand bekommen. Genauer gesagt, ich habe ihn immer noch. Ich habe zu lange am Pool verbracht. Aber das ist genug von mir und meinem wunderbaren Urlaub. Wie war es bei dir? Wie war das Leben hier, als wir alle verreist waren? War es ein Chaos?
Bob:	Nun, es tut mir leid das sagen zu müssen, aber ...

7 Was ist los mit dir?

Juan trifft einen alten Freund um 7 Uhr morgens im Fitnessstudio.

Glenn:	Hallo, Juan. Du bist aber früh dran.
Juan:	Du auch.
Glenn:	Ich komme im Sommer immer früh. Aber du machst morgens gewöhnlich kein Fitnesstraining.
Juan:	Im Augenblick ist es für mich die beste Zeit.
Glenn:	Beste Zeit? Du siehst nicht allzu gut aus.
Juan:	Es ist schon alles in Ordnung.
Glenn:	In Ordnung? Wo liegt das Problem?
Juan:	Es läuft gerade nicht so gut in der Arbeit.
Glenn:	Arbeitest du zu viel? Du siehst gestresst aus.
Juan:	Die Chefin verlangt viel von mir.
Glenn:	Chefs machen so etwas. Wann machst du Urlaub?
Juan:	Wir machen dieses Jahr keinen. Nun, wenigstens nicht im Sommer.
Glenn:	Aber ihr verreist doch gewöhnlich – eigentlich immer – im August.
Juan:	Ja, aber dieses Jahr verreisen wir nicht. Nun, wir planen ein langes Wochenende zu nehmen.
Glenn:	Ein langes Wochenende? Ist das alles?
Juan:	Mhm.
Glenn:	O je. Das klingt nicht so gut (wörtl. Das klingt schlecht). Hast du jetzt Zeit für ein schnelles Frühstück? Orangensaft und Croissants? In diesem kleinen französischen Bistro, nur um die Ecke.
Juan:	Tut mir leid, aber ich habe heute Morgen keine Zeit. Ich muss ins Büro. Ich telefoniere um 7.30 Uhr mit einem Kollegen in London.
Glenn:	Du brauchst eine Pause. Wie wäre es dieses Wochenende mit einem Tennisspiel?
Juan:	Ich kann nicht. Ich fliege am Samstag für eine Krisensitzung mit meiner Chefin nach New York.
Glenn:	Am Samstag?
Juan:	Mm. Wenn es ein Problem gibt, machen Chefs so etwas ...

8 Ein hilfsbereiter Wirt

Tina Berger und ihr Freund machen Urlaub in Cornwall in Südwestengland. Tina kommt mit dem Wirt der Kneipe, in die sie an den meisten Abenden gehen, ins Gespräch. Er ist sehr freundlich – nicht ohne Grund (wörtl. aber das hat einen Grund).

Wirt: Ja bitte? Was möchten Sie?
Tina: Ich glaube, ich probiere heute Abend etwas Apfelwein.
Wirt: Trocken oder halbtrocken?
Tina: Trocken, bitte.
Wirt: Ein halbes Pint?
Tina: Zwei halbe.
Wirt: In Ordnung. Hatten Sie heute einen guten Tag?
Tina: Mm. Wir sind zu St. Michael's Mount und nach Land's End gefahren.
Wirt: Sie sagen leider, das Wetter wird morgen nicht so gut sein. Regen, zumindest am Vormittag.
Tina: Ja, habe ich gehört. Wir werden es wahrscheinlich morgens langsam angehen lassen. Wenn es den ganzen Tag nach Regen aussieht, fahren wir wahrscheinlich zum Eden Projekt.
Wirt: Und bleiben unter Glas trocken.
Tina: Mm. Und wenn es aufklart, gehen wir wahrscheinlich zum Strand. Wir werden erst entscheiden, wenn wir aufstehen.
Wirt: Nun, Sie sind ja im Urlaub.
Tina: Wie lange werden wir zum Eden Projekt brauchen?
Wirt: Eine Stunde, anderthalb Stunden. Es kommt darauf an.
Tina: Haben Sie eine Ahnung, was der Eintritt kosten wird?
Wirt: Nein, eigentlich nicht. Aber ich sehe mal im Internet nach, wenn Sie möchten.
Tina: Nein, das ist schon in Ordnung.
Wirt: Es ist wirklich kein Problem.

Der Wirt stellt den Apfelwein auf die Theke.

Wirt: Bitte schön, zwei halbe Pint Apfelwein.
Tina: Was macht das?
Wirt: 3 Pfund 40 bitte.

Sie gibt ihm das Geld.

Wirt: Gut. Ich bin gleich zurück.

...

Wirt: Bitte schön. Die komplette Preisliste.
Tina: Vielen Dank. Das ist sehr nett von Ihnen.
Wirt: Kein Problem. Äh, werden Sie morgen Abend zurück sein?
Tina: Ja.
Wirt: Das ist gut. Wissen Sie, wir haben morgen Abend Karaoke. Und wir haben gern mal neue Stimmen, und ich habe mich gefragt ...

9 Was für Neujahrsvorsätze?

Am 1. Februar ruft Tony Bob an, um dessen gute Vorsätze zu überprüfen. Bobs Freundin Sarah geht ans Telefon.

Sarah: Hallo?
Tony: Hallo, kann ich bitte Bob sprechen?
Sarah: Wer ist bitte am Apparat?
Tony: Tony Smith.
Sarah: Ach, Tony. Bob ist leider noch im Bett. Kann ich etwas ausrichten? Oder willst du später noch einmal anrufen?
Tony: Ich rufe später noch einmal an.
Sarah: Gut, Wiedersehen.

Zwei Stunden später

Bob: Hallo?
Tony: Hi, Bob. Hier spricht Tony.
Bob: Ach, hallo Tony. Wie geht's?
Tony: Danke gut. Und dir?
Bob: Ach, es geht so.
Tony: Du klingst furchtbar. Bist du krank?
Bob: Nein, ich war letzte Nacht auf einer Party.
Tony: Ach so. Weißt du, welches Datum wir heute haben?
Bob: Nein, welches Datum haben wir heute?
Tony: Es ist der 1. Februar.
Bob: Ist das etwas Besonderes?
Tony: Du hast mich gebeten, dich am 1. Februar anzurufen.
Bob: Warum habe ich das gemacht?
Tony: Du hast mich gebeten, deine guten Vorsätze für das neue Jahr zu überprüfen.
Bob: Ach so.
Tony: Einer war: „Ich werde weniger Alkohol trinken." Wie viel hast du letzte Nacht getrunken?
Bob: Nicht viel. Ich habe nur, ach ich weiß nicht, ein paar Glas Wein getrunken. Und ein bisschen Weinbrand. Und etwas Wodka. Glaube ich.
Tony: Ich verstehe. Du hörst dich schrecklich an.
Bob: Es war nicht der Alkohol. Es waren die Zigaretten.
Tony: Wessen Zigaretten?
Bob: Was meinst du: „Wessen Zigar--". Ach so. Ich habe nicht viele geraucht.
Tony: Wie viele?
Bob: Ich weiß es nicht. Ein halbes Päckchen. Ich habe einige verschenkt. Ich habe bis gestern überhaupt nicht geraucht. Es war das erste Mal in diesem Jahr. Oder vielleicht das zweite.
Tony: Ich verstehe. Und wie geht's in der Arbeit?
Bob: Schrecklich! Ich war jeden Abend letzte Woche bis mindestens 9 Uhr im Büro. Ich finde, ich habe die Party verdient, oder?

10 Eine neue Wohnung?

Juan Vargas trifft einen alten Bekannten im Zug.

Juan: Hallo, Marvin. Lange nicht gesehen. Wie geht's? Sie sehen ein bisschen müde aus. Wohnen Sie immer noch draußen in Grenville?
Marvin: Mm.
Juan: Das ist weit zum Pendeln.
Ich dachte, Sie wollten umziehen.
Marvin: Das ist richtig. Ich weiß, es klingt dumm, aber ich kann nicht die richtige Wohnung finden. Alles ist entweder furchtbar teuer oder nicht wirklich das, was ich suche.
Juan: Ich kenne das Problem. Wenn man etwas findet, das einem gefällt, scheint es automatisch gleich $ 200 teurer zu sein. Wo suchen Sie?
Marvin: Nun, gestern habe ich mir zwei Wohnungen angesehen, eine in der Stadtmitte in der Spring Street, wissen Sie, in der Nähe des neuen Tagungszentrums, die andere draußen in Wilmerton. Die Wohnung in der Stadtmitte ist kleiner als die in Wilmerton – sie hat ein Zimmer weniger – aber sie ist teurer.
Juan: Aber Wilmerton ist immer noch ziemlich weit aus der Stadt heraus. Ich meine, es ist nicht so weit wie Grenville, aber es ist nicht gerade günstig gelegen.
Marvin: Nun, die Wohnung ist ziemlich dicht am Bahnhof.
Die gleiche U-Bahnlinie wie mein Büro.
Juan: Ach so, O.K.
Marvin: Aber von der Wohnung in der Stadtmitte könnte ich leicht zu Fuß zur Arbeit gehen. In weniger als zehn Minuten.
Juan: Großartig.
Marvin: Die Wohnung in Wilmerton ist auch lauter. Sie ist neben einem China-Restaurant.
Juan: Vielleicht nicht so gut, oder?
Marvin: Ja, es ist ungewöhnlich, aber die Wohnung in der Stadtmitte ist tatsächlich ruhiger. Aber sie ist in einem älteren Gebäude, das keinen Aufzug hat. Und die Nachbarn scheinen bei der anderen Wohnung freundlicher zu sein.
Juan: Die Besitzer des China-Restaurants?
Marvin: Richtig. Aber der Vermieter in der Innenstadt ist netter.
Juan: Ach so.
Marvin: Und die Zimmer sind ein bisschen komisch, wissen Sie?
Juan: In der Innenstadt oder in Wilmerton?
Marvin: In der Innenstadt. Die Küche ist größer als das Wohnzimmer, aber nicht so groß wie das Schlafzimmer, und das ist kleiner als das Badezimmer, und ...
Juan: Warten Sie mal. Das kann nicht richtig sein. Dann wäre das Badezimmer das größte Zimmer in der Wohnung.

Marvin: Wäre es? Ach, ich komme ganz durcheinander. Wenn ich mich nur entscheiden könnte! Wenn ich mich nicht schnell entscheide, wird die eine oder die andere wahrscheinlich weg sein. Oder beide.
Juan: Warum werfen Sie nicht einfach eine Münze?

11 Es war nicht meine Schuld.

Ein Freund sieht Bob im Pub. Bob hinkt.

Philip: Hallo, Bob. Was ist denn mit dir los?
Bob: Ich hatte einen Autounfall.
Philip: Schon wieder. Wie schnell bist du diesmal gefahren? 85?
Bob: Du brauchst nicht so zynisch zu sein. Es war nicht meine Schuld.
Philip: Das ist mal was anderes.
Bob: Ach komm.
Philip: O.K., tut mir leid. Ist es ernst?
Bob: Nicht wirklich.
Philip: Was ist passiert?
Bob: Ich bin in dieses andere Auto hineingefahren und bin mit dem Knie gegen die Lenksäule gestoßen.
Philip: Wie hast du das denn gemacht?
Bob: Nun, ich war nicht angeschnallt.
Philip: Ach so. Ich verstehe.
Bob: Das darf ich nicht noch einmal machen. Aber ich fuhr nur mal eben um die Ecke zu Sarah. Ich fuhr noch nicht einmal sehr schnell.
Philip: Das ist ungewöhnlich.
Bob: Ehrlich nicht. Die Straße war voller parkender Autos und auf dem Bürgersteig waren Kinder ...
Philip: Ja.
Bob: ... und ich hörte Radio, und ich guckte hinunter, um die Lautstärke aufzudrehen, und ...
Philip: ... deine Aufmerksamkeit wurde für den Bruchteil einer Sekunde abgelenkt, und wumm.
Bob: Richtig. Aber es war nicht meine Schuld.
Philip: Und was ist mit dem Auto?
Bob: Meines ist nicht allzu kaputt, aber der andere Kerl hat in seinem eine richtig große Delle in der Seite. Er zahlt natürlich, oder seine Versicherung zahlt.
Philip: Auch wenn du nicht angeschnallt warst?
Bob: Nun, für den Schaden am Auto.
Philip: Ach ja, natürlich. Sag mal, verreist du nicht irgendwann demnächst, zu diesem Jazzfestival?
Bob: Ja, es ist dieses Wochenende. Sarah sagt, dass, wenn mein Auto nicht rechtzeitig repariert ist, ich mit ihrem fahren kann.
Philip: Das ist mutig von ihr.

Bob:	Was willst du damit sagen?
Philip:	Nun, du mit einem Bein, und deiner sagen wir mal ereignisreichen Vorgeschichte als Autofahrer.
Bob:	Ach komm. Dieser Verband kommt sowieso morgen herunter. Dann werde ich wieder fahren können. Natürlich hätte sie mir ihr Auto nicht anbieten müssen, weil die Versicherung des anderen die Kosten für ein Mietauto bezahlt. Aber es macht natürlich weniger Umstände.
Philip:	Natürlich.

12 Waren Sie in den Staaten?

Die Nachbarn Peter und Hildegard Mauel haben Carol und Greg zu einer Grillparty in Aachen eingeladen. Peter Mauel hat Geburtstag. Er stellt sie Silvia und Udo Stoldt vor.

Carol:	Wir haben gehört, dass Sie Geburtstag haben, also haben wir Ihnen eine Kleinigkeit mitgebracht. Herzlichen Glückwunsch zum Geburtstag!
Peter:	Oh, danke. Das ist sehr nett von Ihnen. Das wäre aber wirklich nicht nötig gewesen.
Peter:	Haben Sie Silvia und Udo schon kennengelernt?
Carol:	Nein, ich glaube nicht.
Peter:	Na, dann kommen Sie, ich mache Sie bekannt. Sie sprechen beide gut Englisch.
Silvia:	Woher in den Staaten sind Sie denn?
Carol:	Monterey, Kalifornien.
Silvia:	Ach, mein Bruder hat eine Weile in San Francisco gearbeitet, vor etwa fünf Jahren.
Carol:	Wirklich?
Silvia:	Ja. Es hat ihm sehr gut gefallen, er wollte eigentlich nicht zurückkommen.
Carol:	Haben Sie ihn besucht?
Silvia:	Nein, wir haben es nicht geschafft. Er war nur sechs Monate dort.
Carol:	Das ist schade. Frisco ist ein toller Ort. Waren Sie überhaupt schon einmal in den Staaten?
Silvia:	Ja. Wir waren in Florida. Wir sind letztes Jahr hingefahren.
Carol:	Aha.
Silvia:	Ein Freund von Udo ist im Immobiliengeschäft – Eigentumswohnungen für Ruheständler.
Carol:	Ein gutes Geschäft.
Silvia:	Ja, er verdient viel Geld. Und man kann dort toll leben.
Carol:	Wo haben Sie so gut Englisch gelernt?
Udo:	Wir waren im Ausland. Silvia und ich hatten beide eine Anstellung in Großbritannien. Dort haben wir uns sogar kennengelernt. Wir sind erst vor fünf Monaten zurückgekommen. Und wir sind erst vor sechs Wochen hierher gezogen.
Carol:	Ach ja, Sie sind die neuen Nachbarn.

Udo: Wie ich sehe, wissen Sie schon alles über uns!
Carol: Gisela hat es mir in einer ihrer E-Mails erzählt. „Wir haben sehr nette neue Nachbarn", hat sie, glaube ich, gesagt.
Udo: Wow! Ich hoffe, wir können dem gerecht werden!

13 Ein Vorstellungsgespräch

Interviewerin: In Ihrer Bewerbung und Ihrem Lebenslauf steht, dass Sie Deutsch sprechen?
Jack: Ja, das stimmt. Ich lerne es jetzt seit drei Jahren.
Interviewerin: Drei Jahre, das ist eine ziemlich lange Zeit.
Jack: Ich war schon immer an Sprachen interessiert. Meine Sprech-, Hörverständnis- und Lesefertigkeiten sind gut. Mein schriftliches Deutsch ist nicht ganz so gut, aber ich denke, das werde ich draußen in der Wildnis nicht so sehr brauchen.

Die Interviewerin lacht.

Interviewerin: Nein, ich glaube nicht. Aber gute Beherrschung des Deutschen ist sehr nützlich, weil fast 45% unserer Kunden Deutsch als Muttersprache haben.
Jack: Ach so.
Interviewerin: Wie lange üben Sie denn schon Ihre jetzige Tätigkeit aus?
Jack: Seit einem Jahr, aber ich bin seit fünf Jahren bei dem Unternehmen.
Interviewerin: Aha. Und welche Art von Gruppen haben Sie geführt, draußen in der Wildnis?
Jack: Alle Arten und alle Altersgruppen, aber ich habe festgestellt, dass ich mit jungen Leuten am besten auskomme, und mit Älteren. Wir bieten immer mehr Kurse für Menschen an, die über 50 sind ...

Später, mit seiner Frau Sonia.

Sonia: Nun wie ist es gelaufen?
Jack: O.K., glaube ich.
Sonia: Es hat lange gedauert. Ist das ein gutes Zeichen?
Jack: Ich weiß es nicht. Vielleicht. Wartet ihr schon lange?
Sonia: Etwa eine Stunde, seit 18 Uhr. Mike stellt mir ständig Fragen: Wie lange ist Papa jetzt schon weg? Wann können wir nach Hause? Er ist gerade einen Comic kaufen gegangen. Wie fühlst du dich?
Jack: Nun, ich weiß nicht, ob ich die Stelle wirklich will oder nicht.
Sonia: Das werden sie bemerkt haben.
Jack: Ich weiß es nicht. Ich meine, ich habe nachgedacht. Wenn ich sie bekomme, bedeutet es mehr Stress, weniger Zeit mit der Familie. Ich werde viel mehr weg sein.
Sonia: Das ist richtig. Aber die Kinder werden älter. Du musst vorausplanen und überlegen, wo du in fünf, zehn Jahren sein willst.
Jack: Ja, das stimmt wohl.

Sonia: Wann wirst du Bescheid wissen? Ich meine, wissen, ob sie sie dir anbieten wollen?
Jack: Nun, sie sagte, sie werden bis morgen Abend alle Bewerber interviewt haben, und erfolgreiche Bewerber werden eine Einladung zu einem zweiten Vorstellungsgespräch nächste Woche bekommen.
Sonia: Nun, das gibt dir Zeit, darüber nachzudenken.

14 Bob hat eine Wette verloren ...

... und muss in einem ungewöhnlichen Restaurant mit verbundenen Augen essen gehen.

Kellner: Bitte schön. Haben Sie eine Reservierung?
Tony: Ja, für einen Tisch für zwei Personen auf den Namen Wilkins.
Kellner: Ach ja, Mr Wilkins. Wenn Sie in der Bar Platz nehmen möchten, wir rufen Sie in ein paar Minuten.
Tony: Sicher.
Kellner: Ist bei Ihnen alles in Ordnung, mein Herr?
Tony: Er hatte gerade eine Augenoperation.
Kellner: Ach so, ich verstehe.
Bob: Nun, eigentlich ... Es riecht hier sehr interessant, ungewöhnlich möchte ich mal sagen. Was haben Sie gesagt, wäre Ihre Spezialität?
Kellner: Haben Sie es nicht gewusst, mein Herr? Es ...
Tony: Ich sage es dir in der Bar, wenn ich dir die Speisekarte vorlese. Wie bei kleinen Kindern.

Der Kellner lächelt und geht. Bob und Tony gehen in die Bar.

Tony: „Was haben Sie gesagt, wäre Ihre Spezialität?" Bob, darf ich dich daran erinnern, dass wir vereinbart haben, du würdest die ganze Mahlzeit essen, ohne die Augenbinde abzunehmen und bevor du dich nach dem Essen erkundigst.
Bob: Stimmt, aber es riecht komisch hier drin.
Tony: Entspann dich, Bob, du wirst es genießen. Anstatt zu versuchen, herauszufinden, was wir essen werden, lehne dich einfach zurück und genieße deinen Aperitif. Es lohnt sich nicht, sich Sorgen zu machen. Ich freue mich darauf.
Bob: Zu sehen, wie ich mich lächerlich mache.
Tony: Zu essen. Es wird dir gefallen, hier zu essen, ehrlich.
Bob: Ja, aber ich bin es nicht gewohnt mit geschlossenen Augen zu essen.
Tony: Warte erstmal ab. Ich war es sowieso nicht, der vorgeschlagen hat, hierher zu kommen. Es war Sarah.
Bob: Sarah?
Tony: Ja, sie sagte, sie könnte sich nicht vorstellen, dass du freiwillig mit ihr hierher gehen würdest, und ...
Bob: O mein Gott.

Tony:	... sie sagte, du bist immer dagegen, neue Restaurants auszuprobieren, und wenn du sie einlädst, gehst du immer wieder in die gleichen alten Restaurants. Sie sagte, dir würde es nicht im Traum einfallen, hierher zu gehen.
Bob:	Das ist ermutigend.
Tony:	Und sie sagte, dass du dich hinterher bei mir bedanken würdest, dass ich dich hierher gebracht habe.

Nach dem Essen.

Bob:	Darf ich jetzt die Augenbinde abnehmen?
Tony:	Ja, du darfst sie jetzt abnehmen.
Bob:	Nun, das habe ich wirklich genossen. Ich bin ziemlich überrascht.
Tony:	Und nun möchtest du gern erfahren, was du gegessen hast.
Bob:	Richtig.
Tony:	Es war Seetang.
Bob:	Was?!
Tony:	Seetang.
Bob:	O mein Gott. Ich werde sterben.

15 Ihr habt eine Alarmanlage, oder?

Tina Berger aus Deutschland besucht ihre englischen Verwandten.

Tina:	Was ist denn genau passiert?
Brian:	Nun, während wir gestern Abend aßen, sind zwei Einbrecher durch ein Fenster im ersten Stock ins Haus eingestiegen und haben eine Menge Sachen aus den Schlafzimmern gestohlen.
Tina:	Und ihr habt sie nicht gehört?
Brian:	Nein. Wir waren zu sechst beim Abendessen, also war die Unterhaltung ziemlich laut.
Tina:	Und was haben sie genommen?
Brian:	Emmas Schmuck, eine sehr teure Digitalkamera, meinen Laptop, mein Handy, und etwas Bargeld.
Tina:	Oh nein! Aber ihr seid versichert, nicht wahr?
Brian:	Ja, Gott sei Dank. Aber der Schmuck bestand fast nur aus Sachen, die Emmas Großmutter ihr vererbt hatte, sehr persönliche Sachen.
Tina:	Arme Emma. Aber ich habe doch eine Alarmanlage am Haus gesehen, oder? Ihr habt eine, nicht wahr?
Brian:	Ja, aber sie war ausgeschaltet. Ich meine, wir waren ja zu Hause.
Tina:	Ihr habt also nicht gedacht, dass jemand einbrechen würde.
Brian:	Nein. Aber die Polizei sagte, dass diese Art von Einbruch immer häufiger wird. Einbrecher wissen, dass die Leute ihre Alarmanlagen ausschalten, wenn sie zu Hause sind, und deshalb kommen sie gerade dann.
Tina:	Ach so.
Brian:	Aber es besteht eine Chance, dass die Polizei sie erwischt. Jemand von Neighbourhood Watch hat sie gesehen.

Tina: Entschuldigung, wer hat sie gesehen?
Brian: Jemand aus der Neighbourhood Watch Gruppe. Bill Baker aus Haus Nummer 18.
Tina: Ach so, Neighbourhood Watch. Davon habe ich gehört. Es gab also einen Zeugen. Ich habe mich schon gefragt, woher du wusstest, dass sie zu zweit waren. Und wen hat er gesehen?
Brian: Zwei junge Frauen.
Tina: Frauen? Das ist doch ungewöhnlich, oder?
Brian: Ja, eine mit kurzen, hellen, wahrscheinlich blonden Haaren, die andere ziemlich groß, mit dunklen Haaren. Sie trugen schwarze Jacken und Handschuhe.
Tina: Euer Nachbar hat sie also wirklich gut sehen können, nicht wahr?
Brian: Ja, er hat sogar ein Foto von ihnen gemacht. In der Dunkelheit.
Tina: In der Dunkelheit?
Brian: Ja, mit einer Infrarotkamera.
Tina: Wirklich?
Brian: Ja, er ist begeisterter Fotograf. Er hat sie nur von hinten fotografieren können, aber es ist ein Anfang.
Tina: Nun das war aber clever, oder?

16 Eine ungewöhnliche Idee

Ann: Wie war denn die Reise nach Neuengland?
Marge: Großartig, danke. Wir haben die ganze Vermont-Seite meiner Familie wiedergesehen, Onkel, Tanten, Großeltern, Cousins.
Ann: Es war also eine große Familienfeier?
Marge: Ja. Und sie war toll. Weißt du, man schreibt sich und telefoniert, aber es ist nicht das Gleiche wie sich treffen. Wir haben uns zuletzt getroffen, ich meine alle zusammen, vor etwa 12 Jahren, als einige meiner Cousins noch Jungen waren und ich noch ein Mädchen war. Sie sind jetzt natürlich alle erwachsen.
Ann: Das müssen sie wohl sein, denn du bist es ja auch!
Marge: Ja, sicher. Jedenfalls war es sehr seltsam.
Ann: Aber ihr seid auch zelten gefahren, oder?
Marge: Ja, in die Wildnis im Norden des Bundesstaats New York.
Ann: Ich wollte schon immer Neuengland im Herbst sehen. Man sagt, die Farben seien wirklich hübsch.
Marge: Das sind sie. Hat dir Juan von dem Bären erzählt?
Ann: Von welchem Bären?
Marge: Nun, es war nach dem Familienwochenende auf dem Weg in die Adirondacks. Wir fuhren nach Westen auf Lake Champlain zu, wo wir das Schiff in den Norden New Yorks nehmen wollten, als wir eine Autopanne hatten.
Ann: O nein!

Marge: Ein rotes Lämpchen ging an, etwas mit dem Motor war nicht in Ordnung, also haben wir angehalten um nachzusehen. Das war am Ende der Welt, ziemlich weit von Burlington und Lake Champlain entfernt, und es wurde dunkel.

Ann: Gespenstisch.

Marge: Und wie. Jedenfalls haben wir sofort das Problem erkannt. Der Keilriemen war kaputt. Tja, und ich habe noch nie in meinem Leben einen Keilriemen repariert.

Ann: Ich auch nicht.

Marge: Juan auch nicht. Ich glaube nicht, dass er jemals irgendetwas selbst repariert hat. Jedenfalls, da standen wir, am Ende der Welt, und haben uns gefragt, was wir tun sollten. Dann hatte ich eine Idee. Ich sagte mir: „Strumpfhose."

Ann: Strumpfhose?

Marge: Ja, es war so: Ich erinnerte mich daran, dass meine Tante Evelyn, eine großartige Person übrigens, einmal einen kaputten Keilriemen mit einer Strumpfhose repariert hat.

Ann: Das ist doch nicht dein Ernst.

Marge: Doch. Hat sie. Wie dem auch sei, ich erzählte Juan meinen Plan. Wir sahen uns an und lachten einfach los. Wir konnten nicht aufhören. Wir standen also da und lachten uns tot, als hinter uns im Wald plötzlich dieser Bär auftauchte. Ich sage dir, ich habe mich noch nie in meinem ganzen Leben so schnell bewegt. Ich war innerhalb von Sekunden zurück im Auto. Und Juan natürlich auch.

Ann: Was habt ihr getan?

Marge: Wir saßen einfach da und warteten, bis er das Interesse verlor.

Ann: Und hat er?

Marge: Er hat.

Ann: Und hast du den Keilriemen mit deiner Strumpfhose repariert?

Marge: Nun, ich fing gerade an, sie auszuziehen, als dieser Laster vorbeikam. Ich weiß nicht, was der Fahrer dachte, dass ich tue, jedenfalls hat er uns bis nach Burlington abgeschleppt.

17 Ein erstaunliches Erlebnis

Bob und sein Freund Tony sind an einem Bahnfahrkartenschalter.

Bob: Rückfahrkarte nach Westbury, bitte. Nun eigentlich sind wir zu zweit. Aber wir bezahlen getrennt. Welcher ist der günstigste Fahrpreis?

Bahnangestellter: Wann kommen Sie zurück?

Bob: Sonntag.

Bahnangestellter: Der günstigste ist dann der Sparpreis.

Bob zahlt mit Kreditkarte.

Bob: Wann fährt der nächste Zug?
Bahnangestellter: 14.28, von Gleis 11.
Bob: Danke.

Draußen vor der Schalterhalle.

Durchsage: Am Gleis 11 steht bereit der 14.28-Zug nach Exeter, mit Halt nur in Newbury, Westbury, Taunton und Exeter.
Bob: Das ist unser Zug.

Im Zug.

Tony: Du hast mir noch nicht erzählt, wie deine Reise nach Köln war.
Bob: Ach, sie war großartig, ein faszinierendes Erlebnis, ein toller Ort, wirklich lebenslustige Menschen. Und ich hatte ein sehr erstaunliches Erlebnis.
Tony: Wieso? Was ist passiert?
Bob: Es war eines Nachts, nachdem ich ausgegangen war. Ich bekam die letzte S-Bahn, das ist ein Vorortzug, zurück zu meinem Hotel. Aber ich bin eingeschlafen und habe meine Haltestelle verpasst!
Tony: Was hast du also gemacht?
Bob: Nun, ich bin aufgewacht, als wir das Ende der Strecke, die Endstation erreichten. Ich stand also da am Ende der Welt und habe mich gefragt, was ich tun sollte. Du weißt schon – sollte ich ein Taxi rufen oder anfangen zurückzulaufen. Ich hatte keine Ahnung, wie weit es war, und ich kannte den Weg nicht.
Tony: Um wie viel Uhr war das?
Bob: Fast ein Uhr nachts.
Tony: Großartig!
Bob: Jedenfalls stieg ich aus dem Zug aus und ging den leeren Bahnsteig entlang und fragte mich, was ich tun sollte. Ich kam zum Bahnhofsausgang und ich stand da und blickte die Straße hinauf und hinunter. Außer mir war niemand mehr da (wörtl.: Alle anderen waren weg). Es gab keine Taxis, noch nicht einmal eine Telefonzelle. Dann fuhr ein Auto vorbei. Ich winkte, aber die Frau am Steuer ist einfach weitergefahren. Ich weiß nicht, ob sie mich nicht gesehen hat oder ob sie mich nicht sehen wollte. Es war ja keine einfache Situation für sie, mitten in der Nacht und ein Mann, ein völlig Fremder, versucht sie anzuhalten.
Tony: Stimmt.
Bob: Ich stand also weitere fünf Minuten dort, dann kam noch ein Auto daher. Ich habe das Gleiche gemacht, und dieses Mal hielt der Fahrer. Der Mann im Auto öffnete sein Fenster und ich fragte ihn in meinem furchtbaren Deutsch, ob er mir helfen könne. Er fragte: „Sind Sie Engländer?", also sagte ich: „Ja". Und dann fragte er mich sehr freundlich und mit einem fantastischen Akzent:

„Wie kann ich Ihnen helfen? Wo liegt das Problem?" Ich habe es ihm also gesagt und ohne einen Augenblick zu zögern, sagte er: „Steigen Sie ein. Ich bringe Sie zu Ihrem Hotel." Und das hat er gemacht, obwohl er überhaupt nicht in der Richtung wohnte. Es waren etwa 20 Kilometer, und er wollte kein Geld dafür nehmen. Er hat mich genau vor meinem Hotel abgesetzt, oben auf einem hohen Berg, wünschte mir „Gute Nacht" und fuhr davon. Und ich dachte mir, während ich die Treppe zu meinem Zimmer hinaufstieg: Würde dir das in deinem Land passieren?

Tony: Ich ...

Durchsage: In wenigen Minuten erreichen wir Westbury. Westbury ist der nächste Halt unseres Zuges.

Bob: Unser Halt.

Tony: Ja, wir wollen ihn nicht verpassen, nicht wahr?

18 Ein bisschen Rumba

Es ist Abend und Juan Vargas und seine Freundin Marge sitzen vor dem Fernseher.

TV-Quizmaster: Und Ihre nächste Frage, für eintausend Dollar, Sharon, lautet: In welcher US-Großstadt wird die weltberühmte Coca Cola™ hergestellt? Ist es A Atlanta, Georgia, oder B Fort Worth, Texas, oder ist es C Pittsburgh, Pennsylvania? Ich wiederhole das: Wird Coca Cola™ in A Atlanta, Georgia, oder B Fort Worth, Texas, oder C Pittsburgh, Pennsylvania produziert?

Fernsehkandidatin: Oh, mein Gott. Oh mein Gott. Ich weiß es nicht. Ich muss raten. Ist es Washington, DC?

Quizmaster: Das stand nicht zur Auswahl, Sharon, und ich fürchte, Sie haben gerade eintausend Dollar verloren. Die richtige Antwort lautet Atlanta, Georgia.

Marge: Das wusste ich. Das weiß doch jedes Kind, oder?

Juan: Was?

Marge: Ich sagte, das weiß doch jedes Kind.

Juan: Weiß was?

Marge: Wo Coca Cola™ hergestellt wird.

Juan: Ich weiß nicht, wo sie hergestellt wird, und ich bin kein Kind. Wo wird sie denn hergestellt?

Marge: Hörst du nicht zu?

Juan: Nein.

Marge: Interessiert dich das nicht?

Juan: Nö.

Marge: O.K., was willst du denn machen, anstatt fernzusehen?

Juan: Nun wir sind bei den Brasilianern oben eingeladen. Sie feiern eine Party. Jemand hat Geburtstag.

Marge: Daher kommt also der ganze Lärm.

Juan: Hast du Lust hinzugehen?
Marge: Du?
Juan: Warum nicht?
Marge: Du meinst, wenn du nicht gegen den Strom schwimmen kannst, schwimm mit ihm?
Juan: Richtig.
Marge: O.K. Ein bisschen Rumba wird dich auflockern.
Juan: Was meinst du mit „mich auflockern"?
Marge: Du bist völlig gestresst, Juan. Du wirst von deiner Arbeit aufgefressen.
Juan: Ich habe in letzter Zeit hart gearbeitet, das stimmt. Aber es hat sich gelohnt. Nächsten Monat ist Prämienzeit, und ich bekomme eine ganz fette Prämie. Ich dachte, wir könnten vielleicht für eine Woche verreisen. Mexiko vielleicht, oder Brasilien?
Marge: Aber das ist ja großartig!
Juan: Ja. Und heute Abend können wir oben einen Vorgeschmack auf Brasilien bekommen. Komm, lass uns gehen.
Marge: Jippie!

19 Auf dem Land

Bob Walker und seine Freundin Sarah sind unterwegs zu einem Dorf auf dem Lande, wo seine Nichte in einer kleinen Schulaufführung mitspielt. Aber Bob hat den Zettel mit der Adresse der Schule zu Hause gelassen, sie haben keinen Straßenatlas …

Bob: Wenn ich nur mein Handy nicht vergessen hätte, könnten wir sie anrufen.
Sarah: Stimmt. Aber es ist nicht zu ändern. Wir müssen einfach weiterfahren, bis wir jemanden finden, den wir fragen können. ... Du meinst also, dass der Ort „Lower" irgendetwas heißt?
Bob: Ich glaube schon. Wenn es Tag wäre, wäre es leichter.
Sarah: Und wenn es nicht so kalt wäre, würde ich mich wohler fühlen.
Bob: Soll ich die Heizung aufdrehen?
Sarah: Bitte. Ach, schau, da kommt jetzt eine Kreuzung.
Bob: Siehst du, was auf dem Schild steht?
Sarah: „Nettlebed" in dieser Richtung, ein Ort namens „Worthington Stacey" da lang und „Cublington" geradeaus.
Bob: Keiner davon klingt vertraut. Wenn wir einen Atlas hätten, könnten wir sie nachschlagen. Oder wenn dieses Auto ein Navigationssystem hätte.
Sarah: Schau. Da kommt noch ein Auto. Lass es uns anhalten.

Bob steigt aus, hält das andere Auto an, spricht mit dem Fahrer, kommt dann zurück.

Bob: Er ist nicht von hier. Tut mir leid. Wenn ich nicht so in Eile gewesen wäre, wäre nichts hiervon passiert.
Sarah: Wir sagen einfach, es liegt am Stress. Wie dem auch sei, es ist ziemlich aufregend. Diese altmodischen Ortsnamen.

Sie fahren weiter.

Sarah: Halt an! Da war ein Schild, es zeigte die kleine Straße hinunter, an der wir gerade vorbeigefahren sind. Ja, schau. „Upper Slaughter". Wenn es irgendeinen Ort mit „Upper" gibt, gibt es wahrscheinlich auch einen mit „Lower". Lass uns hinfahren und nachsehen.

Sie fahren weiter, bis sie zu einem Dorf mit einer Kneipe kommen. Bob sagt, dass er hineingehen und fragen wird. Fünfzehn Minuten später kommt er endlich zurück.

Sarah: Was hat so lange gedauert? Warte mal, ich glaube es nicht! Du hast getrunken, ich rieche es an deinem Atem! Während ich hier in der Kälte warte! Manchmal weiß ich nicht, warum ich das mitmache.

Bob: Ich kann es erklären. Siehst du, sie hatten einen Quizabend, und ich habe eine Frage gestellt. Ich sagte: „Welche Mannschaft kann mir einen Ort hier in der Nähe nennen mit einem Wort, das „Nieder-" bedeutet? Ich spendiere eine Runde für die Mannschaft mit den meisten Namen." Und er tauchte auf einer der Mannschaftslisten auf: Nether Puckington. Ich habe ihn sofort erkannt, als ich ihn sah. Dann musste ich natürlich bleiben und die Getränke kaufen, und ich konnte dann nicht einfach gehen.

Sarah: Ach so, O.K. Es war also gar nichts mit „Lower".

Bob: Nun, „Nether" bedeutet dasselbe wie „Lower".

Sarah: Das stimmt. Wo ist denn nun Nether Puckington?

Bob: O nein! Ich habe vergessen zu fragen.

Sarah: Du hast vergessen zu fragen?! Gut, dieses Mal gehe ich hinein. Und wenn ich schon mal dabei bin, trinke ich einen Wodka oder so etwas, um mich aufzuwärmen.

20 Ein Notruf

Parkaufseher: Parksicherheitsdienst. Wie kann ich Ihnen helfen?

Jack: Steve? Hier spricht Jack Walker. Ich brauche Hilfe, schnell.

Parkaufseher: Ist es ein Notfall?

Jack: Ja. Jemand ist verletzt, ziemlich schlimm.

Parkaufseher: Eine Person?

Jack: Richtig.

Parkaufseher: Und wo?

Jack: Prince's Glen.

Parkaufseher: Brauchst du einen Hubschrauber?

Jack: Ja, und eine Trage.

Parkaufseher: O.K. Lass mich den Notdienst alarmieren, dann melde ich mich wieder bei dir wegen der Einzelheiten. Bist du am Handy?

Jack: Genau.

Parkaufseher: Kannst du dranbleiben?

Jack: Sicher.
Parkaufseher: Gut, ich bin gleich wieder da.

Der Parkaufseher alarmiert den Rettungshubschrauber des Parks, dann setzt er das Gespräch fort.

Parkaufseher: O.K., der Hubschrauber ist unterwegs. Die Besatzung hört jetzt mit. Gib uns mal die Einzelheiten.
Jack: Ich stehe direkt am Fuß der Mason Falls. Jemand ist den Wasserfall heruntergestürzt, etwa 30 Fuß. Er ist ziemlich schlimm verletzt. Es sieht aus, als ob sein Bein gebrochen wäre. Ich weiß nicht, wie lange er hier gelegen hat, aber es muss in den letzten 30 Minuten passiert sein, weil ich erst vor 30 Minuten mit meiner Gruppe hier vorbeigekommen bin. Ich habe ihm Erste Hilfe geleistet, aber ich will ihn nicht bewegen.
Parkaufseher: Wie kalt ist er?
Jack: Noch ziemlich warm. Ich glaube nicht, dass er mehr als ein paar Minuten hier gelegen haben kann.
Parkaufseher: Gut. (*An den Hubschrauber gerichtet:*) Wie lange braucht ihr?
Stimme: Etwa 12 Minuten.
Parkaufseher: Hast du das gehört, Jack?
Jack: Sicher.
Parkaufseher: O.K., Jack. Kannst du helfen, einen Platz zu finden, an dem sie landen können?
Jack: Sicher. Ich habe einige aus meiner Gruppe bereits gebeten sich umzusehen.
Parkaufseher: Großartig. Gut, ich reiche dich jetzt an den Hubschrauber weiter, Jack. Danke und viel Glück.

Zwei Wochen später klingelt in der Wohnung der Walkers das Telefon.

Jack: Hallo?
Man: Guten Tag. Ist da Jack Walker?
Jack: Am Apparat.
Man: Ich bin Gerd Trenkelmann, der Mann, der den Wasserfall hinabgestürzt ist.
Jack: Ah, hallo! Wie geht es Ihnen denn?
Man: Gut, wirklich gut. Heute fliege ich nach Deutschland zurück, und ich wollte Ihnen für alles danken, was Sie für mich getan haben. Wenn Sie mich nicht gefunden hätten, weiß ich nicht, was passiert wäre.
Jack: Kein Problem. Jeder andere hätte das Gleiche gemacht.
Man: Ich weiß nicht. Hören Sie, Jack. Waren Sie schon einmal in Deutschland?
Jack: Nein. Nein, war ich nicht.
Man: Nun, ich wollte Sie fragen – ich bin Ihnen so dankbar – ob Sie und Ihre Familie ...

Hör- und Sprechtraining

Die folgenden Übungsanweisungen beziehen sich auf die beiden CDs zum Hör- und Sprechtraining. Bei diesen Übungen geht es darum, Ihr Hörverständnis und Ihre Sprechfertigkeit zu trainieren. Im Folgenden finden Sie die Arbeitsanweisungen und Aufgabenstellungen. Im Lösungsteil haben wir für Sie alle gesprochenen Texte und die Lösungen abgedruckt. In einigen Übungen werden Ihnen persönliche Fragen gestellt. Hierzu finden Sie im Lösungsteil mögliche Lösungen, teils mit Auslassungen für Ihre Antworten. Bei einem anderen Übungstyp gibt es verschiedene korrekte Antworten. Auch hier finden Sie im Lösungsteil exemplarische Antworten.

Unit 1

1 Hören Sie die englischen Wörter und sprechen Sie nach.

2 **a.** Hören Sie die Wörter mit dem stimmhaften **th** [ð] und dem stimmlosen **th** [θ] an.
b. Nun sprechen Sie die Wörter mit dem stimmhaften [ð]-Laut nach.
c. Sprechen Sie auch die Wörter mit dem stimmlosen [θ]-Laut nach.

3 Welches Wort hören Sie? Kreuzen Sie das Wort an, das gesprochen wird.

1.	☐ this	☐ these	**7.**	☐ mother	☐ father
2.	☐ it	☐ is	**8.**	☐ for	☐ from
3.	☐ all	☐ old	**9.**	☐ they	☐ their
4.	☐ an	☐ and	**10.**	☐ here	☐ her
5.	☐ right	☐ nice	**11.**	☐ are	☐ our
6.	☐ me	☐ meet	**12.**	☐ he's	☐ his

4 Und nun hören Sie einige wichtige Redewendungen. Sprechen Sie nach.

5 Verwandeln Sie die vorgegebenen Sätze wie im Hörbeispiel.

6 Wandeln Sie die vorgegebenen Sätze mit den passenden Possessivpronomen um.

Unit 2

1 Hören Sie die Wörter mit dem englischen [w]-Laut an und sprechen Sie nach.

2 Hören Sie zu. Welche Zahl hören Sie? Alle Zahlen werden zweimal gesprochen.

1.	☐ 12	☐ 20	**5.**	☐ 16	☐ 60
2.	☐ 13	☐ 30	**6.**	☐ 17	☐ 70
3.	☐ 14	☐ 40	**7.**	☐ 18	☐ 80
4.	☐ 15	☐ 50	**8.**	☐ 19	☐ 90

3 Hören Sie zu. Welchen Namen hören Sie?

1.	☐ France	☐ Florence	**4.**	☐ Baker	☐ Bates
2.	☐ Smit	☐ Smith	**5.**	☐ Stephens	☐ Stevens
3.	☐ Poole	☐ Powell	**6.**	☐ Walter	☐ Walton

4 Hören Sie zu. Welche Telefonnummer hören Sie?

1.	☐ 089-360967	☐ 089-630697
2.	☐ 0140-528766	☐ 0140-528866
3.	☐ 0156-729540	☐ 0156-792504

5 Hören Sie die Fragen an und antworten Sie mit **Yes, I am** oder **No, I'm not**.

6 Hören Sie zu und sprechen Sie nach. Danach nehmen Sie an einem Gespräch teil. Folgen Sie den Anweisungen auf der CD.

Unit 3

1 Lesen Sie zunächst die folgenden Wörter, hören Sie sie dann an und sprechen Sie nach. Unterstreichen Sie die Stelle, an der Sie den [ə]-Laut hören.

garden after metre centre welcome another stranger
entrance German computer modern agent America

2 Welchen Laut hören Sie? [æ] oder [ɑː]?

		[æ]	[ɑː]			[æ]	[ɑː]
1.	can	☒	☐	**5.**	as	☐	☐
2.	can't	☐	☒	**6.**	park	☐	☐
3.	market	☐	☐	**7.**	ask	☐	☐
4.	have	☐	☐	**8.**	thank	☐	☐

3 Betrachten Sie den Stadtplan auf Seite 50. Hören Sie sich die vier Wegbeschreibungen genau an. Zu welchen Orten führen sie?

4 Sie sind in einer englischen Stadt unterwegs und fragen nach verschiedenen Gebäuden. Folgen Sie den Anweisungen. Beginnen Sie Ihre Frage immer mit **Excuse me.**

5 Beantworten Sie die Fragen entsprechend Ihrer persönlichen Wohnumgebung mit **Yes, there is** oder **Sorry, no, there isn't**.

6 Widersprechen Sie der Person, die eine falsche Auskunft (**wrong way**) gibt. Geben Sie die richtige Wegbeschreibung (**correct way**).

wrong way ▸ **correct way**
take second street on the right ▸ take the first street
turn left ▸ turn right
take the second street on the right ▸ take the third street
take the third street on the left ▸ take the first street

Unit 4

1 Welchen Laut hören Sie? [ʃ], [tʃ] oder [dʒ]? Kreuzen Sie an.

	[ʃ]	[tʃ]	[dʒ]
1. fini<u>sh</u>	☒	☐	☐
2. <u>ch</u>eap	☐	☒	☐
3. agent	☐	☐	☒
4. fi<u>sh</u>	☐	☐	☐
5. Fren<u>ch</u>	☐	☐	☐
6. fre<u>sh</u>	☐	☐	☐
7. <u>G</u>erman	☐	☐	☐
8. <u>G</u>ermany	☐	☐	☐
9. intro<u>d</u>uce	☐	☐	☐
10. just	☐	☐	☐
11. ki<u>tch</u>en	☐	☐	☐
12. lun<u>ch</u>	☐	☐	☐
13. <u>sh</u>opping	☐	☐	☐
14. <u>sh</u>ow	☐	☐	☐

2 Wer hat welchen Beruf? Hören Sie zu, entscheiden Sie und ordnen Sie zu, indem Sie Verbindungslinien einzeichnen.

George	actor
Marvin	caterer
Peter	teacher
Tom	waiter

3 Hören Sie zu. Wann macht Julie diese Dinge? Ordnen Sie zu.

1. 5.30 in the morning ———————
2. 6.30 in the morning
3. 11.30 in the morning
4. 12 o'clock
5. 1 o'clock in the afternoon
6. 6.30 in the evening
7. 9.30 in the evening
8. 10.30 in the evening

a. finish work
b. get up
c. go to bed
d. go to the fitness studio
e. have dinner
f. have breakfast
g. meet friends
h. start work

4 Hören Sie zu und beantworten Sie die Frage nach der Uhrzeit entsprechend den deutschen Anweisungen.

5 Sie treffen eine Engländerin und kommen mit ihr ins Gespräch. Stellen Sie ihr ein paar Fragen. Folgen Sie dabei den deutschen Anweisungen.

6 Hören Sie zu und beantworten Sie die Fragen entsprechend Ihren Gewohnheiten mit **Yes, I do** oder **No, I don't**.

Unit 5

1 Hören Sie die Wörter mit dem [æ]-Laut an und sprechen Sie nach.

2 Lesen Sie noch einmal den Text **Our family's week** in **Unit 5**. Hören Sie dann zu und kreuzen Sie an, welches Mitglied der Familie Walker jeweils spricht.

	Fiona	Jack	Mike	Sonia
Text 1				
Text 2				
Text 3				
Text 4				
Text 5				
Text 6				

3 Lesen Sie den Dialog **Nothing new** in **Unit 5** noch einmal durch. Buchen Sie anschließend einen Flug, indem Sie den Anweisungen folgen.

4 **a.** Sehen Sie sich die Tabelle genau an und beantworten Sie die Fragen auf der CD mit **Yes, she does** oder **No, she doesn't**.

Bridgit's week

	morning	afternoon	evening
Monday	shopping	work	
Tuesday		piano lesson	
Wednesday	work		go running
Thursday	work		
Friday		go running	
Saturday			work
Sunday	swimming	work	

b. Hören Sie zu und notieren Sie Bridgits Antworten in oben stehender Tabelle.

5 Hören Sie zu und sprechen Sie einen Ergänzungssatz wie im Hörbeispiel.

Unit 6

1 Hören Sie und entscheiden Sie, auf welcher Silbe die Hauptbetonung liegt.

1. ho – li – day
2. po – lice
3. of – fi – cer
4. be – gin – ning
5. re – cep – tion
6. teen – ag – er
7. neigh – bour
8. dif – fer – ent
9. ca – me – ra

2 Hören Sie zu und markieren Sie das Wort, auf dem die Hauptbetonung liegt. Sprechen Sie dann nach.

1. How was the holiday?
2. It was a disaster.
3. Did you miss your flight?
4. It was nine and a half hours late.
5. They only had a family room.
6. How old are they?

3 Hören Sie zu und tragen Sie die Verben entsprechend der Aussprache der Endung **-ed** in die passende Spalte ein. Sprechen Sie anschließend nach.

[t]	[d]	[ɪd]

4 Hören Sie zu und beantworten Sie Fragen zu Ihrem letzten Urlaub mit **Yes, I did** oder **No, I didn't**.

5 Stellen Sie jemandem Fragen über seinen letzten Urlaub. Folgen Sie den Anweisungen.

6 Hören Sie und antworten Sie wie im Hörbeispiel.

Unit 7

1 Hören Sie zu und ordnen Sie die Fragen dem Intonationsmuster A oder B zu. Sprechen Sie nach.

Frage	1	2	3	4	5	6
Muster A ↘						
Muster B ↗						

2 Hören Sie zu und kreuzen Sie die richtige Antwort an. Sprechen Sie in den Pausen nach.

1. ☐ work ☐ relax
2. ☐ sun ☐ rain
3. ☐ café ☐ garden
4. ☐ breakfast ☐ lunch
5. ☐ abroad ☐ States
6. ☐ camping ☐ hotel

3 Das ist Ihr Plan für die kommende Woche.
Hören Sie zu und antworten Sie wie im Hörbeispiel.

Monday	Meeting at Mark's school
Tuesday	Tennis with Matt
Wednesday	theatre
Thursday	dinner with the Changs
Friday	take Julie to airport
Saturday	leave for Texas

4 Sie sind Ms Jackie Williams. Lesen Sie die Angaben und beantworten Sie die Fragen.

Name	Jackie Williams
Partner	Raul Mendoza
Children	Two (3 & 4 years old)
Job	In advertising, on design side
Like it?	Yes
Partner	Househusband (planning to go back to his old job next year)

Unit 8

1 Hören Sie und entscheiden Sie, auf welcher Silbe die Hauptbetonung liegt. Sprechen Sie nach.

1. tem – pe – ra – ture
2. de – gree
3. thun – der – storm
4. boy – friend
5. con – ver – sa – tion
6. to – mor – row
7. pro – ject
8. mi – nute
9. east – ern

2 Hören Sie **I like** oder **I'd like**? Kreuzen Sie an.

Frage	1	2	3	4	5	6	7	8
I like								
I'd like								

3 Hören Sie zu, sprechen Sie die Preise nach und notieren Sie sie.

1. ....
2. ....
3. ....
4. ....
5. ....
6. ....

4 Hören Sie zu und antworten Sie mit der passenden Wendung.

Certainly.	Fine, thanks.	I'm sorry to hear that.
No, it's OK, thanks.	Sorry?	You're welcome.

Unit 9

1 In jedem der folgenden Sätze werden zwei Wörter stärker betont als die anderen. Eins davon ist bereits markiert. Hören Sie zu und unterstreichen Sie das zweite betonte Wort. Sprechen Sie nach.

1. I'm not going to work so **hard**.
2. I'm going to **drink** less alcohol.
3. Can I speak to **Bob**, please?
4. I'm afraid he's still in **bed**.
5. What's the date **today**?
6. I'll **call** back later.
7. How are **things** at work?
8. I was in the **office** till nine.

2 Hören Sie zu und ordnen Sie zu, indem Sie Verbindungslinien einzeichnen.

1. back in Germany
2. passport
3. start holiday
4. start work again
5. team meeting
6. tickets

a. 16th February
b. 18th February
c. 11th May
d. 13th June
e. 30th July
f. 13th September

3 Wählen Sie den passenden Feiertagswunsch aus.

1. It's the twenty-fifth of December. What do you say?
2. Today is the first of January. What do you say?
3. It's Easter Sunday. What do you say?
4. Tomorrow is Thanksgiving. What do you say?
5. It's a friend's birthday today. What do you say?

a. Happy New Year.
b. Happy birthday.
c. Merry Christmas.
d. Happy Easter.
e. Happy Thanksgiving.

4 Sie rufen bei der Firma Smith and Williams in Großbritannien an. Folgen Sie den Anweisungen und sprechen Sie in den Pausen.

5 Hören Sie zu und antworten Sie wie im Hörbeispiel.

Unit 10

1 In jedem der folgenden Sätze werden zwei Wörter stärker betont als die anderen. Eins davon ist bereits markiert. Hören Sie zu und unterstreichen Sie das zweite betonte Wort. Sprechen Sie nach.

1. It was the easiest trip we've ever **had**.
2. You won't find a **better** deal anywhere.
3. It's the most **exciting** movie of the year.
4. It must be one of the most **expensive** hotels in the world.
5. It was the worst game of my **career**.
6. I think this is the best place I've ever **stayed** in.

2 Hören Sie zu und sprechen Sie nach. Achten Sie auf die Satzmelodie.

3 Hören Sie zu und entscheiden Sie, ob der Sprecher Amerikaner oder Brite ist.

	1	2	3	4	5	6	7	8
American								
British								

4 Lesen Sie die folgenden Fragen und überlegen Sie, wie Sie antworten werden. Starten Sie dann die CD und antworten Sie in den Pausen.

Do you live in a house or a flat?
Is it big or small?
How many rooms do you have?
Do you have a car?
Do you have a garage?
Are your neighbours nice?
Is it quiet where you live?
Is your place convenient for shops, schools and places like that?
How far is it to the nearest supermarket?
Do you have a spare room for guests?

Unit 11

1 Hören Sie zu und ordnen Sie die Fragen dem Intonationsmuster A oder B zu. Sprechen Sie nach.

Frage	1	2	3	4	5	6
Muster A ↘						
Muster B ↗						

2 Hören Sie zu und unterstreichen Sie das Wort, auf dem die Hauptbetonung jeweils liegt.

1. medical insurance
2. Desborough Road
3. Green Street
4. a car accident
5. feel ill
6. Mr Mannering
7. the opposite direction
8. seat-belt
9. jazz festival
10. parked cars

3 Sie sind beim Arzt. Beantworten Sie die Fragen der Ärztin. Folgen Sie den Anweisungen und sprechen Sie in den Pausen.

4 Eine Bekannte hat ständig versucht Sie anzurufen, aber Sie waren immer beschäftigt. Reagieren Sie wie im Hörbeispiel.

1. 8 a.m.: have a shower
2. 10 a.m.: shop
3. afternoon: work in the garden
4. 6 p.m.: cook
5. 8 p.m.: download music from the internet
6. 10 minutes ago: try to phone you

Unit 12

1 Hören Sie und entscheiden Sie, auf welcher Silbe die Hauptbetonung liegt. Sprechen Sie nach.

1. com – for – ta – ble	**4.** per – son	**7.** an – ni – ver – sa – ry
2. in – struc – tions	**5.** ty – pi – cal	**8.** pre – sent
3. pac – kage	**6.** beau – ti – ful	**9.** in – tro – duce

2 **a.** Hören Sie zu und sprechen Sie nach. Achten Sie auf die Satzmelodie.

b. Und nun hören Sie zu und sprechen Sie die passende Reaktion in der Pause.

3 Hören Sie zu und kreuzen Sie die Orte an, die der Mann auf seinen zwei Urlaubsreisen besucht hat.

Chicago	☐	the Everglades	☐	New York	☐
Florida	☐	the Grand Canyon	☐	Yellowstone	☐
Los Angeles	☐	Washington	☐	San Francisco	☐

4 Auf einer Reise treffen Sie eine Amerikanerin. Sie beginnt ein Gespräch mit Ihnen. Hören Sie zu und beantworten Sie ihre Fragen. Sprechen Sie in den Pausen.

Unit 13

1 In jedem der folgenden Sätze werden drei Wörter stärker betont als die anderen. Eins davon ist bereits markiert. Hören Sie zu und unterstreichen Sie die beiden anderen betonten Wörter. Sprechen Sie nach.

1. Nearly **sixty** per cent of our customers are from Japan.
2. I've always been interested in **English**.
3. I have **ten** years experience in marketing.
4. Since **2005** I have had responsibility for North America.
5. I am looking for a change and would **welcome** the opportunity to work abroad.
6. **What** can you tell me about the working conditions?

2 Verwandeln Sie die vorgegebenen Sätze wie im Hörbeispiel.

3 Hören Sie die folgenden Fragen und überlegen Sie, wie Sie antworten werden. Starten Sie dann die CD und antworten Sie in den Pausen.

1. Where did you go to school?
2. When did you leave school?
3. What did you do after that?
4. And what do you do now?
5. Do you like your job?
6. What are the working conditions like?
7. What is your present salary?
8. Have you been on any special courses?

Unit 14

1 In den folgenden Satzpaaren werden in Satz a drei Wörter stärker betont als die anderen, in Satz b zwei. Welche sind die betonten Wörter? Hören Sie zu und unterstreichen Sie jeweils drei Wörter in Satz a, zwei Wörter in Satz b. Sprechen Sie nach.

	a	b
1.	I used to live in Berlin.	Now I live in Frankfurt.
2.	I used to drive a German car.	Now I drive a Japanese one.
3.	We used to go on holiday to Austria.	Now we go somewhere else.

2 Hören Sie zu und markieren Sie das Wort, das am stärksten betont ist. Sprechen Sie nach.

1. I'd like to book a table for tonight.
2. I have a reservation in the name of Johnstone.
3. I think I'll have the lamb.
4. Could I have the bill, please?

3 Hören Sie zu und kreuzen Sie an, was der Kellner empfiehlt.

1. Starter		2. Main Course		3. Wine	
a. avocado and shrimps	☐	a. chicken tikka	☐	a. wine from France	☐
b. seaweed salad	☐	b. Scottish beef	☐	b. wine from Chile	☐
		c. Scottish lamb	☐	c. wine from Australia	☐

4 Führen Sie einen Dialog mit dem Kellner. Folgen Sie dabei den Anweisungen und sprechen Sie in den Pausen.

5 Hören Sie zu und reagieren Sie wie im Hörbeispiel.

Unit 15

1 Hören Sie und entscheiden Sie, auf welcher Silbe die Hauptbetonung liegt. Sprechen Sie nach.

1. po – lice
2. bro – chure
3. re – port
4. a – larm
5. in – stall
6. lo – cal
7. so – cial
8. ex – ist
9. ja – cket

2 Hören Sie zu und kreuzen Sie an. Geht die Stimme beim Frageanhängsel nach unten oder nach oben? Sprechen Sie nach.

	Nach unten	Nach oben		Nach unten	Nach oben
1.	☐	☐	5.	☐	☐
2.	☐	☐	6.	☐	☐
3.	☐	☐	7.	☐	☐
4.	☐	☐	8.	☐	☐

3 Ergänzen Sie das passende Frageanhängsel. Ihre Stimme geht dabei immer nach unten.

4 Beantworten Sie die Fragen. Der Dieb war jung, groß, schlank, hatte lange, schwarze Haare, trug Sonnenbrille, Jeans, T-Shirt und Sportschuhe.

Unit 16

1 Hören Sie und entscheiden Sie, auf welcher Silbe die Hauptbetonung liegt. Sprechen Sie nach.

1. um – brel – la
2. ma – ga – zine
3. ar – ti – cle
4. pull – over
5. tooth – paste
6. sun – gla – sses
7. sleep – ing – bag
8. grand – par – ents
9. gui – tar
10. al – bum
11. fa – vou – rite
12. in – te – rest
13. con – cen – trate
14. na – ture
15. cou – sin

2 **a.** Hören Sie zu und sprechen Sie nach.

b. Kreuzen Sie an, welches der beiden ähnlich klingenden Wörter gesprochen wird.

1. ☐ by ☐ bike
2. ☐ all ☐ oil
3. ☐ lake ☐ late
4. ☐ copy ☐ coffee
5. ☐ new ☐ news
6. ☐ close ☐ clothes
7. ☐ pens ☐ spends
8. ☐ short ☐ shorts
9. ☐ soap ☐ soup
10. ☐ man ☐ map
11. ☐ floor ☐ flower
12. ☐ tyre ☐ tired
13. ☐ towel ☐ town
14. ☐ sick ☐ thick
15. ☐ boat ☐ boot
16. ☐ shoe ☐ show
17. ☐ sent ☐ tent
18. ☐ hall ☐ hole
19. ☐ blouse ☐ blues
20. ☐ aren't ☐ aunt

3 **a.** Hören Sie zu und sagen Sie, dass Sie das Gleiche tun. Beginnen Sie Ihre Sätze mit **so**.

b. Und nun sagen Sie, dass Sie ebenfalls etwas nicht tun. Beginnen Sie mit **neither**.

4 Lesen Sie die folgenden Sätze, schließen Sie dann das Buch und folgen Sie den Anweisungen.

1. Have I ever told you about my trip to Yellowstone.
2. Well, it was like this.
3. We rented a camper van.
4. We spent the night in the park.
5. And guess what happened.
6. A bear came and stole all our food.

Unit 17

1 Hören Sie und entscheiden Sie, auf welcher Silbe die Hauptbetonung liegt. Sprechen Sie nach.

1. lo – tte – ry
2. ex – pect
3. re – turn
4. fa – sci – na – ting
5. al – most
6. ac – cent
7. se – pa – rat – ely
8. re – ceipt
9. pa – ssen – ger

2 **a.** Hören Sie zu und sprechen Sie nach.

b. Kreuzen Sie an, welches der beiden ähnlich klingenden Wörter gesprochen wird.

1. ☐ win ☐ wind
2. ☐ price ☐ prize
3. ☐ who ☐ huge
4. ☐ expect ☐ expert
5. ☐ high ☐ hire
6. ☐ wish ☐ with
7. ☐ class ☐ glass
8. ☐ work ☐ word

3 Hören Sie zu und entscheiden Sie, auf welchem Wort jeweils die Hauptbetonung liegt. Sprechen Sie nach.

1. wedding anniversary
2. kissogram girl
3. alarm clock
4. winning ticket
5. good night
6. heart condition
7. station exit
8. phone box

4 Lesen Sie zunächst noch einmal Unit 17, Exercise 4. Sie führen nun ein ähnliches Gespräch. Folgen Sie den Anweisungen und sprechen Sie in den Pausen.

Unit 18

1 In jedem der folgenden Sätze werden zwei Wörter stärker betont als die anderen. Eins davon ist bereits markiert. Hören Sie zu und unterstreichen Sie das zweite betonte Wort. Sprechen Sie nach.

1. **When** was the world's first skyscraper built?
2. In which year was the first Model **T** produced?
3. Near which US city is the Golden Gate **Bridge**?
4. Who have we been **invited** by?
5. **Why** was the flight cancelled?
6. **Where** was the money found?

2 Sehen Sie sich in **Unit 18** noch einmal den Abschnitt **Language in use** an. Auf der CD werden Ihnen verschiedene Vorschläge gemacht. Reagieren Sie darauf.

3 Folgen Sie den Anweisungen und machen Sie Ihrem Gast Vorschläge, was Sie gemeinsam unternehmen könnten. Benutzen Sie dabei Wendungen aus **Unit 18, Language in use** und Ausdrücke mit **go** aus dem **Glossar**.

4 Bilden Sie Passivsätze wie im Hörbeispiel.

Unit 19

1 Hören Sie zu und sprechen Sie nach. Achten Sie auf die Satzmelodie.

2 Hören Sie und entscheiden Sie, auf welchem der beiden hervorgehobenen Wörter die Hauptbetonung liegt. Sprechen Sie nach.

1. Please **sit down**.
2. What time did you **get up**?
3. Where do we have to **get off**?
4. Who **looks after** your cat when you're away?
5. What are you **looking for**? Can I help you?
6. I think I'm going to go and **lie down**.

3 Stellen Sie Fragen wie im Hörbeispiel. Die Präposition steht immer am Ende Ihrer Frage.

Unit 20

1 Hören Sie zu und unterstreichen Sie das Wort, auf dem die Hauptbetonung liegt.

1. first aid
2. emergency call
3. good luck
4. badly injured
5. nature reserve
6. no problem

2 Hören Sie zu und entscheiden Sie, ob die Aussagen wahr (**true**) oder unwahr (**false**) sind, oder ob der Hörtext keine Angabe dazu macht (**not in text**).

	true	**false**	**not in text**
1. There has been a car accident.	☐	☐	☐
2. The injured child is a girl.	☐	☐	☐
3. The person with the cellphone is German.	☐	☐	☐
4. The emergency number is 112.	☐	☐	☐

3 Sie haben einen verletzten Mann gefunden und haben die Rettungswacht alarmiert. Beantworten Sie deren Fragen. Folgen Sie den Anweisungen.

4 Berichten Sie wie im Hörbeispiel.

Verbtabelle

- Die folgenden Tabellen geben einen Überblick über die Formen des Verbs **be** und der wichtigsten Hilfsverben sowie über die Bildung der englischen Zeiten. Am Ende finden Sie eine Übersicht der in diesem Buch vorkommenden unregelmäßigen Verben.

- Der Begriff **Einfache Gegenwart** ist als *Einf. Gegenw.*, der Begriff **Einfache Vergangenheit** als *Einf. Vergangenh.* abgekürzt.

- Das Pronomen **I** steht stellvertretend für die erste (**I**) und zweite (**you**) Person Singular und die erste (**we**), zweite (**you**) und dritte (**they**) Person Plural. Eine Ausnahme stellt das Verb **be** dar, das neben den Formen für die erste und dritte Person Singular in der einfachen Gegenwart und der einfachen Vergangenheit noch eine weitere Verbform hat.

- Das Pronomen **he** steht stellvertretend für die gesamte dritte Person Singular, also auch für **she** und **it**.

be *sein*	Einf. Gegenw.	Einf. Vergangenh.	Present Perfect	Past Perfect	Zukunft
I	am	was	have been	had been	will be
You, we, they	are	were	have been	had been	will be
He	is	was	has been	had been	will be

have *haben*	Einf. Gegenw.	Einf. Vergangenh.	Present Perfect	Past Perfect	Zukunft
I	have	had	have had	had had	will have
He	has	had	has had	had had	will have

can *können*	Einf. Gegenw.	Einf. Vergangenh.	Present Perfect	Past Perfect	Zukunft
Alle Personen	can	could	have been able to	had been able to	will be able to

must *müssen*	Einf. Gegenw.	Einf. Vergangenh.	Present Perfect	Past Perfect	Zukunft
Alle Personen	must	had to	have had to	had had to	will have to

Die Zeitenbildung im Aktiv: Regelmäßige Verben am Beispiel *help*

help *helfen*	Einf. Gegenw.	Einf. Vergangenh.	Present Perfect	Past Perfect	Zukunft
I	help	helped	have helped	had helped	will help
He	helps	helped	has helped	had helped	will help

Die Zeitenbildung im Aktiv: Unregelmäßige Verben am Beispiel *see*

see *sehen*	Einf. Gegenw.	Einf. Vergangenh.	Present Perfect	Past Perfect	Zukunft
I	see	saw	have seen	had seen	will see
He	sees	saw	has seen	had seen	will see

Die Zeitenbildung im Passiv: Regelmäßige Verben am Beispiel *help*

help *helfen*	Einf. Gegenw.	Einf. Vergangenh.	Present Perfect	Past Perfect	Zukunft
I	am helped	was helped	have been helped	had been helped	will be helped
He	is helped	was helped	has been helped	had been helped	will be helped

Die Zeitenbildung im Passiv: Unregelmäßige Verben am Beispiel *see*

see *sehen*	Einf. Gegenw.	Einf. Vergangenh.	Present Perfect	Past Perfect	Zukunft
I	am seen	was seen	have been seen	had been seen	will be seen
He	is seen	was seen	has been seen	had been seen	will be seen

Unregelmäßige Verben

Infinitiv	Einfache Vergangenheit	Partizip Perfekt	
become	became	become	*werden*
begin	began	begun	*beginnen*
break	broke	broken	*(zer)brechen*
bring	brought	brought	*(mit)bringen*
build	built	built	*bauen*
buy	bought	bought	*kaufen*
catch	caught	caught	*fangen; erwischen*
choose	chose	chosen	*(aus)wählen*
come	came	come	*kommen*
cost	cost	cost	*kosten*
cut	cut	cut	*schneiden*
do	did	done	*tun, machen*
drink	drank	drunk	*trinken*
drive	drove	driven	*fahren*
eat	ate	eaten	*essen*
fall	fell	fallen	*fallen*
feel	felt	felt	*(sich) (an)fühlen*
find	found	found	*finden*
fly	flew	flown	*fliegen*
forget	forgot	forgotten	*vergessen*
freeze	froze	frozen	*(ge)frieren*
get	got	got	*bekommen*
give	gave	given	*geben*
go	went	gone	*gehen*
grow	grew	grown	*wachsen*
hang	hung	hung	*hängen*
have	had	had	*haben*
hear	heard	heard	*hören*
hurt	hurt	hurt	*wehtun*
keep	kept	kept	*weiter (tun)*
know	knew	known	*wissen; kennen*
lay	laid	laid	*legen*
lead	led	led	*führen; leiten*
leave	left	left	*(hinter)lassen; abfahren*
lend	lent	lent	*(aus)leihen*

Infinitiv	Einfache Vergangenheit	Partizip Perfekt	
let	let	let	*lassen*
lie	lay	lain	*liegen*
lose	lost	lost	*verlieren*
make	made	made	*machen*
mean	meant	meant	*bedeuten; meinen; vorhaben*
meet	met	met	*treffen*
pay	paid	paid	*(be)zahlen*
put	put	put	*stellen; stecken; legen*
read	read	read	*lesen*
ring	rang	rung	*anrufen; klingeln*
run	ran	run	*laufen*
say	said	said	*sagen*
see	saw	seen	*sehen*
sell	sold	sold	*verkaufen*
send	sent	sent	*senden*
shine	shone	shone	*scheinen*
show	showed	shown	*zeigen*
sing	sang	sung	*singen*
sit	sat	sat	*sitzen*
sleep	slept	slept	*schlafen*
speak	spoke	spoken	*sprechen*
spend	spent	spent	*verbringen; ausgeben*
stand	stood	stood	*stehen*
steal	stole	stolen	*stehlen*
swim	swam	swum	*schwimmen*
take	took	taken	*nehmen; dauern*
teach	taught	taught	*lehren; unterrichten*
tell	told	told	*erzählen; sagen*
think	thought	thought	*denken*
throw	threw	thrown	*werfen*
understand	understood	understood	*verstehen*
wake	woke	woken	*wecken*
wear	wore	worn	*tragen*
win	won	won	*gewinnen*
write	wrote	written	*schreiben*

Lösungen zum Lektionsteil

Unit 1

1 **2.** That's an Italian word. – **3.** That's an English word. – **4.** That's an Arabic word. – **5.** That's a French word. – **6.** That's a German word.

2 **2.** we're not, we aren't – **3.** that's not, that isn't – **4.** he's not, he isn't – **5.** you're not, you aren't – **6.** I'm not

3 Hello, my name's / my name is Richard. – And I'm / I am Karin. – Are you German, Karin? – No, I'm / I am Austrian, from Salzburg. – That's / That is a nice city.

4 *(Lösungsvorschlag)*
I'm not Austrian. – I'm from North Germany. – I'm not in my office now. – I'm nice. – I'm not the boss. – I'm not an expert in English.

5 **1.** d – **2.** c – **3.** b – **4.** a – **5.** f – **6.** e

6 **1.** She's – **2.** her, She's – **3.** his, They're, their – **4.** are – **5.** her – **6.** you

7 Tina is not in her office. Tina is in Spain at a conference. Tina's conference is in Madrid. Tina's new colleagues are Bob, Sonia and Juan. Tina's mother is German.

8 **2.** These offices are very modern. – **3.** Those sofas are very big. – **4.** The taxis are old. – **5.** Our children are at kindergarten. – **6.** The cartoons are good.

9 **1.** friend's – **2.** friends' – **3.** bosses' – **4.** husband's – **5.** parents' – **6.** agent's

10 *(Lösungsvorschlag)*
Reisen: check in, airport, hotel, ticket – *TV und Unterhaltung:* talk show, musical, comic, video
Computer und Internet: online, sound card, modem, email
Sport: badminton, team, volleyball, surfing

Unit 2

1 address: city, country, postcode, street, town – marital status: divorced, married, single – name: first name, maiden name, surname – documents: birth certificate, identity card, passport

2

A	A	P	L	E	A	S	E	C
K	B	H	G	S	D	T	A	V
O	P	O	S	T	C	O	D	E
J	X	N	I	R	I	W	D	M
E	O	E	E	E	T	N	R	A
Z	C	O	D	E	Y	E	E	I
C	O	U	N	T	R	Y	S	L
Q	U	G	R	P	L	R	S	P

3 **a.** **1.** 58 – **2.** 129 – **3.** 676 – **4.** 2743
b. 55 = fifty-five – 13 = thirteen – 33 = thirty-three – 812 = eight hundred and twelve – 14 = fourteen – 40 = forty

4 **a.** **3.** zero three zero two seven six five four two double nine
b. **1.** Brad and team all in one word at newnet dot uk – **2.** mike underscore farrell at allhome dot co dot uk – **3.** nancy dot turner at interweb dot com
c. *(offene Antworten)*

5 **1.** Number seventy-nine, please. – **2.** I'm ... – **3.** Excuse me, where is number a hundred and eighty-two, please? – **4.** It's number six hundred and seventy-four. – **5.** It's oh oh four nine / zero zero four nine. – **6.** It's ...

6 **1.** e. – **2.** f. – **3.** b. – **4.** a. – **5.** d. – **6.** c.

7 *(Lösungsvorschlag)*
1. Yes, I am. – **2.** No, I'm not. – **3.** No, he / she isn't. – **4.** No, they aren't. – **5.** Yes, it is. – **6.** No, I'm not.

8 What's your first name, please? – And what's your surname? – What's your email address? – And what's your phone number, please?

9 **1.** Can I have your surname, please? – **2.** Can I introduce you to my boss? – **3.** Can you meet me at the airport, please? – **4.** Can I have a drink, please? – **5.** Can you spell that word for me, please? – **6.** Can you say the name of the street again, please?

10 **a.** A H J K – B C D E G P T V – F L M N S
b. *(Offene Antworten)*

11 **1.** c. – **2.** b. – **3.** d. – **4.** e. – **5.** a.

Unit 3

1 **1.** park – **2.** office – **3.** lights – **4.** station – **5.** market – **6.** stop – **7.** information – **8.** station

2 **a.** 3. – **b.** 5. – **c.** 1. – **d.** 4. – **e.** 6. – **f.** 2.

3 **1.** an excellent – **2.** a lot of – **3.** No problem. – **4.** can you tell me – **5.** inland – **6.** turn – **7.** many – **8.** all right

4 **1.** Go along here. Turn right into Merrow Street. Then turn left into East Street. It's along there on the left. – **2.** Go along here. Turn left into Station Road. It's along there on the right. – **3.** Yes, go along here. Turn right into Merrow Street. It's along there on the right, opposite the bank. – **4.** Yes, go along here. Turn left into Park Road. Then turn right into West Street. It's along there on the left opposite the Italian restaurant.

5 **1.** There are, There is, there is – **2.** There isn't – **3.** There are – **4.** There is – **5.** there isn't – **6.** There aren't, there is

6 **1.** No, there isn't. – **2.** Yes, they are. – **3.** don't turn – **4.** The museum isn't – **5.** don't ask

7 **1.** opposite – **2.** next to – **3.** on – **4.** before – **5.** after

8 Dear Susie,
Hello again from Ireland. We're in a town on the west coast now. It's a nice town, with a fantastic beach. And the pubs are fantastic, too – but there's only one good restaurant. It's an Italian!
Love to you all, Gina and Guiseppe

9 *(Lösungsvorschlag)*
Dear Heinz and Marianne,
Hello again from the States. We're on the east coast now, in Boston. We're in a good hotel near the city center, and there's a very nice view from our room. There are a lot of tourists at this time of year, but it's OK.
Best wishes,
Anna

Unit 4

1 **1.** wake up – **2.** get up – **3.** have breakfast at home – **4.** leave home – **5.** go to work – **6.** start work – **7.** take a morning coffee-break – **8.** have lunch – **9.** finish work – **10.** go home – **11.** make dinner – **12.** go to bed

2 have a break – have a shower – have dinner – have an old school friend – have a job – have a family – have children – have time

3 **1.** early – **2.** go to bed – **3.** finish – **4.** hot – **5.** expensive – **6.** never

4 **1.** Do you always have a big breakfast? – **2.** Carol and Greg don't go to bed late every day. – **3.** They often sleep late. – **4.** We never eat fish for breakfast. – **5.** I don't listen to music every evening. – **6.** It is always hard work. – **7.** We often cook for friends at the weekend.

5 **a.** **1.** ten past one – **2.** half past three – **3.** three forty-five – **4.** half past four – **5.** quarter to five – **6.** quarter past five – **7.** half past five – **8.** twenty-five to six – **9.** six twenty-five – **10.** half past six

b. 7.40 twenty to eight – 7.55 five to eight – 8.25 twenty-five past eight – 8.45 quarter to nine – 9.15 quarter past nine – 9.30 half past nine – 10.30 half past ten – 11.00 eleven o'clock – 11.30 half past eleven – 11.50 ten to twelve

6 **1.** c. don't know – **2.** e. don't work – **3.** f. don't like – **4.** d. don't go – **5.** a. don't cook – **6.** b. don't drink

7 Our – her – My – them – him – his

8 *(Lösungsvorschlag)*
1. Yes, I do. – **2.** No, I don't. – **3.** Yes, we do. – **4.** Yes, I do. – **5.** No, I don't. – **6.** No, they don't.

9 **1.** Do you work every day? – **2.** Do you get up early in the week? – **3.** Do waiters work hard? – **4.** Do you have a family?

10 *(Lösungsvorschlag)*
1. Do you know Berlin? Yes, I do. – **2.** Do you drink tea or coffee in the morning? I drink tea. – **3.** Do you eat meat? Yes, I do. – **4.** Where do you work? In a bank. – **5.** What's the time now? Half past eight. – **6.** What do you usually do in the evening? I watch TV.

Unit 5

1 do: aerobics, judo, sport – go: for a walk, out for a drink, swimming – play: ice hockey, in a band, saxophone

2 **1.** like – love – hate – **2.** leave home – start work – finish work – **3.** Tuesday – Wednesday – Thursday – **4.** usually – sometimes – never – **5.** morning – afternoon – night – **6.** buy fish – cook – eat

3 **1.** asks – **2.** comes – **3.** buys – **4.** does – **5.** finishes – **6.** goes – **7.** has – **8.** knows – **9.** makes – **10.** plays – **11.** relaxes – **12.** says – **13.** tries – **14.** watches – **15.** runs

4 **1.** speaks, doesn't speak – **2.** have, don't have – **3.** knows, doesn't know – **4.** doesn't live, lives – **5.** has, doesn't have – **6.** phone, don't often phone

5 **1.** No, he doesn't. – **2.** Does Sonia go to an aerobics class? – Yes, she does. – **3.** Do Sonia and Jack go to the sauna? – Yes, they do. – **4.** Does Sonia's son do judo? – No, he doesn't. – **5.** Do the children both play ice-hockey? – No, they don't. – **6.** Do they sometimes have brunch in a hotel? – Yes, they do. – **7.** Does Fiona train with her team every Tuesday evening? – Yes, she does.

6 doesn't have – works – gets up – goes – doesn't have / eat breakfast – has a shower – eats – often goes – goes shopping – sometimes meets – doesn't have – has to – finishes – takes – goes – doesn't sleep

7 **a.** **1.** Do you have to get up early? – **2.** Do you have to speak a lot of English in your job? – **3.** Do you have to phone in English? – **4.** Do you have to organize meetings? – **5.** Do you have to meet lots of people in your job? – **6.** Do you have to travel a lot?

b. *(Offene Antworten)*

8 **1.** cooking – **2.** running – **3.** swimming – **4.** going – **5.** being – **6.** living – **7.** organizing – **8.** planning – **9.** having – **10.** getting up

9 *(Lösungsvorschlag)*
I love cooking. – I hate working in the evening. – I don't like getting up early. – I like reading emails. – I like listening to jazz. – I don't like eating pizza. – I love making plans – I like going hiking. – I love acting. – I don't like sleeping in the afternoon. – I love watching sport.

10 from – to – at – in – at – on – on – at – on – before – to – in – before – After – at – in – at – in – at

11 **1.** The Walker family lives in Toronto. – **2.** The daughter does judo. – **3.** The mother goes to an aerobics course. – **4.** The father goes running three times a week. – **5.** Hello, Willi. It's me. – **6.** My husband cooks very well, not like me.

Unit 6

1 **1.** c. – **2.** f. – **3.** e. – **4.** b. – **5.** a. – **6.** d.

2 **1.** which – **2.** who – **3.** who – **4.** which – **5.** who – **6.** which

3 **2.** The hotel (which / that) we booked wasn't very cheap. – **3.** The woman who said hello to us is our new neighbour. – **4.** The film (which / that) we saw last week was three and a half hours long. – **5.** The man who took my name and address wasn't a police officer. – **6.** The holiday (which / that) we booked was for my husband's parents.

4 **1.** was c. was – **2.** was f. weren't – **3.** were d. was – **4.** was b. was – **5.** were a. were – **6.** weren't e. was

5 was – were – argued – arrived – complained – did – drove – felt – found – happened – hurried – knew – laughed – looked – made – missed – spent – stayed – stopped – wanted – wrote

6 booked – was – went – got – left – read – slept – saw – ate – drank – arrived – took – was – had – slept – woke up – walked – found – was – ran – came

7 **2.** stayed, didn't stay – **3.** went, didn't go – **4.** knew, didn't know – **5.** came, didn't come – **6.** bought, didn't buy

8 **1.** I know that you don't like American films, but this one is really good. – **2.** The Duponts stopped for lunch when they saw a nice pub. – **3.** The people who live in number 10 don't have a car. – **4.** When Bob came back from his holiday, there was a lot of work to do. – **5.** But I told you that it wasn't a car park.

9 **1.** Do you have a car? – **2.** Have you got children? – **3.** Do you have time (now)? – **4.** Have they got a garden? – **5.** Does she have a full-time job? – **6.** Has he got a computer?

Unit 7

1 **1.** how about? – **2.** at the moment – **3.** vacation – **4.** fast – **5.** very bad – **6.** rarely – **7.** get – **8.** round the corner
2 **1.** a. – **2.** d. – **3.** f. – **4.** b. – **5.** c. – **6.** e.
3 **1.** nervous – **2.** enjoy – **3.** snow – **4.** outside – **5.** unemployment – **6.** grow – **7.** look – **8.** sound
4 **1.** of – **2.** up – **3.** at – **4.** to – **5.** for – **6.** on
5 **1.** What do you do? – **2.** I work for a big company. I'm on the sales side. – **3.** Do you like your job? – **4.** Yes, I do. I work very hard. – **5.** Do you have nice colleagues? – **6.** Yes, I do. – **7.** What's your boss like? – **8.** She's OK.
6 **2.** are not going, are staying – **3.** are not listening, are playing – **4.** is not raining, is snowing – **5.** is not drinking, is driving – **6.** is phoning, is not feeling
7 *(Lösungsvorschlag)*
1. Yes, I am. – **2.** Yes, I am. – **3.** Yes, I do. – **4.** No, I'm not. – **5.** Yes, they are. – **6.** Yes, I am.
8 don't usually work – am working – wake up – think – remember – get up – am getting up – am working – am writing – am not writing – am just having – am sitting – having – phones – don't know – phones
9 **1.** Do you always go to France for your holiday? – **2.** Are you going to France this year? – **3.** Do you usually stay in a hotel? – **4.** Do you like Provence? – **5.** Do you normally drive? – **6.** Are you coming to my party this weekend? – **7.** Are you listening to music at the moment? – **8.** What are you doing then at the moment?
10 **1.** are having – **2.** has – **3.** have – **4.** is having – **5.** have – **6.** has – **7.** think, are thinking – **8.** do you think

Unit 8

1 *(Lösungsvorschlag)*
good weather: bright, clear, dry, fine, frosty, snowy, sunny, warm – bad weather: cloudy, cold, fog, hot, rain, thunderstorm, wet, windy
2 **1.** Twenty-nine euros ninety-nine – **2.** seven pounds seventy-seven – **3.** twelve euros forty-five – **4.** a / one hundred (and) ninety-nine dollars – **5.** nine dollars (and) ninety-nine (cents) – **6.** fourteen pounds forty-nine (p/pence)
3 1, 3, 5, 8
4 **1.** below – **2.** between – **3.** during – **4.** till – **5.** on – **6.** towards – **7.** above – **8.** for
5 **1.** d. How much is that? – **2.** c. Here you are, two coffees. – **3.** f. I'm afraid I can't come. – **4.** g. It all depends. – **5.** j. We got into conversation. – **6.** b. Do you have an idea? – **7.** a. Certainly. – **8.** i. Not at all. – **9.** h. I like pizza. – **10.** e. I'd like pizza.
6 **1.** wants – **2.** will see – **3.** will be – **4.** If – **5.** if – **6.** if / when – **7.** If – **8.** when
7 **1.** I'll ask him – **2.** I'll make – **3.** I'll show – **4.** I'll take – **5.** I'll have – **6.** I'll help
8 **1.** will you hear – **2.** will be, will see – **3.** won't know – **4.** will they do – **5.** won't cost – **6.** will try
9 **1.** If you don't like the room, I can give you another. – **2.** I'll phone if I can't come. – **3.** They will understand if you speak slowly. – **4.** If the weather is good, we'll spend the day on the beach. – **5.** I'll ask Mike if I see him. – **6.** What will you do if he says no? – **7.** I won't buy it if it is too expensive. – **8.** Will it be OK if I bring my boyfriend?
10 **1.** If you have time, you must / 'll have to visit the Eden Project. – **2.** I'll cook if you want. – **3.** Your friends can sleep here if you need another room. – **4.** If you don't have enough money, buy something else.

Unit 9

1 January, February, March, April, May, June, July, August, September, October, November, December

2 do: aerobics, sport – go on: a diet, holiday – make: breakfast, a mistake – take: photos, a break

3 **2.** eat a piece of fruit – **3.** look through a list of names – **4.** smoke a packet of cigarettes

4 **1.** Happy / Merry Christmas! – **2.** Happy Thanksgiving! – **3.** Happy New Year! – **4.** Happy Easter!

5 **1.** c. – **2.** e. – **3.** h. – **4.** a. – **5.** g. – **6.** f. – **7.** d. – **8.** b.

6 **a.** **1.** We don't have any fruit. – 2. Sonia didn't meet any of her colleagues. – **3.** We didn't make any mistakes. – **4.** Bob didn't drink any whisky. – **5.** They didn't bring us any salad. – **6.** Tina won't earn any more money.

b. **1.** Do we have any/some fruit? – **2.** Did Sonia meet any of her colleagues? – **3.** Did we make any mistakes? – **4.** Did Bob drink any whisky? – **5.** Did they bring us any salad? – **6.** Will Tina earn any more money?

7 **1.** am going to buy – **2.** are you going to stay – **3.** are going to call – **4.** are we going to get – **5.** Is Bob going to give up – **6.** is going to finish

8 **1.** Bob is flying to Portugal on Tuesday. – **2.** I need a break. – Good idea. I'll make some coffee. – **3.** I'll drive/take you to the station if you want. – **4.** I'm not going to help. He didn't help me. – **5.** The phone is going to ring (in a moment). – **6.** I'm meeting some friends this evening. At 8, in the pub.

Unit 10

1 **1.** 1.flat, apartment – **2.** lift, elevator – **3.** underground, subway – **4.** railway, railroad – **5.** taxi, cab – **6.** theatre, theater – **7.** holiday, vacation – **8.** toilet, restrooms – **9.** Mum, Mom – **10.** stupid, dumb – **11.** Yours sincerely, Sincerely yours – **12.** Yours faithfully, Yours truly

2 **1.** children's bedroom – **2.** bathroom – **3.** spare room – **4.** living room – **5.** hall – **6.** stairs – **7.** toilet – **8.** dining room – **9.** kitchen – **10.** parents' bedroom – **11.** house

3 **1.** positiv: best – convenient – easy – excellent – exciting – exclusive – friendly – quiet
2. negativ: bad – dirty – dumb – expensive – noisy – tired – too small – worst

4 **1.** Nobody phoned. – **2.** We went somewhere nice. – **3.** I have something to say. – **4.** He knows somebody / someone in Seattle.

5 *(Lösungsvorschlag)*
The kitchen is smaller than the living room. – The parents' bedroom is bigger than the bathroom. – The toilet isn't as big as the hall. – The spare room is as small as the kitchen. – The dining room is bigger than the kitchen.

6 **1.** more expensive than – **2.** as old as – **3.** harder ... than – **4.** easier than – **5.** worse than – **6.** as exciting as

7 **1.** longest – **2.** best – **3.** shortest – **4.** most unusual – **5.** strangest – **6.** most terrible – **7.** hardest – **8.** most wonderful – **9.** wettest – **10.** most fantastic – **11.** worst – **12.** most exciting – **13.** funniest – **14.** most awful

8 friendly – nicely – nice – good – easily – good – exactly – happy – privately – hard – fast – slowly – terribly – unusually – warm – tired – dirty – strangely – happy – fantastic

Unit 11

1 **1.** foot – **2.** leg – **3.** knee – **4.** stomach – **5.** hand – **6.** arm – **7.** chest – **8.** shoulder – **9.** mouth – **10.** eye – **11.** ear – **12.** nose

2 **1.** of – **2.** in – **3.** against – **4.** from – **5.** into – **6.** for

3 **1.** illness – **2.** festival – **3.** your – **4.** appointment – **5.** wear – **6.** honest

4 **1.** c. medical – **2.** e. feel – **3.** g. the matter – **4.** a. pain, shoulder – **5.** d. temperature – **6.** b. send for – **7.** h. appointment – **8.** f. diarrhoea

5 **1.** mine – **2.** yours – **3.** ours – **4.** his – **5.** its – **6.** theirs – **7.** hers

6 **1.** Its – **2.** Mine – **3.** Ours – **4.** His – **5.** Theirs – **6.** Hers

7 **2.** wasn't listening – **3.** were you going – **4.** was wearing – **5.** were waiting – **6.** were you doing, was trying – **7.** was feeling – **8.** was working, were watching / were helping

8 **1.** was driving, happened – **2.** was happening, arrived. – **3.** was walking, started – **4.** got, wasn't raining – **5.** saw, were you waiting – **6.** were you buying, met – **7.** was cooking, arrived – **8.** was just reading, phoned

9 **1.** needn't – **2.** mustn't – **3.** don't have to – **4.** doesn't have to – **5.** mustn't – **6.** doesn't have to

10 *(Lösungsvorschlag)*
I'll be able to watch English TV. – I'll be able to write emails in English. – I'll be able to understand what they say in films. – I'll be able to help my children with their English. – I'll be able to read English books. – I'll be able to show tourists the way. – I'll be able to travel more easily.

11 **1.** We'll be able to come, but we won't be able to stay long. – **2.** The flight was late. We had to wait (for) two hours. – **3.** I'll be able to give you an answer soon. / I'll soon be able to give you an answer. – **4.** We'll have to get up very early.

Unit 12

1 **1.** e. – **2.** d. – **3.** f. – **4.** a. – **5.** h. – **6.** b. – **7.** c. – **8.** g.

2 **1.** make – **2.** improve – **3.** order – **4.** manage – **5.** learn – **6.** introduce – **7.** invite – **8.** hope

3 **1.** kind – **2.** before – **3.** recently – **4.** beautiful – **5.** let you know – **6.** next door

4 **1.** Have, haven't – **2.** Has, hasn't – **3.** Have, have – **4.** Have, haven't – **5.** Has, hasn't – **6.** Have, have

5 **1.** be, was / were, been – **2.** bring, brought, brought – **3.** come, came, come – **4.** eat, ate, eaten – **5.** find, found, found – **6.** give, gave, given – **7.** go, went, gone – **8.** have, had, had – **9.** know, knew, known – **10.** make, made, made – **11.** meet, met, met – **12.** take, took, taken – **13.** tell, told, told – **14.** think, thought, thought

6 **1.** Silvia has found a new job. She started last Monday. – **2.** Udo has made friends with the new neighbours. He has played a lot of tennis lately / recently. Yesterday he played with Peter Mauel. – **3.** Udo and Silvia lived in England till last year. – **4.** Gisela has always wanted to visit the west coast of the USA.

7 *(Lösungsvorschlag)*

a. I've listened to the radio. – I've made coffee. – I've written an email. – I've phoned a friend. – I haven't travelled over 50 kilometres. – I haven't drunk wine. – I haven't ordered a taxi. – I haven't spoken English.

b. I listened to the radio at 7 o'clock this morning. – I made coffee when I got to the office. – I wrote an email to a firm in Poland this afternoon. – I phoned my friend Tina this evening.

Unit 13

1 **1.** application – **2.** qualification – **3.** invite – **4.** arrival – **5.** depart – **6.** complaint – **7.** meeting – **8.** interview

2 **1.** for – **2.** with – **3.** with – **4.** by / before – **5.** In – **6.** till / until – **7.** in – **8.** on

3 **1.** a school – **2.** employers, jobs – **3.** a new job, a new position – **4.** a résumé, references – **5.** a salary, money – **6.** a club, a company – **7.** an apprenticeship, training – **8.** a candidate, someone on TV

4 what the employee has to offer: languages, professional experience, qualifications, skills – what the employee wants to know: holidays, responsibilities, salary, working conditions – information the employer wants: application, certificates, CV, references

5 since: 1997, half past six, last July, Tuesday afternoon, yesterday morning – for: a week, one or two minutes, seven years, three months, two and a half hours

6 **1.** have known, since – **2.** has worked, for – **3.** have been, since – **4.** has been closed, for – **5.** have had, since – **6.** has sold, for

7 **1.** I have known for a long time that the firm / company is moving / is going to move. – **2.** The firm / company has been in Berlin since 1850. – **3.** I have always driven French cars. – **4.** We have had a cat for two months. – **5.** I have lived here all my life / my whole life. – **6.** Tony has been ill since last week.

8 **1.** How long have you been waiting? – **2.** How long have you been working on the Beijing project? – **3.** How long has he been phoning / talking to her / have they been speaking? – **4.** How long have you been sitting here / there? – **5.** How long have they been playing? – **6.** How long have you been trying (to phone / to reach him)?

9 **1.** My son left school last year. – **2.** This year I'm leading a group of Germans up Mount Everest. – **3.** At my old school they taught me survival skills. – **4.** From 2002 to 2003 I worked from home. – **5.** I have learned / been learning English since 2002. – **6.** Since 2003 we have offered / been offering six new courses a year.

10 **1.** will have stopped – **2.** will have been – **3.** will have finished – **4.** will have cost – **5.** will have left – **6.** will have had to

Unit 14

1 *(Lösungsvorschlag)*
Brot: bread, sandwich, toast – *Fleisch:* beef, pork, lamb, chicken, sausage, meat – *Gemüse:* potato, onion, tomato – *Obst:* apple, orange, banana – *Besteck:* knife, fork, spoon – *Getränke:* tea, coffee, milk, juice, wine, beer

2 **1.** d. – **2.** c. – **3.** h. – **4.** a. – **5.** b. – **6.** f. – **7.** e. – **8.** g.

3 **1.** so that – **2.** am used to travelling – **3.** used to travel – **4.** after – **5.** take a seat – **6.** menu – **7.** smiled – **8.** remind – **9.** closed – **10.** wait and see

4 **1.** In – **2.** at – **3.** of – **4.** on – **5.** of – **6.** about

5 *(Lösungsvorschlag)*
I used to live in Heidelberg. I used to work for Benker AG. I often used to visit my grandmother. – I didn't use(d) to like fish. I didn't use(d) to be interested in the theatre.

6 **1.** going – **2.** being – **3.** living – **4.** talking – **5.** waiting – **6.** driving

7 **1.** to speak – **2.** speaking – **3.** speaking – **4.** to speak – **5.** to speak – **6.** speaking – **7.** speaking – **8.** speaking – **9.** to speak – **10.** to speak – **11.** to speak – **12.** speaking

8 **1.** Go by train instead of driving. – **2.** Book a table before calling a taxi. – **3.** Carry on for 20 minutes without stopping. – **4.** I like the idea of trying Da Gina in Walton Street. – **5.** What was your reason for being late? – **6.** I'm good at remembering names.

9 **1.** for saying – **2.** at planning – **3.** for earning – **4.** of asking – **5.** in finding out – **6.** for not remembering

10 **1.** We are looking forward to meeting you. – **2.** Instead of waiting here in the rain, we could go into that pub there. – **3.** I would like to enjoy the journey without having to hurry. – **4.** I am used to not having much / a lot of money. – **5.** Who had the idea of phoning / calling Philip? – **6.** I want to stop smoking.

Unit 15

1 **1.** ugly – **2.** stupid – **3.** common – **4.** relative – **5.** behind – **6.** dark – **7.** may – **8.** cash – **9.** far away – **10.** realize – **11.** on – **12.** tell – **13.** prevent – **14.** friend

2 **1.** m. – **2.** h. – **3.** g. – **4.** d. – **5.** e. – **6.** k. – **7.** j. – **8.** i. – **9.** a. – **10.** c. – **11.** f. – **12.** b. – **13.** l.

3 **2.** are you? – **3.** will it? – **4.** isn't it? – **5.** have you? – **6.** haven't we? – **7.** can it? – **8.** hasn't he?

4 **to** ist in folgenden Sätzen nötig: 4, 5, 7, 10, 12

5 **1.** a, b, c – **2.** b, c – **3.** a, c – **4.** a, b, c

6 **1.** e. – **2.** d. – **3.** f. – **4.** c. – **5.** a. – **6.** b.

7 **2.** Who had beautiful hair? – **3.** Who had an alarm installed? – **4.** Who did you see? – **5.** Who don't you like? – **6.** Who needs friends? – **7.** Who does he never / doesn't he invite? – **8.** Who do you see here every day?

8 **1.** don't we? – **2.** didn't you? – **3.** doesn't he? – **4.** don't they? – **5.** didn't you? – **6.** don't I? – **7.** doesn't she? – **8.** didn't it?

9 **1.** I want / am going to send for the doctor. – **2.** Emma is having / is going to have her hair cut this afternoon. – **3.** He made me wait twenty minutes. – **4.** I'll make you walk if you don't stop!

Unit 16

1 flowers – engine – tent – truck – tree – lake – towel – pillow

2 *männlich:* father, waiter, uncle, son, husband, grandfather – *weiblich:* saleswoman, mother, aunt, daughter, sister, waitress – *männlich und weiblich:* burglar, tour guide, police officer, boss, chemist, adult

3 **1.** So am I. – **2.** So do I. – **3.** Neither do I. – **4.** Neither have I. – **5.** So have I. – **6.** Neither am I.

4 **1.** lake – **2.** trees – **3.** hill – **4.** valley – **5.** river – **6.** bridge – **7.** field – **8.** animals – **9.** church – **10.** road

5 5, 6, 4, 3, 8, 1, 9, 2, 7

6 Have you seen my glasses? – No, sorry. – They were on my desk. Well, I think so. – There is a pair here on the table. – No, that's not it (the pair) / them (the glasses). – Where are the clothes I was wearing this afternoon? – Upstairs on the bed. Shall I go and look for you? – OK, thanks. But be careful, the stairs are very steep. – I have news for you, and it's not good. Your glasses were in the pocket of your jeans, and they were on the bed, and someone has sat on the bed, so your glasses are now broken.

7 **1.** ourselves – **2.** herself – **3.** himself – **4.** yourselves – **5.** me – **6.** myself – **7.** each other – **8.** themselves – **9.** (yourself) – **10.** each other

8 **1.** I will / am going to complain. – **2.** We meet every Wednesday. – **3.** I can't concentrate. – **4.** We saw a black car in front of us. – **5.** She told / said to herself, "He must / has to learn to help himself." – **6.** Do you remember? We bought (ourselves) chocolate.

9 **2.** Does it? – **3.** Was he? – **4.** Did you? – **5.** Did it? – **6.** Is she? – **7.** Will I / we? – **8.** Would you?

Unit 17

1 **1.** pleasant – **2.** several – **3.** before / originally – **4.** huge – **5.** almost – **6.** forget – **7.** win / find – **8.** high – **9.** get off / get out of – **10.** return

2 **1.** Belgium – **2.** queue – **3.** fare – **4.** fascinating – **5.** everybody – **6.** timetable – **7.** couple – **8.** passenger – **9.** reporter
Waagerecht: buffet car

3 **1.** The train is delayed. – **2.** What is the fare? – **3.** You don't have to change. – **4.** I warned him not to do it. – **5.** We are paying separately. – **6.** I fell asleep.

4 A return to Bristol, please. – What is the cheapest fare? – What conditions are there? – Do I have to change (trains)?

5 **1.** tennis player – **2.** travellers – **3.** taxi driver – **4.** readers – **5.** campers – **6.** hikers

6 **2.** He hadn't won (money) on the lottery before. – **3.** They hadn't seen one before. – **4.** They hadn't done it / been on it before. – **5.** He hadn't been there before. – **6.** He hadn't met / seen them before.

7 **1.** got, had left – **2.** knew, hadn't expected – **3.** phoned, had already informed – **4.** had slept, felt – **5.** had snowed, had to – **6.** found, had already eaten

8 **1.** We lay in the tent listening to the rain. – **2.** I saw Tony driving to work. – **3.** Can you hear Olaf singing in the shower? – **4.** We stood on the street corner watching the parade. – **5.** We listened to the salesman wondering what it would all cost.

9 finishing – trying – looking – sounding – thinking – beginning – trying

Unit 18

1 **1.** high– **2.** long – **3.** fast – **4.** loud – **5.** difficult – **6.** interesting

2 **1.** Germany, German, German, a German – **2.** France, French, French, a Frenchman / Frenchwoman – **3.** England, English, English, an Englishman / Englishwoman – **4.** Ireland, Irish / English, Irish, an Irishman / Irishwoman – **5.** the USA, American English, American, an American – **6.** Italy, Italian, Italian, an Italian – **7.** Spain, Spanish, Spanish, a Spaniard – **8.** Austria, German, Austrian, an Austrian – **9.** Switzerland – Swiss German / French / Italian / Rhaeto-Romanic, Swiss, a Swiss (person)

3 **1.** found – **2.** write – **3.** bookmark – **4.** be invited – **5.** read – **6.** record – **7.** watch – **8.** browse – **9.** use – **10.** download

4 How / What, going – shall – like, can / could – don't – Let's – staying

5 **1.** e. – **2.** f. – **3.** a. – **4.** g. – **5.** b. – **6.** h. – **7.** c. – **8.** i. – **9.** j. – **10.** d.

6 **3.** They asked me questions. – **4.** They sent me an angry email. They sent an angry email to me. – **5.** They suggested some changes to me. – **6.** They described the building to me. – **7.** They gave me the key. They gave the key to me. – **8.** They showed me a model. They showed a model to me.

7 **1.** My camera has been stolen. – **2.** The program(me) was watched by 30 million people. – **3.** My firm / company has been taken over. – **4.** It has been bought by an American firm / company. – **5.** I have been offered a job in New York. – **6.** The coffee is (just) being made.
8 **1.** The hotel was opened in 1920. – **2.** Passengers are asked to check in early. – **3.** Tickets can only be bought on the internet. – **4.** All the tickets have been sold. – **5.** The report has already been written. – **6.** How is this word spelled? – **7.** The date will be decided soon. – **8.** The keys have been lost. – **9.** Two tables were booked. – **10.** $6 million was / were spent.

Unit 19

1 **1.** ring up / call up – **2.** pick up – **3.** this way – **4.** none – **5.** look up – **6.** return – **7.** round here – **8.** straightaway
2 **1.** up – **2.** up – **3.** out – **4.** on – **5.** off – **6.** up – **7.** for – **8.** round – **9.** down – **10.** out
3 **1.** This week we're looking after our neighbours' cat. – **2.** When are you going to give up smoking? – **3.** Take it off! – **4.** Where are we going to hang up the pictures / hang the pictures up? – **5.** I looked through the list. – **6.** Can you phone me back?
4 a misunderstanding – really mean – believe it – your pardon
5 **1.** would walk – **2.** walked, would get – **3.** got, would have – **4.** went, would meet – **5.** met, would find – **6.** found, would need
6 **1.** If I hadn't forgotten my mobile, I could have phoned my friends and asked for directions. – **2.** If I hadn't missed my train, I wouldn't have arrived late for work. – **3.** If I hadn't booked (so) late, I would have got a ticket. – **4.** If I had listened to the radio, I would have known that it was going to snow.
7 **1.** I wouldn't have taken the flat if I had known how noisy the neighbours are. – **2.** It wouldn't have happened if we had driven more slowly. – **3.** If you hadn't phoned / called / rung (me up), I would have got up late. – **4.** I wouldn't have come if I had known that the car doesn't have any heating / has no heating.

Unit 20

1 *(Lösungsvorschlag)*
animals – trees – bears – wilds – flowers – mountains – waterfalls – hikers – grass – rivers – hills – valleys – nature
2 m, metres, Meter – pls, please, bitte – asap, as soon as possible, so bald wie möglich – Mon, Monday, Montag – Dec, December, Dezember – arr, arrival, Ankunft – e.g., for example, zum Beispiel – FAQ, frequently asked questions, häufig gestellte Fragen – mph, miles per hour, Meilen pro Stunde
3 **1.** whisper – **2.** shout – **3.** reply – **4.** demand / want to know – **5.** add – **6.** wonder
4 **1.** lied – **2.** lain – **3.** lay – **4.** laid – **5.** lay – **6.** lying – **7.** tell – **8.** say, said
5 **1.** Tony told me that he wasn't coming. – **2.** Steve promised that he'd / he would phone again later. – **3.** Jack and Brenda explained that they had lost their passports. – **4.** Anna whispered that Tony didn't know yet. – **5.** The child complained that he / she / it couldn't see. – **6.** Her colleague reported that Sophie was ill again.
6 **2.** that you wouldn't have to work. – **3.** that parking was not allowed there. – **4.** the same thing could never happen again. – **5.** you weren't hungry. – **6.** he / she wasn't coming.

7 **2.** I asked my wife to phone me back. – **3.** My boss told me to bring the newspaper article. – **4.** The injured man asked me to tell him my name. – **5.** The trainer told the people on the course not to forget to wear gloves. – **6.** The reporter asked me to repeat the address.
8 **1.** She asked me where I was from. – **2.** I told her I came from Germany. – **3.** She said she had relatives in Salzburg. – **4.** She thought Salzburg was in Germany. – **5.** I said I was only staying four days. – **6.** The taxi/cab driver asked where she should stop.
9 **1.** what had happened. – **2.** where I was. – **3.** who the man was. – **4.** how I was going to get home. – **5.** when I would be home. – **6.** why I was going to the hospital.

Lösungen zu den Tests

34–26 Punkte: *Great!* – Tolle Leistung!

25–17 Punkte: *Well done.* – Sie haben schon gute Fortschritte gemacht. Sehen Sie sich jetzt noch einmal die Themen im Buch an, mit denen Sie Probleme hatten.

Weniger als 17 Punkte: *Not bad, but …* – Na ja, das können Sie bestimmt besser. Wiederholen Sie die Grammatikerklärungen und den Wortschatz der letzten fünf Lektionen noch einmal.

Test 1

1 **1.** true – **2.** false – **3.** true – **4.** true
2 **1.** breakfast, lunch, dinner – **2.** fifteen, thirty, fifty – **3.** Tuesday afternoon, Wednesday morning, Thursday evening – **4.** half past six, twenty-five to seven, quarter to seven – **5.** get up, have lunch, go to bed – **6.** go along here, turn right into Baker Street, go along there and take the second street on the left
3 cold: know, phone, only – buy: flight, like, try – new: view, two, who – because: boss, watch, what – meet: people, she, tea – great: make, same, waiter
4 **1.** My friend doesn't speak English. – **2.** I don't speak much English. – **3.** Do you know when the next train goes to London? – **4.** Does it go on Sundays, too? – **5.** When does it get to London? – **6.** Do you work in London?
5 **1.** Sorry, I don't understand. – **2.** Can you repeat that / say that again, please? – **3.** Could you speak a little more slowly, please? – **4.** Can you spell that, please? – **5.** Yes, that's right. – **6.** (I'm) Sorry. / Excuse me.
6 **1.** What's your surname / last name (,please)? – **2.** Are you English? – **3.** Do you like / know Germany? – **4.** Do / Can you speak German? – **5.** What's your phone number / Can I have your phone number, please? – **6.** Do you have email / an email address?

Test 2

1 **1.** C – **2.** A – **3.** D – **4.** B
2 go on: a long holiday, a diet – take: a photo, a break – make: a mistake, a complaint
3 **1.** didn't have – **2.** felt – **3.** did you leave – **4.** was – **5.** drove – **6.** weren't
4 **1.** b. – **2.** b. – **3.** b. – **4.** b. – **5.** b. – **6.** a.
5 **1.** on the fifth of June / on June (the) fifth – **2.** a glass of wine – **3.** if – **4.** wants – **5.** You're welcome. / That's OK. / That's all right. / It's a pleasure. / Not at all. – **6.** people
6 **1.** f. – **2.** d. – **3.** b. – **4.** c. – **5.** a. – **6.** e.

Test 3

1 **1.** false – **2.** false – **3.** false – **4.** false
2 **1.** present – **2.** wedding – **3.** onion – **4.** slim – **5.** potato – **6.** knee
3 **1.** e. – **2.** a. – **3.** d. – **4.** f. – **5.** c. – **6.** b.
4 **1.** remember – **2.** by – **3.** meeting – **4.** didn't you – **5.** used to smoke – **6.** to
5 **1.** I haven't played much tennis recently / lately. – **2.** We have lived here for seven years. – **3.** Who do you know here? – **4.** You needn't / don't have to / don't need to decide now if you don't want to. – **5.** I will be able to meet you next Tuesday, but not before then, I'm afraid. – **6.** I was having a shower when the phone rang.
6 **1.** saw – **2.** didn't go – **3.** did they tell – **4.** moved – **5.** have been – **6.** visited

Test 4

1 **1.** false – **2.** true – **3.** false – **4.** true
2 **1.** d. – **2.** a. – **3.** b. – **4.** e. – **5.** f. – **6.** c.
3 **1.** has – **2.** million – **3.** each other – **4.** to you – **5.** me – **6.** These
4 **1.** themselves – **2.** Neither have we. – **3.** not to park here – **4.** Do – **5.** it says – **6.** by
5 **1.** All the sandwiches have been eaten. – **2.** I am being given a new office. – **3.** The windows shouldn't be left open. – **4.** When was this house built? – **5.** When will this bill have to be paid? – **6.** How is that spelled?
6 **1.** knew, would tell – **2.** hadn't taken, would have missed – **3.** had phoned, could have warned – **4.** would be – **5.** were doing – **6.** had lost

Lösungen zum Hör- und Sprechtraining

Unit 1

1 computer – airbag – airport – drink – cartoon – sofa – taxi – hello

2 **a.** this – these – they – that – their – those – mother – father – thing – thanks
b. th – this – these – they – that – their – those – mother – father
c. th – thing – thanks

3 **1.** these – **2.** is – **3.** all – **4.** and – **5.** right – **6.** me – **7.** father – **8.** for – **9.** their – **10.** her – **11.** are – **12.** he's

4 ● Nice to meet you. – ● Nice to meet you, too. – ● Let me introduce you. – ● This is my colleague in marketing. – ● Welcome to Germany.

5 **1.** We are from Germany. – **2.** My colleague is from Germany. – **3.** Tina is from Germany. – **4.** Tina and Markus are from Germany. – **5.** You are from Germany. – **6.** I am from Germany.

6 **1.** I'm Hans Müller. My name is Müller. – **2.** She's Tina Berger. Her name is Berger. – **3.** We're Jack and Sonia Walker. Our name is Walker. – **4.** They're Tony and Sheila Smith.Their name is Smith. – **5.** He's Juan Vargas. His name is Vargas. – **6.** You're Carl and Ingrid Meyer? Your name is Meyer? – **7.** I'm Birgit Weiß. My name is Weiß.

Unit 2

1 where – what – well – welcome – we – wife

2 **1.** 12 – **2.** 13 – **3.** 40 – **4.** 50 – **5.** 16 – **6.** 70 – **7.** 18 – **8.** 19

3 **1.** Florence – **2.** Smit – **3.** Powell – **4.** Bates – **5.** Stephens – **6.** Walter
1. ● What's your name, please? – ● Florence. – ● Can you spell that, please? – ● Yes, it's F L O R E N C E. – ● Thank you. – **2.** ● What's your name, please? – ● Smith. – ● Can you spell that, please? – ● Yes, it's S M I T H. – ● Thank you. – **3.** ● What's your name, please? – ● Powell. – ● Can you spell that, please? – ● Yes, it's P O W E L L. – ● Thank you. – **4.** ● What's your name, please? – ● Bates. – ● Can you spell that, please? – ● Yes, it's B A T E S. – ● Thank you. – **5.** ● What's your name, please? – ● Stephens. – ● Can you spell that, please? ● Yes, it's S T E P H E N S. – ● Thank you. – **6.** ● What's your name, please? – ● Walter. – ● Can you spell that, please? – ● Yes, it's W A L T E R. – ● Thank you.

4 **1.** 089-630697 – **2.** 0140-528866 – **3.** 0156-792504
1. ● What's your phone number, please? – ● 089-630697. – ● 089-630697? – ● That's right. – ● Thanks. – **2.** ● What's your phone number, please? – ● 0140-528866. – ● 0140-528668? – ● No, 0140-528866. – ● Oh, sorry. Thanks. – ● No problem. – **3.** ● What's your phone number, please? – ● 0156-792504. – ● 0156-792504? – ● That's right. – ● Thanks.

5 *(offene Antworten)*
1. ● Are you English? – ● … – **2.** ● Are you German? – ● … – **3.** ● Are you from a big place? – ● … – **4.** ● Are you from Berlin? – ● … – **5.** ● Are you single? – ● … – **6.** ● Are you married? – ● …

6 ● Hello. Can I have your name, please? – ● It's Hungerford. – ● Can you spell that, please? – ● Sure. It's H U N G E R F O R D. – ● And what's your phone number? – ● It's 0171-236549875. – ● Can you say that again, please? – ● Sure: 0171-236549875. – ● What's your email address, please? – ● It's hungerford@hamburger.co.uk. – ● Sorry, I don't understand.

Unit 3

1 gard**e**n – aft**er** – metr**e** – centr**e** – welc**o**me – **a**noth**er** – strang**er** – entr**a**nce – Germ**a**n – comput**er** – mod**ern** – ag**e**nt – Americ**a**

2 **3.** [ɑː] – **4.** [æ] – **5.** [æ] – **6.** [ɑː] – **7.** [ɑː] – **8.** [æ]

3 **1.** Lloyd's Bank – **2.** the post office – **3.** the Station Hotel – **4.** the Italian restaurant
1. Go along here, then turn right into Merrow Street. Go along there and it's on the left. – **2.** Go along here and it's on the left after the chemist's. – **3.** Go along here, turn left into Park Road, then right into West Street. Go along there to the end, then turn right. It's on the right. – **4.** Go along here, turn left into Park Road, then right into West Street. Go along there and it's on the right.

4 Excuse me. Is there a post office near here? – Excuse me. Is there a restaurant near here? – Excuse me. Is there a hotel near here? – Excuse me. Is there a car park near here? – Excuse me. Is there a supermarket near here?

5 (*offene Antworten*)
● Excuse me. Is there a bank near here? – ● … – ● Excuse me. Is there a hospital near here? – ● … – ● Excuse me. Is there a nice restaurant near here? – ● … – ● Excuse me. Is there a tourist information office near here? – ● … – ● Excuse me. Is there a supermarket near here? – ● … – ● Excuse me. Is there a hotel near here? – ● …

6 **1.** ● Excuse me. Can you tell me the way to the railway station? – ● Go along here and take the second street on the right. – ▲ Sorry, that's not right. Don't take the second street, take the first street. – **2.** ● Excuse me. Can you tell me the way to the tourist information office? – ● Yes. Go along here, then turn left. – ▲ Sorry, that's not right. Don't turn left, turn right. – **3.** ● Excuse me. Can you tell me the way to the underground station? – ● Yes. Take the second street on the right, and it's along there. – ▲ Sorry, that's not right. Don't take the second street, take the third street. – **4.** ● Excuse me. Can you tell me the way to the hospital? – ● Yes. Take the third street on the left. – ▲ Sorry, that's not right. Don't take the third street, take the first street.

Unit 4

1 **4.** [ʃ] – **5.** [tʃ] – **6.** [ʃ] – **7.** [dʒ] – **8.** [dʒ] – **9.** [dʒ] – **10.** [dʒ] – **11.** [tʃ] – **12.** [tʃ] – **13.** [ʃ] – **14.** [ʃ]

2 George: teacher – Marvin: actor – Peter: caterer – Tom: waiter
Hi, my name's George. I get up at 6.30 and I start work at 8.30. It's not a big school where I work, we have just 280 children. I have 24 children in my class. – I'm Marvin. I don't usually get up before 10.30 or 11. I work in the afternoon, and in the evening. I like theater work, but usually I work in TV. – My name's Peter. I work in a restaurant, with my friend Tom. He works with the customers, I work with the food. It can be very hot in the kitchen, but I like it.

3 **1.** a. – **2.** c. – **3.** b. – **4.** d. – **5.** f. – **6.** g. – **7.** e. – **8.** h.
My name is Julie and I work for a big bank. I'm a computer expert, a systems administrator, and I work at night. I usually start work at 10.30 in the evening, when the other people are all at home in front of the TV. I finish work at 5.30 in the morning, then I take a taxi home and go to bed at 6.30. I get up at 11.30. I go to the fitness studio at 12.00, then I have my breakfast at about 1.00. I don't eat lunch. In the afternoon I often go shopping, and I meet friends for a drink at 6 or 6.30 in the evening. At 9.30 I have dinner and go to work.

4 **1.** It's seven o'clock – **2.** It's half past seven. – **3.** It's twenty-five to eight.– **4.** It's twenty to eight. – **5.** It's quarter past eight. – **6.** It's half past eight.

5 **1.** ● Do you work? – ● Yes, I do. I work in the theatre. – **2.** ● Do you work every day? – ● Not every day, not on Monday. – **3.** ● When do you start? – ● Early. I'm not an actor, I work in the theatre office. – **4.** ● Do you get up early? – ● Early for England. At half past seven. I start work at nine. – **5.** ● Do you like your job? – ● Yes, I do. It's a really good job.

6 (*offene Antworten*)
1. ● Do you get up early? – ● ... – **2.** ● Do you work hard? – ● ... – **3.** ● Do you work at home? – ● ... – **4.** ● Do you usually have time for lunch? – ● ... – **5.** ● Do you eat a hot meal in the evening? – ● ... – **6.** ● Do you watch much TV? – ● ... – **7.** ● Do you go to bed late? – ● ...

Unit 5

1 plan – Saturday – match – have – travel – back – band – actor – act – family

2 Text 1: Jack – Text 2: Mike – Text 3: Jack – Text 4: Sonia – Text 5: Mike – Text 6: Fiona
1. There are four of us in the family, and our week is always full. We all have things to do. I, for example, am a sports person. Jogging, or running, is my big thing. I run three times a week. – **2.** We all four of us do sport – running, aerobics, ice-hockey, swimming, and two of us do music, and one of us plays in a band. But it's not me. I play the piano, but not very well. – **3.** Sonia has a full-time job and works very hard. She often goes away on business trips, then we have to organize everything. That's a problem for me because a) I hate cooking, and b) I'm not very organized. But the children help. – **4.** I don't like it, but I'm sometimes away. I have meetings in Chicago and Vancouver. And sometimes I have to go to St. John's, to my father. He's old and often in hospital. I don't have much time in the week for my family, or my hobby. I play the saxophone in a band. – **5.** I sometimes like it when Mom is away because then Dad sometimes takes us to the Weston Hotel for brunch on Sunday. He hates cooking, you know. I can't cook, and my sister never has time. – **6.** I have a match with my team most Sundays and I train every Tuesday evening. I do judo, too. When I'm at home I like cooking, but my brother doesn't like what I cook, and Dad never has the right things in the house.

3 ● Welcome Travel, good morning. How can I help you? – ● I need some flights, please. – ● Where to? – ● I have to go to Toronto. – ● OK. When? – ● On Wednesday. – ● OK, and what time of day? – ● In the afternoon. – ● OK. And back when? – ● On Friday morning, please. – ● OK. Let me check when the flights go. Just a moment.

4 **a. 1.** ● Does Bridgit work on Friday? – ● No, she doesn't. – **2.** ● Does she go shopping on Monday? – ● Yes, she does. – **3.** ● Does she do it in the morning? – ● Yes, she does. – **4.** ● Does she work at the weekend? – ● Yes, she does. – **5.** ● Does she have to work on Sunday evening? – ● No, she doesn't. – **6.** ● Does she do sport? – ● Yes, she does. – **7.** ● Does she work full-time? – ● No, she doesn't.
b. Friday evening: go out for a drink – Tuesday evening: go to the sauna – Thursday evening: go shopping –Saturday afternoon: go to a movie
● Do you go out much, Bridgit? – ● Well, I sometimes go out for a drink on Friday evening. – ● And on the other weekdays? Do you go out then? – ● I usually go to the sauna on Tuesday evening. And on Thursday evening I usually go shopping. – ● You do a lot of sport. Do you relax, too? – ● Well, on Saturday afternoon I sometimes go to a movie.

5 ● I get up early. – ● My partner gets up early, too. – ● I often have to work at the weekend. – ● My partner often has to work at the weekend, too. – ● I sometimes work on Sunday. – ● My partner sometimes works on Sunday, too. – ● I go swimming on Monday evening. – ● My partner goes swimming on Monday evening, too. – ● I do aerobics on Tuesday. – ● My partner does aerobics on Tuesday, too. – ● I like it. – ● My partner likes it, too.

Unit 6

1 **1. ho** – li – day – **2.** po – **lice** – **3. of** – fi – cer – **4.** be – **gin** – ning – **5.** re – **cep** – tion – **6. teen** – ag – er – **7. neigh** – bour – **8. dif** – fer – ent – **9. ca** – me – ra

2 **1.** holiday – **2.** disaster – **3.** flight – **4.** late – **5.** family – **6.** old

3 [t] booked, finished, looked, missed, watched – [d] arrived, complained, happened, phoned, played – [ɪd] hated, started, wanted

4 (*offene Antworten*)
1. ● Did you go abroad? – ● ... – **2.** ● Did you take your car? – ● ... – **3.** ● Did you go by plane? – ● ... – **4.** ● Did you have a good time? – ● ... – **5.** ● Did you go on a camping holiday? – ● ... – **6.** ● Did you stay in a hotel? – ● ... – **7.** ● Did you buy souvenirs? – ● ... – **8.** ● Did you get sunburn? – ● ...

5 ● How was your holiday? – ● Great, thanks. – ● Where did you go again? – ● To Scotland, the west coast of Scotland. – ● Where did you stay? – ● We went camping. The children really liked it. – ● How old are they? – ● Our son is 8 and our daughter is 10. – ● What did you all do? – ● We went swimming and hiking. And we saw lots of interesting places.

6 ● Can you plan my trip to the States, please? – ● I planned it yesterday. – ● Can you write to Mrs Myers in New York for me? – ● I wrote to her yesterday. – ● Can you phone Mr Chang in San Francisco for me? – ● I phoned him yesterday. – ● Can you speak to Mrs Walker in Toronto for me? – ● I spoke to her yesterday. – ● Can you book my flight for me? – ● I booked it yesterday. – ● Can you find a hotel for me? – ● I found one yesterday.

Unit 7

1 Muster A: 2, 3, 5 – Muster B: 1, 4, 6
1. Is it snowing? – **2.** When are you going on vacation? – **3.** How about a game of tennis this weekend? – **4.** Do you have time for breakfast? – **5.** Where are you going this year? – **6.** Are you working hard?

2 **1.** relax – **2.** sun – **3.** café – **4.** breakfast – **5.** States – **6.** camping
● Hello? – ● Hi there. This is Tony. How are you? – ● Great, thanks. And you? – ● Fine, thanks. Are you working this weekend or relaxing? – ● Oh, I'm relaxing. I'm sitting outside. – ● Are you sitting in a café, or in the garden? – ● In a café. I'm eating. – ● Are you having a late breakfast or an early lunch? – ● A late breakfast. And I'm planning my next vacation. – ● Oh right. And are you going abroad or staying in the States? – ● I'm staying in the States. – ● Are you going camping again, or having a real holiday in a hotel? – ● I'm going camping.

3 ● When can we meet this week? What about Monday? – ● Sorry, on Monday I'm going to a meeting at Mark's school. – ● What about Tuesday? – ● Sorry, I'm playing tennis with Matt. – ● Oh, OK. What about Wednesday then? – ● Sorry, but I'm going to the theatre. – ● Do you have time on Thursday? – ● Sorry, I'm having dinner with the Changs. – ● What about Friday then? – ● Sorry, but I'm taking Julie to the airport. – ● You have no time all week. What about the weekend? How about Saturday? – ● Sorry, I'm leaving for Texas.

4 ● So what do you do, Jackie? – ● I'm in advertising. – ● And are you on the administrative side, or the design side? – ● I'm on the design side. – ● That's interesting. And do you like your job? – ● Yes, I do. – ● And your partner – does he work? – ● No, he doesn't. We have two children. – ● Oh right. How old are they? – ● Three and four. – ● Right. So he's a househusband at the moment. – ● Yes, but he's planning to go back to his old job next year.

Unit 8

1 **1. tem** – pe – ra – ture – **2.** de – **gree** – **3. thun** – der – storm – **4. boy** – friend – **5.** con – ver – **sa** – tion – **6.** to – **mor** – row – **7. pro** – ject – **8. mi** – nute – **9. east** – ern

2 **1.** I like – **2.** I'd like – **3.** I like – **4.** I like – **5.** I'd like – **6.** I'd like – **7.** I like – **8.** I'd like
1. I don't like football, but I like other sports. – **2.** I think I'd like to go to a movie. – **3.** I like going to the movies. – **4.** I like France very much. – **5.** I'd like some tea, please. – **6.** I'd like a cider, please. – **7.** I like cider. – **8.** I'd like more time.

3 **1.** ● How much is it? – ● Nine pounds fifteen (£ 9.15). – **2.** ● What does it cost? – ● Ten pounds sixty-five (£ 10.65). – **3.** ● How much is this? – ● Nine dollars forty-nine ($ 9.49). – **4.** ● And what does this cost? – ● Seventeen dollars forty ($ 17.40). – **5.** ● How much is that? – ● Fifteen euros ninety-nine (€ 15.99). – **6.** ● How much is this? – ● Thirteen euros twenty (€ 13.20).

4 ● Thank you very much. – ● You're welcome. – ● Can I have some more tea, please? – ● Certainly. – ● I can check the prices for you if you like. – ● No, it's OK, thanks. – ● How are you today? – ● Fine, thanks. – ● We didn't have a very good day today. – ● I'm sorry to hear that. – ● I saw a ... on the way here. – ● Sorry?

Unit 9

1 **1.** work – **2.** alcohol – **3.** speak – **4.** still – **5.** date – **6.** later – **7.** work – **8.** nine

2 **1.** a. – **2.** c. – **3.** f. – **4.** b. – **5.** e. – **6.** d.
1. ● When do you start your holiday? – ● In September, on Friday the thirteenth! – ● That's not a very good date. – **2.** ● When will you get your new passport? – ● Next Wednesday, that's the eleventh. – ● So you could fly to London for the May meeting in the week after that. – **3.** ● When will we get the tickets? – ● In the second week of June, on the thirteenth. – ● That's very late. – **4.** ● When is our next team meeting? – ● On Sunday the thirtieth of July. – ● Why is it on a Sunday? – ● I don't know. – **5.** ● When do you arrive back in Germany? – ● On Saturday the sixteenth of February. – **6.** ● And when do you start work again? – ● On Monday the eighteenth of February. – ● So at least you have Sunday as a rest day.

3 **1.** c. – **2.** a. – **3.** d. – **4.** e. – **5.** b

4 ● Smith and Williams, good morning. How can I help you? – ● I'd like to speak to Tony Walker, please. – ● Who's speaking, please? – ● Hannah Koch. I'm calling from Germany. – ● Oh right. Just a second please, I'll put you through. ... I'm sorry, but the line is engaged. Can I take a message or do you want to call back? – ● I'll call back later. – ● OK. – ● Can you tell me Tony Walker's extension, please? – ● Sure. It's 2767. – ● Sorry, can you repeat that, please? – ● Sure. 2767. – ● Thanks. Goodbye.

5 ● Can I have some more coffee, please? – ● Sorry, but there isn't any more coffee. – ● Can I have some more cheese? – ● Sorry, but there isn't any more cheese. – ● Can I have some more money? – ● Sorry, but there isn't any more money. – ● Can I have some more salad? – ● Sorry, but there isn't any more salad. – ● Can I have some more water? – ● Sorry, but there isn't any more water. – ● Can we have some more time? – ● Sorry, but there isn't any more time.

Unit 10

1 **1.** easiest – **2.** anywhere – **3.** year – **4.** world – **5.** worst – **6.** best

2 Why don't you just toss a coin? – Why don't we just go? – Why don't we just stay at home? – Why don't we go to Italy? – Why don't we phone Tom? – Why don't you look on the internet?

3 **1.** American – **2.** British – **3.** British – **4.** British – **5.** American – **6.** American – **7.** American – **8.** British

1. (AE) I have a small apartment downtown. – **2.** (BE) I have a small flat in the centre. – **3.** (BE) Where's the nearest underground station? – **4.** (BE) Can you tell me where the toilets are, please? – **5.** (AE) That was a dumb thing to say. – **6.** (AE) Did you have a good vacation. – **7.** (AE) It's long way. Take the elevator. – **8.** (BE) It's a long way. Take a taxi.

4 (*offene Antworten*)

Unit 11

1 Muster A: 1, 2, 6 – Muster B: 3, 4, 5

1. Where does it hurt? – **2.** How are you feeling? – **3.** Are you feeling ill? – **4.** Do you have a temperature? – **5.** Is it serious? – **6.** What's the problem?

2 **1.** medical – **2.** Road – **3.** Green – **4.** car – **5.** ill – **6.** Mannering – **7.** direction – **8.** seat – **9.** jazz – **10.** cars

3 ● So what seems to be the matter? – ● I feel ill. – ● And do you feel sick, too? – ● No, I have a temperature. – ● So, you feel ill and you have a temperature. Do you have stomachache? – ● No, but I have a headache and earache. – ● A headache and earache. And is your mouth dry? – ● Yes, it is. And I have a pain in my chest. – ● Hmm. That doesn't sound too good. Let's have a look.

4 **1.** ● I tried to call you about 8 o'clock this morning. – ● I'm sorry. I was having a shower. – **2.** ● I tried to call you at about ten this morning. – ● I'm sorry. I was shopping. – **3.** ● I tried to call you this afternoon. – ● I'm sorry. I was working in the garden. – **4.** ● I tried to call you about 6 this evening. – ● I'm sorry. I was cooking. – **5.** ● I tried to call you about 8 o'clock this evening. – ● I'm sorry. I was downloading some music from the internet. – **6.** ● I tried to call you about ten minutes ago. – ● I'm sorry. I was trying to phone you.

Unit 12

1 **1. com** – for – ta – ble – **2.** in – **struc** – tions – **3. pac** – kage – **4. per** – son – **5. ty** – pi – cal – **6. beau** – ti – ful – **7.** an – ni – **ver** – sa – ry – **8. pre** – sent – **9. in** – tro – duce

2 **a.** And the same to you! – Congratulations! – Happy birthday! – Have a nice holiday! – Have a safe journey home. – Please make yourself at home.

b. **1.** It's my birthday today. – Happy birthday! – **2.** It's our wedding anniversary today. – Congratulations! – **3.** It's my last day in the office today. Tomorrow we fly to Portugal for two weeks. – Have a nice holiday! – **4.** A Happy New Year to you. – And the same to you! – **5.** We've had a wonderful time, but it really is time for us to go now. So thank you and goodbye. – Have a safe journey home. – **6.** It's very kind of you to let us have your spare room. – Please make yourself at home.

3 Chicago – Florida – New York – San Francisco – the Everglades – Yellowstone
● So have you ever had a vacation in the States? – ● Yes, I have, two. Once I went to the east coast, once to the west. – ● Have you been to New York? – ● Yes, I went there on my first holiday, sorry 'vacation', four years ago. – ● Did you like it? – ● It was great. – ● And did you go to Washington DC? – ● No, we didn't. But we flew down to Florida and saw the Everglades. – ● I've never been there, but I'd love to go sometime. And where did you go on your trip to the west coast? Did you go to Los Angeles? – ● No, we didn't actually. I went there on a business trip about eight years ago, so we didn't go this time. – ● So what did you see? – ● We flew to San Francisco, then travelled north to Yellowstone. – ● Right. – ● And then on to Chicago. – ● You didn't go to the Grand Canyon? I thought people always went there. – ● No, next time maybe.

4 (*offene Antworten*)
● So you're from Europe. Which country? – ● I'm from ... – ● And which part of the country? – ● I come from ... – ● Have you ever been to the States? – ● ... – ● Oh right. What other countries and places have you been to? – ● I've been to ... – ● Which of them did you like best? – ● I liked ... best. – ● Tell me. How did you learn to speak English so well? – ● I learned it at school / at work / ... – ● Your English really is very good, you know.

Unit 13

1 **1.** customers, Japan – **2.** always, interested – **3.** experience, marketing – **4.** responsibility. America – **5.** change, abroad – **6.** tell, working

2 I've been sitting here for over 30 minutes. – I've been waiting here for over 30 minutes. – I've been waiting here since half past five. – I've been working here since half past five. – I've been working here since 2005. – I've been living here since 2005. – I've been living here since last year. – I've been living here for twelve months. – I've been learning English for twelve months. – I've been learning English for some time now. – I've been looking for a new job for some time now.

3 (*offene Antworten*)

Unit 14

1 **1. a.** used, live, Berlin. **b.** Now, Frankfurt – **2. a.** used, drive, German. **b.** Now, Japanese – **3. a.** used, holiday, Austria. **b.** Now, else

2 **1.** tonight – **2.** Johnstone – **3.** lamb – **4.** bill

3 **1.** a. – **2.** c. – **3.** c.
● Are you ready to order? – ● We're not sure. Can you tell us about today's specials? – ● Well, as a starter we have fresh avocado and shrimps, or seaweed salad. – ● Seaweed? – ● Yes, it's a speciality of the region. – ● And is it something you would recommend? – ● It's, well, a little unusual. If you want to be on the safe side, maybe the avocado and shrimps? – ● OK, we'll go for that. And main courses? – ● We have chicken tikka. – ● We eat a lot of chicken, maybe something else. – ● Well, what I would really recommend is the Scottish lamb. – ● OK, we'll take the lamb. – ● And to drink? Some wine? – ● Red, please. – ● I have a very nice Australian merlot. Would you like to try that? – ● Why not? It's something you would recommend? – ● Definitely, madam.

4 (*teilweise offene Antworten*)
● Good evening. How can I help you? – ● I have a reservation in the name of … – ● Ah yes. This way, please. Are you ready to order? – ● Yes, I'll take … – ● And would you like a salad with that, or vegetables? – ● … – ● And what would you like to drink? – ● Red wine, please. – ● I have a nice red wine from Chile that I can recommend. Would you like that? – I would like to have a … red wine. – ● Certainly. – ● I would also like a bottle of mineral water. – ● Of course. Thank you.

5 **1.** Don't watch the quiz show. – It's not worth watching. – **2.** Don't read that article. – It's not worth reading. – **3.** Don't visit the museum. – It's not worth visiting. – **4.** Don't see that movie. – It's not worth seeing. – **5.** Don't wait. – It's not worth waiting. – **6.** Don't worry. – It's not worth worrying.

Unit 15

1 **1.** po – **lice** – **2.** **bro** – chure – **3.** re – **port** – **4.** a – **larm** – **5.** in – **stall** – **6.** **lo** – cal – **7.** **so** – cial – **8.** ex – **ist** – **9.** **ja** – cket

2 **1.** nach oben – **2.** nach unten – **3.** nach oben – **4.** nach unten – **5.** nach unten – **6.** nach oben – **7.** nach unten – **8.** nach oben
1. It's cold outside, isn't it? – **2.** It's cold outside, isn't it? – **3.** We've met before, haven't we? – **4.** We've met before, haven't we? – **5.** You have your passport with you, don't you? – **6.** You have your passport with you, don't you? – **7.** It's a lovely morning, isn't it? – **8.** It's cold in New Zealand at this time of year, isn't it?

3 It's cold, isn't it? – You know Tom, don't you? – We can park here, can't we? – You have enough money, don't you? – You gave them our phone number, didn't you? – It's a lovely day, isn't it? – You're going by plane, aren't you?

4 ● So can you describe him to me, please? Was he young or old? – ● He was young. – ● And tall or short? – ● He was tall. – ● Was he fat or slim? – ● He was slim. – ● And what about his hair? What colour was it? – ● It was black. – ● Long or short? – ● Long. – ● And what was he wearing? – ● He was wearing Jeans, a T-Shirt and sneakers. – ● Anything else? – ● Yes, sunglasses. – ● Well, that's a great help. We'll see what we can do.

Unit 16

1 **1.** um – **brel** – la – **2.** ma – ga – **zine** – **3.** **ar** – ti – cle – **4.** **pull** – over – **5.** **tooth** – paste – **6.** **sun** – gla – sses – **7.** **sleep** – ing – bag – **8.** **grand** – par – ents – **9.** gui – **tar** – **10.** **al** – bum – **11.** **fa** – vou – rite – **12.** **in** – te – rest – **13.** **con** – cen – trate – **14.** **na** – ture – **15.** **cou** – sin

2 **b.** **1.** by – **2.** oil – **3.** lake – **4.** copy – **5.** news – **6.** clothes – **7.** pens – **8.** short – **9.** soap – **10.** man – **11.** flower – **12.** tyre – **13.** towel – **14.** thick – **15.** boat – **16.** shoe – **17.** tent – **18.** hole – **19.** blouse – **20.** (Beide Wörter werden gleich ausgesprochen.)

3 **a.** ● I like camping. – ● So do I. – ● I can play the guitar. – ● So can I. – ● I wear glasses. – ● So do I. – ● I am really surprised. – ● So am I. – ● I was really surprised. – ● So was I. – ● We saw a bear. – ● So did I. – ● I'm tired. – ● So am I. – ● I remember this place. – ● So do I.

b. ● I don't know New England. – ● Neither do I. – ● I don't like camping. – ● Neither do I. – ● I'm not interested in camping. – ● Neither am I. – ● I can't paint. – ● Neither can I. – ● I haven't been to Vermont. – ● Neither have I. – ● I wouldn't know what to do if I saw a bear. – ● Neither would I. – ● I couldn't repair a broken fan-belt. – ● Neither could I. – ● I don't have an aunt called Evelyn. – ● Neither do I.

4 ● ... and then this dog came into our tent and stole all the sausages. – ● Have I ever told you about my trip to Yellowstone? – ● No, I don't think so. I didn't know you'd been to Yellowstone. What happened? – ● Well, it was like this. – ● We rented a camper van. – ● Oh right. That's a good way to see the States. – ● We spent the night in the park. – ● I didn't know you could do that. – ● Yes, you can. And guess what happened. – ● I don't know. You tell me. Something bad or something good? – ● A bear came and stole all our food. – ● Oh no! I've heard about things like that. They say it's quite common.

Unit 17

1 **1.** **lo** – tte – ry – **2.** ex – **pect** – **3.** re – **turn** – **4.** **fa** – sci – na – ting – **5.** **al** – most – **6.** **ac** – cent – **7.** **se** – pa – rat – ely – **8.** re – **ceipt** – **9.** **pa** – ssen – ger

2 **b.** **1.** wind – **2.** prize – **3.** huge – **4.** expect – **5.** hire – **6.** wish – **7.** class – **8.** word

3 **1.** wedding – **2.** kissogram – **3.** alarm – **4.** ticket – **5.** night – **6.** heart – **7.** exit – **8.** phone

4 ● Yes, please. – ● A return to Manchester, please. – ● When are you travelling? – ● On Friday. I'm coming back on Monday. What is the cheapest fare? – ● £68.60. – ● What conditions are there? – ● You can't travel between 4.30 and 6.30 on Friday afternoon, or before 9.30 on Monday morning. Is that OK? – ● Oh, that's OK. When is the last train I can take on Friday? – ● It's the 15.47 departure. – ● Do I have to change? – ● No, it's a through train. – ● Thank you, I'll take this ticket. – ● That's £68.60 then, please.

Unit 18

1 **1.** skyscraper – **2.** year – **3.** city – **4.** who – **5.** cancelled – **6.** found

2 (*offene Antworten*)
1. How about going to a movie this evening? – **2.** Why don't we go out for a Chinese meal? – **3.** Shall we go shopping tomorrow? – **4.** We could go away for the weekend. – **5.** If you like, we could have a game of football.

3 (*Lösungsvorschlag*)
Why don't we go out for a meal? – We could go swimming maybe? – What about going to a movie? – If you like, we can go to the theatre. – How about going shopping? – Shall we go out for a drink? – Why don't we go for a walk? – If you like, we can go dancing.

4 **1.** They offered me the job. – I was offered the job. – **2.** They asked me to wait. – I was asked to wait. – **3.** They sent me a free ticket. – I was sent a free ticket. – **4.** They'll give me lunch. – I'll be given lunch. – **5.** They'll meet me at the airport. – I'll be met at the airport. – **6.** They'll make a reservation for me. – A reservation will be made for me. – **7.** They are expecting me. – I am being expected. – **8.** They are paying me. – I am being paid.

Unit 19

1 **1.** If we had an atlas, we could look the places up. – **2.** If I knew their number, I would phone them. – **3.** If I won a million dollars, I would give up my job. – **4.** If it was daylight, it would be easier to find. – **5.** If I hadn't forgotten the address, we wouldn't have these problems. – **6.** If we hadn't asked in the pub, we still wouldn't know where to go.

2 **1.** down – **2.** up – **3.** off – **4.** after – **5.** looking – **6.** down

3 **1.** ● I rang up some friends. – ● Sorry? Who did you ring up? – **2.** ● I'm looking after my neighbour's children. – ● Sorry? Who are you looking after? – **3.** ● I'm going out to eat with my boss. – ● Sorry? Who are you going out to eat with? – **4.** ● We're looking at some old photos. – ● Sorry? What are you looking at? – **5.** ● I spoke to someone in marketing. – ● Sorry? Who did you speak to? – **6.** ● We're flying to London. – ● Sorry? Where are you flying to?

Unit 20

1 **1.** aid – **2.** emergency – **3.** luck – **4.** injured – **5.** nature – **6.** problem

2 **1.** false – **2.** true – **3.** true – **4.** not in text
● Hello! Hello! There's been an accident. Do you have a cellphone? – ● Yes, I do. What's happened? – ● Two kids, along the beach. They were climbing, and one of them has fallen. It looks as if she has broken a leg. Can you call the emergency number? – ● Sure. What number is it? I'm sorry, I don't know. I'm from Germany. – ● Oh, so the call will go via Germany. – ● Yes, but that's OK. – ● Thanks. They're about 200 meters along here. – ● And the number? – ● Oh yes. The emergency number is ...

3 ● Park Visitor Service. How can I help you? – ● There has been an accident. – ● Where? – ● At the foot of the Mason Falls. – ● How many people? – ● Only one. – ● Is he badly injured? What's happened exactly? – ● He must have fallen down the waterfall. – ● It looks as though his arm is broken. – ● Is he conscious? – ● Yes, he's conscious. He's lying in cold water. – ● OK. I'll alert the helicopter.

4 ● I had a strange phone call with a young man at the tourist information. "Can you help me," he asked. – ● He asked you if you could help him? – ● Yes. "What help do you need?" I asked. – ● You asked what help he needed? – ● Mm. "I don't know if I have any tickets," he said. – ● He said he didn't know if he had any tickets? – ● "I know you have," I said. – ● You said you knew he had? – ● Yes. "I want one of them," I said. – ● You said you wanted one of them? – ● Yes. "Everything's OK then," he said. – ● He said everything was OK? – ● Yes. "Reserve me one, please," I said. – ● You asked him to reserve you one? – ● "I can't reserve you one if I don't know what the tickets are for," he said. – ● He said he couldn't reserve you one if he didn't know what the tickets were for? – ● Mm. Well, I can understand that, can't you?

Glossar

A

@ ['æt] @ **2**
a [ə] ein(e) **1**
a bit [ə 'bɪt] etwas, ein bisschen **10**
a few [ə 'fjuː] ein paar **9**
a little [ə 'lɪtl] ein wenig, etwas **2, 9**
a little something [ə lɪtl 'sʌmθɪŋ] eine Kleinigkeit, etwas Kleines **12**
a long way [ə ˌlɒŋ 'weɪ] weit; ein weiter Weg **10**
a lot (of) [ə 'lɔt (əv)] viel(e) **3**
a week [ə 'wiːk] die / pro Woche **4**
a.m. [eɪ 'em] vormittags (Uhrzeit) **4**
ability [ə'bɪləti] Fähigkeit **13**
about [ə'baʊt] etwa, ungefähr **3**
above [ə'bʌv] über **8**
abroad [ə'brɔːd] ins / im Ausland **6**
accent ['æksnt] Akzent **17**
accident ['æksɪdənt] Unfall **11**
accident occurence ['æksɪdənt əˌkʌrəns] Unfallhergang **11**
accommodation [əˌkɒmə'deɪʃn] Unterkunft, Unterkünfte **6**
across [ə'krɒs] quer durch, überall in **15**
act [ækt] (schau)spielen **4**
act as ... ['ækt æz] als ... tätig sein **13**
activity [æk'tɪvəti] Aktivität, Tätigkeit **15**
actor ['æktə] Schauspieler **4**
actually *Adv* ['æktʃʊəli] eigentlich, wirklich, tatsächlich **7**
add [æd] hinzufügen **20**
address [ə'dres] Adresse **2**
Adirondacks [ˌædɪ'rɒndæks] Adirondack-Berge **16**
admit [əd'mɪt] zugeben **10**
adult ['ædʌlt] Erwachsene(r) **16**
adventure [əd'ventʃə] Abenteuer **6**
adventure holidays [əd'ventʃə hɒlɪdeɪz] Abenteuerurlaub **13**
advertisement [əd'vɜːtɪsmənt] Anzeige, Annonce **13**
advice [əd'vaɪs] Rat(schlag), Ratschläge **15**
aerobics [eə'rəʊbɪks] Aerobic **5**
Africa ['æfrɪkə] Afrika **6**
after ['ɑːftə] nach **3**
afternoon [ˌɑːftə'nuːn] Nachmittag **4**
afterwards ['ɑːftəwədz] hinterher **14**
again [ə'gen] wieder, noch einmal **2**
against [ə'genst] gegen **11**
age [eɪdʒ] Alter **2**
age group ['eɪdʒ gruːp] Altersgruppe **13**
agency ['eɪdʒnsi] Agentur **17**
agent ['eɪdʒnt] Vertreter(in) **1**
ago [ə'gəʊ] vor **6**
agree [ə'griː] vereinbaren, beschließen; übereinstimmen, sich einigen **14**
ahead [ə'hed] vorn, vorwärts, voraus **13**
airbag ['eəbæg] Airbag **1**
airport ['eəpɔːt] Flughafen **1**
alarm [ə'lɑːm] Alarm(anlage) **15**
alarm clock [ə'lɑːm klɒk] Wecker **17**
alcohol ['ælkəhɒl] Alkohol **9**
alert *Adj* [ə'lɜːt] wachsam **14**
alert *V* [ə'lɜːt] alarmieren **20**
alive [ə'laɪv] lebendig **18**
all [ɔːl] alle **1**
all ... [ɔːl] den / die / das ganze(n) ... (lang / über) [zeitl.] **13**
all day [ɔːl 'deɪ] den ganzen Tag **5**
all in one word [ɔːl ɪn wʌn wɜːd] zusammengeschrieben, (alles) in einem Wort **2**
all right [ɔːl 'raɪt] gut, in Ordnung **9**
All the (very) best. [ˌɔːl ðə (veri) 'best] Alles (alles) Gute! **12**
all the time [ˌɔːl ðə 'taɪm] die ganze Zeit **6, 13**
all wrong [ɔːl 'rɒŋ] ganz falsch **6**
almost ['ɔːlməʊst] fast, beinahe **17**
along [ə'lɒŋ] entlang **3**
already ['ɔːlredi] bereits, schon **12**
also ['ɔːlsəʊ] auch **5**
although [ɔːl'ðəʊ] obwohl **17**
always ['ɔːlweɪz] immer **4**
amazing [ə'meɪzɪŋ] erstaunlich **17**
ambulance ['æmbjʊləns] Krankenwagen **11**
America [ə'merɪkə] Amerika **1**
American [ə'merɪkən] amerikanisch; Amerikaner(in) **1**
an [ən] ein(e) **1**
an hour and a half [ən 'aʊə ənd ə ˌhɑːf] eineinhalb Stunden **8**
an hour late [ən aʊə 'leɪt] mit einer Stunde Verspätung **6**
and [ænd/ənd] und **1**
And the same to you. [ənd ðə ˌseɪm tʊ 'juː] Gleichfalls. **12**
ankle ['æŋkl] Knöchel **11**
anniversary [ænɪ'vɜːsri] Jahrestag **12**
announcement [ə'naʊnsmənt] Ansage, Ankündigung **17**
another [ə'nʌðə] noch ein(e), schon wieder ein(e) **3**
Another one. [ə'nʌðə wʌn] Schon wieder eine(n, s). **11**
answer *Subs* ['ɑːnsə] Antwort **7**
answer *V* ['ɑːnsə] (be)antworten **9**
answer the phone ['ɑːnsə ðə fəʊn] ans Telefon gehen **9**

any ['eni] jede(r, s) (egal welche[r, s]), irgendein(e) (x-beliebige) **18**
any? ['eni] irgendein? irgendwelche? **9**
anyway ['eniwei] sowieso **11**
anyway ['eniwei] jedenfalls, wie dem auch sei **16**
apartment *AE* [ə'pɑːtmənt] Wohnung **10**
aperitif [əˌperə'tiːf] Aperitif **14**
apologize (for) [ə'pɒlədʒaɪz] sich entschuldigen (für) **14**
appear [ə'pɪə] erscheinen, auftauchen **16**
apple ['æpl] Apfel **14**
application [æplɪ'keɪʃn] Bewerbung **13**
apply for [ə'plaɪ fɔː] sich bewerben um **13**
appointment [ə'pɔɪntmənt] Termin **11**
approach [ə'prəʊtʃ] (sich) nähern **11**
April ['eɪprɪl] April **9**
Arabic ['ærəbɪk] arabisch; Arabisch **1**
Are you ready to order? [ɑː jʊ ˌredi tʊ 'ɔːdə] Haben Sie gewählt? **14**
area ['eəriə] Gebiet **1**
area code ['eəriə kəʊd] Vorwahlnummer **9**
argue ['ɑːgjuː] streiten **6**
arm [ɑːm] Arm **6**
arrange [ə'reɪndʒ] organisieren **5**
arrival [ə'raɪvl] Ankunft **6**
arrive [ə'raɪv] ankommen **6**
article ['ɑːtɪkl] Artikel **16**
artist ['ɑːtɪst] Künstler(in) **7**
as [æz] wie **2**
as … as [æz …'æz] so … wie **10**
as if [æz 'ɪf] als ob **20**
as soon as [æz 'suːn æz] sobald **6**
as though [æz 'ðəʊ] als ob **20**
ask [ɑːsk] fragen, bitten **3**
ask for s.th. ['ɑːsk fɔː] um etw. bitten **19**
asthma ['æsθmə] Asthma **11**
at [æt, ət] an, auf, bei (örtl.) **1**
at [æt, ət] um, am (zeitl.) **4**
at 102 [æt hʌndrədənd'tuː] mit 102, im Alter von 102 Jahren **10**
at all [ət 'ɔːl] überhaupt **12**
at home [ət 'həʊm] zu Hause **4, 7**
at least [ət 'liːst] wenigstens **6**
at reception [ət rɪ'sepʃn] an der Rezeption **6**
at ten (o'clock) [ət ˌten ə'klɑk] um zehn (Uhr) **4**
at the moment [ət ðə 'məʊmənt] im Augenblick, zurzeit **7**
at the weekend BE [ət ðə wiːk'end] am Wochenende **5**
at this time of year [ət 'ðis taɪm əv ˌjɪə] zu dieser Jahreszeit **3**
at work [ət 'wɜːk] bei der Arbeit, am Arbeitsplatz **6**
atlas ['ætləs] Atlas **19**
attachment [ə'tætʃmənt] Anhang, Attachment **18**
attend a school [əˌtend ə 'skuːl] eine Schule besuchen **13**
attention [ə'tenʃn] Aufmerksamkeit **11**
August ['ɔːgəst] August **9**
aunt [ɑːnt] Tante **16**
Australia [ɔs'treɪliə] Australien **1**
Australian [ɔs'treɪliən] australisch; Australier(in) **1**
Austria ['ɔstriə] Österreich **1**
Austrian ['ɔstriən] österreichisch; Österreicher, Österreicherin **1**
automatic [ˌɔːtə'mætɪk] automatisch **10**
avoid [ə'vɔɪd] vermeiden **11**
away [ə'weɪ] weg, verreist **5**
awful ['ɔːfʊl] schrecklich **9**

B

back [bæk] zurück **5**
backache ['bækeɪk] Rückenschmerzen **11**
bad [bæd] schlimm, schlecht **7**
bad at ['bæd ət] schlecht in **14**
bag [bæg] Tasche **16**
baggage ['bægɪdʒ] Gepäck **16**
balcony ['bælkəni] Balkon **10**
banana [bə'nɑːnə] Banane **14**
band [bænd] Band **4**
bandage ['bændɪdʒ] Verband **11**
bank [bæŋk] Bank **3**
bar [bɑː] Bar, Theke **8, 14**
barbecue party ['bɑːbɪkjuː pɑːti] Grillparty **12**
basement ['beɪsmənt] (bewohnbarer) Keller, Untergeschoss **10**
bath(room) [bɑːθ, 'bɑːθruːm] Bad(ezimmer), Toilette **10**
be [biː] sein **1**
be able to [biː 'eɪbl tʊ] können **11**
be afraid [biː ə'freɪd] Angst haben **6**
be against [biː ə'genst] dagegen sein, dass ... **14**
be allowed to do s.th. [biː ə'laʊd tʊ duː] etw. tun dürfen **14**
be called [biː 'kɔːld] heißen, genannt werden **19**
be fluent in [biː 'fluːənt ɪn] fließend sprechen **13**
be fun [biː 'fʌn] lustig / amüsant sein **14**
be gone [biː 'gɒn] weg / verschwunden sein **6**
be hungry [biː 'hʌŋgri] hungrig sein, Hunger haben **14**
be in a hurry [biː ɪn ə 'hʌri] in Eile sein, es eilig haben **19**
be interested in [biː 'ɪntrəstɪd ɪn] sich interessieren für **13**
be on one's way [biː ɒn wʌnz 'weɪ] unterwegs / auf dem Weg sein **20**

be sick [biː 'sɪk] erbrechen, sich übergeben **11**
be thirsty [biː 'θɜːsti] durstig sein, Durst haben **14**
be used to doing s.th. [biː 'juːstə duːɪŋ] gewohnt sein etw. zu tun **14**
be worth doing s.th. [biː wɜːθ 'duːɪŋ] sich lohnen zu tun **14**
beach [biːtʃ] Strand **3**
bear [beə] Bär(in) **16**
beautiful ['bjuːtɪfʊl] (wunder)schön **12**
because [bɪ'kɔːz] weil **5**
become (became, become) [bɪ'kʌm, bɪ'keɪm, bɪ'kʌm] werden **4**
bed [bed] Bett **4**
bedroom ['bedruːm] Schlafzimmer **3**
beef [biːf] Rindfleisch **14**
beer [bɪə] Bier **14**
before [bɪ'fɔː] vor (örtl.) **3**
before [bɪ'fɔː] bevor **12**
before *Konj; Adv* [bɪ'fɔː] schon einmal **12**
before *Adv* [bɪ'fɔː] vorher, zuvor **17**
begin (began, begun) [bɪ'gɪn, bɪ'gæn, bɪ'gʌn] beginnen **14**
beginning [bɪ'gɪnɪŋ] Anfang, Beginn **6**
behind *Präp; Adv* [bɪ'haɪnd] hinter, hinten **15**
belong (to) [bɪ'lɒŋ tʊ] gehören **15**
below [bɪ'ləʊ] unter **8**
Berliner [bɜː'lɪnə] Berliner(in) **2**
best [best] beste(r, s) **6, 7**
Best wishes (from) ... [best 'wɪʃɪz] Beste / Schöne Grüße (von) ... **3**
bet [bet] Wette **14**
better ['betə] besser, bessere(r, s) **10**
between [bɪ'twiːn] zwischen **8**
big [bɪg] groß **1**
biggest ['bɪgɪst] größte(r, s) **10**
bill [bɪl] Rechnung **14**
birth [bɜːθ] Geburt **2**
birth certificate ['bɜːθ səˌtɪfɪkət] Geburtsurkunde **2**
birthday ['bɜːθdeɪ] Geburtstag **12**
biscuit ['bɪskɪt] Keks **14**
bistro ['bɪstrəʊ] Bistro **3**
black [blæk] schwarz **15**
blindfold ['blaɪndfəʊld] Augenbinde **14**
blindfolded ['blaɪndfəʊldɪd] verbunden (Augen) **14**
blond [blɒnd] blond **15**
blouse [blaʊz] Bluse **16**
blue [bluː] blau **15**
blunt [blʌnt] stumpf **19**
boat [bəʊt] Boot, Fähre **16**
B&B (bed-and-breakfast) [biː ənd 'biː (ˌbed ənd 'brekfəst)] Frühstückspension **3**
bodyguard ['bɒdɪgɑːd] Leibwächter **19**
bonus ['bəʊnəs] Prämie **18**
book *Subs* [bʊk] Buch **6**
book *V* [bʊk] buchen **6**
book a table [bʊk ə 'teɪbl] einen Tisch reservieren **14**
booking ['bʊkɪŋ] Buchung **6**
bookmark a site ['bʊkmɑːk ə saɪt] ein Lesezeichen auf einer Webseite setzen **18**
boot [buːt] Stiefel **16**
boring ['bɔːrɪŋ] langweilig **14**
boss [bɒs] Chef(in) **1**
both [bəʊθ] beide **1**
both ... and [ˌbəʊθ ...'ænd] sowohl ... als auch **13**
bottle ['bɒtl] Flasche **9**
bouquet [bʊ'keɪ] Strauß **17**
Boxing Day *BE* ['bɒksɪŋ deɪ] 2. Weihnachtstag **9**
boxing match ['bɒksɪŋ mætʃ] Boxkampf **10**
boy [bɔɪ] Junge **16**
boyfriend ['bɔɪfrend] Freund **8**
brandy ['brændi] Weinbrand **9**
brave [breɪv] mutig **11**
Brazil [brə'zɪl] Brasilien **18**
Brazilian [brə'zɪliən] brasilianisch; Brasilianisch; Brasilianer(in) **18**
bread [bred] Brot **14**
break *Subs* [breɪk] Pause **4**
break (broke, broken) *V* [breɪk, brəʊk, brəʊkn] (zer)brechen, kaputtgehen, kaputt machen **6**
break in [breɪk 'ɪn] einbrechen **15**
breakdown ['breɪkdaʊn] Panne **16**
breakfast ['brekfəst] Frühstück **4**
breath [breθ] Atem **19**
bridge [brɪdʒ] Brücke **16**
bright [braɪt] heiter, schön **8**
bring (brought, brought) [brɪŋ, brɔːt, brɔːt] (mit)bringen **8, 12**
Britain ['brɪtn] Großbritannien **1**
brochure ['brəʊʃə] Broschüre, Prospekt **15**
broken ['brəʊkn] kaputt, ge- / zerbrochen **10, 16**
brother ['brʌðə] Bruder **1**
brown [braʊn] braun **15**
browse the web [braʊz ðə 'web] im Web surfen **18**
brunch [brʌntʃ] Brunch **5**
bucket ['bʌkɪt] Eimer **19**
buffet car ['bʊfeɪ kɑː] Speisewagen **17**
build (built, built) [bɪld, bɪlt, bɪlt] (auf)bauen, errichten **15**
building ['bɪldɪŋ] Gebäude **10**
burger ['bɜːgə] Hamburger, Frikadelle **2**
burglar ['bɜːglə] Einbrecher(in) **15**
burglary ['bɜːgləri] (Haus-)Einbruch **15**
bus [bʌs] Bus **3**
bus stop ['bʌs stɒp] Bushaltestelle **3**

business ['bɪznɪs] Geschäft, Geschäfts- **4**
but [bʌt] aber **1**
butter ['bʌtə] Butter **14**
buy (bought, bought) [baɪ, bɔːt, bɔːt] kaufen **4**
by [baɪ] bis (spätestens) [zeitl.] **13**
by [baɪ] von, durch **18**
by car / train / … [baɪ 'kɑː/'treɪn/…] mit dem Auto / Zug / … **6**
by the name of [baɪ ðə 'neɪm əv] mit Namen **20**
by the way [baɪ ðə 'weɪ] übrigens **16**
Bye! [baɪ] Tschüs!, Wiedersehen! **2**

C

cab [kæb] Taxi **5**
cake [keɪk] Kuchen **14**
call [kɔːl] (an)rufen **9**
call back [kɔːl 'bæk] zurückrufen **9**
caller ['kɔːlə] Anrufer **20**
calling at … ['kɔːlɪŋ ət] über, mit Halt in … **17**
calm down [kɑːm 'daʊn] sich beruhigen **19**
camera ['kæmərə] Kamera, Fotoapparat **6**
camping ['kæmpɪŋ] Camping, Zelten **6**
can [kæn] können **2**
Canada ['kænədə] Kanada **1**
Canadian [kə'neɪdiən] kanadisch; Kanadier(in) **1**
cancelled ['kænsld] gestrichen, annulliert **17**
candidate ['kændɪdət] Kandidat(in), Bewerber(in) **13**
cannot ['kænɒt] nicht können **3**
can't [kɑːnt] nicht können **3**
car [kɑː] Auto, Wagen **11**
car accident ['kɑː æksɪdənt] Autounfall **11**
car park ['kɑː pɑːk] Parkplatz, -haus **3**
card [kɑːd] (Spiel)Karte **9**
career [kə'rɪə] Karriere, Laufbahn **10**
careful ['keəfʊl] vorsichtig **6, 10**
carpet ['kɑːpɪt] Teppich **15**
carriage ['kærɪdʒ] Waggon **17**
carry on [kærɪ 'ɒn] weiterfahren **19**
Carry straight on! [kæri ˌstreɪt 'ɒn] Gehen / Fahren Sie einfach geradeaus weiter! **3**
cartoon [kɑː'tuːn] Cartoon **1**
case [keɪs] Koffer **6**
cash [kæʃ] Bargeld **15**
cashier [kæʃ'ɪə] Kassierer **7**
cat [kæt] Katze **12**
catch (caught, caught) [kætʃ, kɔːt, kɔːt] fangen, erwischen **15**
catch a train [kætʃ ə 'treɪn] einen Zug nehmen / kriegen **17**
celebrate ['seləbreɪt] feiern **17**
cell phone ['sel fəʊn] Handy **1**
cellar ['selə] Keller **10**
center *AE* ['sentə] Zentrum **3**
centre *BE* ['sentə] Zentrum **3**
Certainly. ['sɜːtnli] Bitte., Aber gern. **8**
certificate [sə'fɪfɪkət] Urkunde **2**
chair [tʃeə] Stuhl **15**
champagne [ʃæm'peɪn] Champagner, Sekt **6**
chance [tʃɑːns] Chance **14**
change *Subs* [tʃeɪndʒ] (Ver-)Änderung, Wechsel **11**
change *V* [tʃeɪndʒ] (sich) (ver-)ändern, sich umziehen **16**
change (trains) [tʃeɪndʒ ('treɪnz)] umsteigen **17**
change jobs [tʃeɪndʒ 'dʒɒbz] die Stelle wechseln **13**
chaos ['keɪɒs] Chaos **6**
charge [tʃɑːdʒ] Betrag, Gebühr **14**
cheap [tʃiːp] billig, preiswert **4**
check [tʃek] (über)prüfen, kontrollieren **8**
check-out sales executive ['tʃekaʊt seɪlz ɪgˌzekjətɪv] Kassenverkaufskraft **7**
check up on ['tʃek ʌp ɒn] kontrollieren **9**
cheese [tʃiːz] Käse **9**
chemist ['kemɪst] Apotheker(in) **3**
chemist's ['kemɪsts] Apotheke **3**
chest [tʃest] Brust **11**
chicken ['tʃɪkn] Huhn **14**
child, children [tʃaɪld, 'tʃɪldrən] Kind, Kinder **1**
Chinese [tʃaɪ'niːz] chinesisch; Chinesisch; Chinese, Chinesin **10**
chocolate ['tʃɒklət] Schokolade **14**
choice [tʃɔɪs] (Aus-)Wahl **18**
choose (chose, chosen) [tʃuːz, tʃəʊz, tʃəʊzn] (aus)wählen **18**
Christmas ['krɪsməs] Weihnachten **9**
Christmas Day [ˌkrɪsməs 'deɪ] 1. Weihnachtstag **9**
Christmas Eve [ˌkrɪsməs 'iːv] Heiligabend **9**
church [tʃɜːtʃ] Kirche **3**
cider ['saɪdə] Apfelwein **8**
cigarette [ˌsɪgə'ret] Zigarette **9**
cinema ['sɪnəmə] Kino **8**
citizen ['sɪtɪzn] Bürger **13**
city ['sɪti] (Groß-)Stadt **2**
city center *AE* [ˌsɪti 'sentə] Stadtmitte **3**
city centre *BE* [ˌsɪti 'sentə] Stadtmitte **3**
class [klɑːs] Kurs, Klasse **5, 17**
clear *V* [klɪə] abziehen **8**
clear *Adj* [klɪə] klar **8**
clear up [klɪər‿'ʌp] aufklaren **8**
clerk [klɑːk] (Büro-, Bahn-) Angestellte(r) **7, 17**
clever ['klevə] klug, clever **15**
climb [klaɪm] (be)steigen, klettern **10**
close *V* [kləʊz] schließen **14**

close (to) *Präp* ['kləʊs tʊ] nahe, dicht bei **10**
closed [kləʊzd] geschlossen **14**
clothes [kləʊðz] (Be-)Kleidung **16**
cloudy ['klaʊdi] wolkig, bewölkt **8**
club [klʌb] Klub, Verein **6, 10**
coast [kəʊst] Küste **3, 12**
coat [kəʊt] Mantel **16**
cocktail ['kɒkteɪl] Cocktail **7**
code [kəʊd] Vorwahl **2, 9**
coffee ['kɒfi] Kaffee **4**
coffee bar ['kɒfi bɑː] Café **4**
coffee-break ['kɒfi breɪk] Kaffeepause **4**
cold [kəʊld] kalt **4**
colleague ['kɒliːg] Kollege, Kollegin **1**
collision [kə'lɪʒn] Zusammenstoß **11**
color / colour pencil ['kʌlə/'kʌlə pensl] Buntstift **16**
color *AE* ['kʌlə] Farbe, Farb- **16**
colour *BE* ['kʌlə] Farbe, Farb- **16**
come (came, come) [kʌm, keɪm, kʌm] kommen **4**
come back [kʌm 'bæk] zurückkommen **12**
come on [kʌm 'ɒn] komm schon, mach mal halblang **11**
come up [kʌm 'ʌp] auftauchen, hochkommen **19**
comfortable ['kʌmftəbl] bequem **16**
comic ['kɒmɪk] Comic **13**
common ['kɒmən] häufig, gewöhnlich **15**
community spirit [kəˌmjuːnəti 'spɪrɪt] Gemeinschaftsgefühl **15**
commute [kə'mjuːt] pendeln **10**
company ['kʌmpəni] Firma, Betrieb **7**
complain (to) [kəm'plein (tʊ)] sich beschweren (bei) **6**
complaint [kəm'pleɪnt] Beschwerde **6**
complete [kəm'pliːt] komplett, vollständig **8**
completely [kəm'pliːtli] völlig **6**
compliment ['kɒmplɪmənt] Kompliment **1**
computer [kəm'pjuːtə] Computer **1**
concentrate ['kɒnsntreɪt] (sich) konzentrieren **16**
conditions [kən'dɪʃnz] Bedingungen, Einschränkungen **17**
condo ['kɒndəʊ] Eigentumswohnung **12**
conference ['kɒnfrəns] Tagung **1**
confused [kən'fjuːzd] verwirrt **10**
Congratulations (on ...) [kənˌɡrætʃʊ'leɪʃnz] Herzlichen Glückwunsch (zu ...)! **12**
connect [kə'nekt] verbinden **9**
connection [kə'nekʃn] Verbindung, Anschluss **17**
contestant [kən'testnt] Kandidat(in), Teilnehmer(in) **18**
continue [kən'tɪnjuː] fortfahren (mit), weitermachen, weiter tun **11**
convenient [kən'viːniənt] praktisch, günstig (gelegen) **10**
convention center [kən'ventʃn sentə] Tagungszentrum **10**
conversation [ˌkɒnvə'zeɪʃn] Gespräch, Unterhaltung **4, 8**
cook [kʊk] kochen **4**
cool [kuːl] kühl **7**
copy *Subs* ['kɒpi] Kopie **16**
copy *V* ['kɒpi] kopieren **16**
corner ['kɔːnə] Ecke, Winkel **7**
cost (cost, cost) [kɒst, kɒst, kɒst] kosten **8**
costs [kɒsts] Kosten **11**
could [kʊd] könnte(-st, -t, -n) **2**
could [kʊd] konnte(-st, -t, -n) **11**
country ['kʌntri] Land **2**
couple ['kʌpl] Paar **17**
course [kɔːs] Kurs, Lehrgang **2**
cousin ['kʌzn] Vetter, Cousin(e) **16**
cream [kriːm] Sahne **14**
credit card ['kredɪt kɑːd] Kreditkarte **14**
crime [kraɪm] Verbrechen, Kriminalität **15**
crime prevention ['kraɪm prɪˌvenʃn] Verbrechensbekämpfung **15**
crime rate ['kraɪm reɪt] Verbrechensrate **15**
crisis ['kraɪsɪs] Krise, Krisen- **7**
crisis meeting ['kraɪsɪs miːtɪŋ] Krisensitzung **7**
croissant ['krwæsɒnt] Croissant **7**
crossroads ['krɒsrəʊdz] (Straßen-)Kreuzung **19**
cup [kʌp] Tasse **7, 14**
cupboard ['kʌbəd] Schrank **15**
curtain ['kɜːtn] Vorhang, Gardine **15**
customer ['kʌstəmə] Kunde, Kundin, Gast **4**
cut (cut, cut) [kʌt, kʌt, kʌt] schneiden **15**
CV (curriculum vitae) [siː 'viː] Lebenslauf **13**
cynical ['sɪnɪkl] zynisch **11**

D

daily ['deɪli] täglich, Tages- **18**
damage ['dæmɪdʒ] Schaden, Schäden **11**
danger (of) ['deɪndʒə (əv)] Gefahr (von) **14**
dark *Adj* [dɑːk] dunkel **15**
dark *Subs* [dɑːk] Dunkelheit **15**
date [deɪt] Datum **2**
date of birth [deɪt əv 'bɜːθ] Geburtsdatum **2**
daughter ['dɔːtə] Tochter **1**
day [deɪ] Tag **2**
day trip ['deɪ trɪp] Tagesausflug **6**
daytime ['deɪtaɪm] Tages-(zeit), (bei) Tag **8, 19**
dead [ded] tot **9**
deal [diːl] Angebot, Geschäft **10**
deal knockout blow [diːl 'nɒkaʊt bləʊ] k.o. schlagen **17**
dear ... [dɪə] liebe(r) ... **3**
Dear Sir (or Madam) [dɪə 'sɜː (ɔː 'mædm)] Sehr geehrte (Damen und) Herren **3**

Dear Sirs [dɪə 'sɜːz] Sehr geehrte Damen und Herren **13**
December [dɪ'sembə] Dezember **9**
decide [dɪ'saɪd] (sich) entscheiden, beschließen **8**
decide against [dɪˌsaɪd ə'genst] sich dagegen entscheiden, dass ... **14**
degree [dɪ'griː] Grad **8**
degree certificate [dɪ'griː səˌtɪfɪkət] Universitätsabschlusszeugnis **13**
delayed [dɪ'leɪd] verspätet **17**
demand [dɪ'mɑːnd] verlangen **20**
dent [dent] Delle **11**
dentist ['dentɪst] Zahnarzt, -ärztin **11**
depart [dɪ'pɑːt] abfahren, abfliegen **6**
departure [dɪ'pɑːtʃə] Abfahrt, Abflug **6**
depend (on) [dɪ'pend (ɒn)] abhängen (von), darauf ankommen **8**
describe [dɪ'skraɪb] beschreiben **15**
description [dɪ'skrɪpʃn] Beschreibung **11**
deserve [dɪ'zɜːv] verdienen **9**
desk [desk] Schreibtisch **7**
dessert [dɪ'zɜːt] Nachspeise, Dessert **14**
detail ['diːteɪl] Detail, Einzelheit **13**
development [dɪ'veləpmənt] Entwicklung **13**
dial ['daɪəl] wählen **9**
dialling code ['daɪlɪŋ kəʊd] Vorwahlnummer **9**
diarrhoea [ˌdaɪə'rɪə] Durchfall **11**
die [daɪ] sterben **10**
different ['dɪfrənt] unterschiedlich, verschieden **6**
digital camera [ˌdɪdʒɪtl 'kæmrə] Digitalkamera **15**
dining room ['daɪnɪŋ ruːm] Esszimmer **10**
dinner ['dɪnə] Abendessen **4**
dinner theater ['dɪnə θɪətə] Dinnertheater **4**
direction [daɪ'rekʃn] Richtung **11**
dirty ['dɜːti] schmutzig **10**
disaster [dɪ'zɑːstə] Katastrophe **6**
distance ['dɪstəns] Entfernung **16**
distracted [dɪ'stræktɪd] abgelenkt **11**
divorced [dɪ'vɔːst] geschieden **2**
do (did, done) [duː, dɪd, dʌn] tun, machen **4**
do 20 miles an hour [duː twenti 'maɪlz ən aʊə] 20 Meilen pro Stunde fahren **11**
do an apprenticeship [duː ən ə'prentɪsʃɪp] eine Berufsausbildung / Lehre machen **13**
do not have to [duː nɒthæv tu] nicht müssen **11**
do sport [duː 'spɔːt] Sport treiben **5**
doctor ['dɒktə] Arzt, Ärztin **7, 11**
dog [dɒg] Hund **14**
door [dɔː] Tür **15**
dot [dɒt] Punkt **2**
double ['dʌbl] Doppel-, doppelt **2**
doughnut ['dəʊnʌt] Berliner, Krapfen **2**
down [daʊn] hin- / herunter, nach unten **11**
download *Subs* ['daʊnləʊd] Download **1**
download *V* ['daʊnləʊd] herunterladen **18**
downstairs [ˌdaʊn'steəz] unten (in einem niedrigeren Stockwerk) **10**
downtown [ˌdaʊn'taʊn] in die / der Stadtmitte **10**
drama teacher ['dræmə tiːtʃə] Schauspiellehrer(in) **4**
dramatic [drə'mætɪk] drastisch, dramatisch **15**
dream [driːm] träumen **4**
dream of doing s.th. [driːm] davon träumen etw. zu tun **14**
dress [dres] Kleid **16**
drink *Subs* [drɪŋk] Drink, Getränk **1**
drink (drank, drunk) *V* [drɪŋk, dræŋk, drʌŋk] trinken **4**
drive (drove, driven) [draɪv, drəʊv, drɪvn] (Auto) fahren **6**
drive off [draɪv 'ɒf] wegfahren **17**
driver ['draɪvə] Fahrer(in) **16**
driveway ['draɪvweɪ] (Haus-)Einfahrt **11**
driving record ['draɪvɪŋ ˌrekɔːd] hier: Vorgeschichte als Autofahrer **11**
driving test ['draɪvɪŋ test] Fahrprüfung **12**
drop [drɒp] fallen lassen, absetzen **17**
dry [draɪ] trocken **8**
dumb *AE* [dʌm] dumm, blöd **10**
during ['djʊərɪŋ] während **8**

E

each other [iːtʃ 'ʌðə] einander, sich (gegenseitig) **15**
ear ['iːə] Ohr **11**
earache ['iːəreɪk] Ohrenschmerzen **11**
early ['ɜːli] früh **4**
earn [ɜːn] (Geld) verdienen **9**
Easter ['iːstə] Ostern **9**
eastern ['iːstən] östlich **8**
easy ['iːzi] leicht **10**
eat (ate, eaten) [iːt, et/eɪt, iːtn] essen **4**
eat out [iːt 'aʊt] essen gehen **14**
economic [ˌiːkə'nɒmɪk] wirtschaftlich, Wirtschafts- **7**
education [ˌedʒʊ'keɪʃn] (Schul-)Bildung **13**
egg [eg] Ei **14**
eight [eɪt] acht **2**
eighteen [eɪ'tiːn] achtzehn **2**
eighteenth (18th) [eɪ'tiːnθ] achtzehnte(r, s) **9**
eighth (8th) [eɪtθ] achte(r, s) **9**
eighty ['eɪti] achtzig **2**
either ... or [ˌaɪðə ...'ɔː] entweder ... oder **10**
elderly ['eldəli] älter, ältlich **15**
elevator *AE* ['eləveɪtə] Aufzug, Fahrstuhl **10**
eleven [ɪ'levn] elf **2**

eleventh (11th) [ɪ'levnθ] elfte(r, s) **9**
else [els] sonst, andere(r, s) **5**
email ['i:meɪl] E-Mail **2**
emergency [ɪ'mɜ:dʒnsi] Notfall, Not- **20**
employee [ɪm'plɔɪi:] Arbeitnehmer(in) **13**
employer [ɪm'plɔɪə] Arbeitgeber(in) **13**
empty ['empti] leer **6**
enclose [ɪn'kləʊz] beilegen, -fügen **13**
encouraging [ɪn'kʌrɪdʒɪŋ] ermutigend **14**
end [end] Ende **3**
engagement [ɪn'geɪdʒmənt] Verlobung **12**
engine ['endʒɪn] Motor **16**
engineer [ˌendʒɪ'nɪə] Ingenieur(in) **7**
England ['ɪŋglənd] England **1**
English ['ɪŋglɪʃ] englisch; Englisch **1**
enjoy [ɪn'dʒɔɪ] genießen, gern haben / tun **7**
enough [ɪ'nʌf] genug **6**
entrance ['entrəns] Eingang **3**
European [ˌjʊərə'pi:ən] europäisch **13**
even ['i:vn] sogar **15**
even earlier ['i:vn 'ɜ:li:ə] noch früher **5**
even if ['i:vn ɪf] auch wenn, selbst wenn **11, 15**
evening ['ɪ:vnɪŋ] Abend **4**
eventful [ɪ'ventfʊl] ereignisreich **11**
ever ['evə] je(mals) **12**
Everest ['evərɪst] Mount Everest **10**
every ['evri] jede(r, s) **4**
everybody ['evribɒdi] jeder(mann), alle **17**
everyone ['evriwʌn] jeder(mann), alle **17**
everything ['evriθɪŋ] alles **5**
everything else ['evriθɪŋ els] alles andere **5**
everywhere ['evriweə] überall **16**
exact [ɪg'zækt] genau **10**
exam [ɪg'zæm] Prüfung **12**
excellent ['eksələnt] ausgezeichnet **3**
except [ɪk'sept] außer **5**
exchange [ɪks'tʃeɪndʒ] Tausch **12**
exciting [ɪk'saɪtɪŋ] aufregend **10**
exclusive [ɪks'klu:sɪv] exklusiv **10**
excuse me [ɪks'kju:z mi:] entschuldigen Sie, Entschuldigung **2**
Excuse me? [ɪks'kju:z mi:] Wie bitte? **2**
exit ['eksɪt] Ausgang, Ausfahrt **17**
expect [ɪk'spekt] erwarten, rechnen mit **17**
expensive [ɪk'spensɪv] teuer **4**
experience [ɪk'spɪəriəns] Erfahrung **7**
experienced [ɪk'spɪəriənst] erfahren **20**
expert ['ekspɜ:t] Experte, Expertin **1**
explain [ɪk'spleɪn] erklären **18**
exploit [ɪk'splɔɪt] Tat **17**
expression [ɪk'spreʃn] Ausdruck, Begriff **1**
eye [aɪ] Auge **11**

F

face [feɪs] Gesicht **15**
fall *Subs, AE* [fɔ:l] Herbst **16**
fall (fell, fallen) *V* [fɔ:l, fel, fɔ:ln] fallen, zurückgehen, sinken **7**
fall asleep [fɔ:l ə'sli:p] einschlafen **17**
Falls [fɔ:lz] (Wasser-)Fall **20**
false [fɔ:ls] falsch **1**
false friends [fɔ:ls 'frendz] falsche Freunde **1**
familiar [fə'mɪliə] bekannt, vertraut **19**
family ['fæməli] Familie **4**
famous (for) ['feɪməs (fɔ:)] berühmt (für) **14**
fan-belt ['fænbelt] Keilriemen **16**
fantastic [fæn'tæstɪk] fantastisch **3**
far [fɑ:] weit (entfernt) **10**
fare [feə] Fahrpreis **17**
farm [fɑ:m] Bauernhof, Farm **16**
fascinating ['fæsɪneɪtɪŋ] faszinierend **17**
fast [fɑ:st] schnell **7**
fat [fæt] dick **15**
father ['fɑ:ðə] Vater **1**
Father Christmas [ˌfɑ:ðə 'krɪsməs] Weihnachtsmann **9**
fault [fɔ:lt] Schuld **11**
favourite ['feɪvrɪt] Lieblings- **16**
February ['februəri] Februar **9**
feel (felt, felt) [fi:l, felt, felt] (sich) (an)fühlen, sich vorkommen **6**
feel comfortable [fi:l 'kʌmfətəbl] sich wohl fühlen **12**
feel ill [fi:l 'ɪl] sich krank fühlen **11**
feel like doing s.th. [ˌfɪ:l laɪk 'du:ɪŋ] Lust haben etw. zu tun **18**
feeling ['fi:lɪŋ] Gefühl **15**
feet [fi:t] Füße; Fuß (Maßeinheit) **11**
female ['fi:meɪl] weiblich **2**
ferry ['feri] Fähre **6**
festival ['festɪvəl] Fest, Festival **11**
fetch [fetʃ] holen **19**
field [fi:ld] Gebiet, Bereich, Feld **13**
fifteen [fɪf'ti:n] fünfzehn **2**
fifteenth (15th) [fɪf'ti:nθ] fünfzehnte(r, s) **9**
fifth (5th) [fɪfθ] fünfte(r, s) **9**
fifty ['fɪfti] fünfzig **2**
file [faɪl] Datei **18**
filed [faɪld] erstattet **20**
film [fɪlm] Film **4**
finally ['faɪnəli] endlich **19**
find (found, found) [faɪnd, faʊnd, faʊnd] finden **6**
fine [faɪn] schön [Wetter] **8**
Fine, thanks. ['faɪn, ˌθæŋks] Danke, gut. **5**
finger ['fɪŋgə] Finger **11**
finish ['fɪnɪʃ] schließen, Schluss machen, beenden, aufhören (mit) **4**
first (1st) [fɜ:st] erste(r, s) **2**
first aid [ˌfɜ:st 'eɪd] erste Hilfe **20**
first name ['fɜ:st neɪm] Vorname **2**

first-class ticket [ˌfɜːst klɑs ˈtɪkɪt] Fahrkarte erster Klasse **17**
fish [fɪʃ] Fisch **4**
fit [fɪt] fit **14**
fitness center [ˈfɪtnəs sentə] Fitnessstudio **7**
five [faɪv] fünf **2**
flat *BE* [flæt] Wohnung **3**
flight [flaɪt] Flug **5**
floor [flɔː] Fußboden **15**
flower [ˈflaʊə] Blume **16**
fly (flew, flown) [flaɪ, fluː, fləʊn] fliegen **7**
fog [fɒg] Nebel **8**
foggy [ˈfɒgi] neblig **8**
food [fuːd] Essen **3**
foot [fuːt] Fuß **11**
football [ˈfʊtbɔːl] Fußball **10**
for [fɔː] für **1**
for [fɔː] seit (zeitl.) **13**
for a reason [fər‿ə ˈriːzn] aus einem (guten) Grund **8**
for a split second [fər‿ə splɪt ˈseknd] für den Bruchteil einer Sekunde **11**
for a while [fər‿ə ˈwaɪl] eine Weile, eine Zeit lang **12**
for example [fər‿ɪgˈzɑːmpl] zum Beispiel **1**
forecast [ˈfɔːkɑːst] Vorhersage **8**
forest [ˈfɒrɪst] Wald **16**
forget (forgot, forgotten) [fəˈget, fəˈgɒt, fəˈgɒtn] vergessen **17**
fork [fɔːk] Gabel **14**
form [fɔːm] Formular **2**
forty [ˈfɔːti] vierzig **2**
found [faʊnd] gründen **18**
four [fɔː] vier **2**
four of us [ˈfɔːr‿əv ʌs] wir vier **6**
fourteen [ˌfɔːˈtiːn] vierzehn **2**
fourteenth (14th) [ˌfɔːˈtiːnθ] vierzehnte(r, s) **9**
fourth (4th) [fɔːθ] vierte(r, s) **9**
France [frɑːns] Frankreich **1**
free [friː] frei **14**
free time [friː ˈtaɪm] Freizeit **14**
freeze (froze, frozen) [friːz, frəʊz, frəʊzn] (ge)frieren **8**
French [frentʃ] französisch; Französisch; Franzose, Französin **1**
Frenchman [ˈfrentʃmən] Franzose **17**
frequent [ˈfriːkwənt] häufig, oft **20**
fresh [freʃ] frisch **4**
Friday [ˈfraɪdeɪ] Freitag **5**
friend [frend] Freund(in) **1**
friendly [ˈfrendli] freundlich **8**
Frisco [ˈfrɪskəʊ] (Kurzform von San Francisco) **12**
from [frɒm] von, aus **1**
from … to … [frɒm …ˈtʊ] von … bis … **5**
from behind [frəm bɪˈhaɪnd] von hinten **15**
frost [frɒst] Frost **8**
frosty [ˈfrɒsti] frostig **8**
fruit [fruːt] Obst, Frucht **9**
ft (feet) [fiːt] Fuß (Maßeinheit) **20**
full of [ˈfʊl əv] voll (von / mit) **11**
full-time [ˈfʊltaɪm] Vollzeit(-) **5**
full-time job [ˌfʊltaɪm ˈdʒɒb] Vollzeitstelle **5**
fun [fʌn] Spaß **4**
fun-loving [ˈfʌnlʌvɪŋ] lebenslustig **17**
funny [ˈfʌni] lustig, komisch **2**
further [ˈfɜːðə] weiter (entfernt) **10**
furthest [ˈfɜːðəst] am weitesten (entfernt) **10**

G

game [geɪm] Spiel **7**
garage [ˈgeərɪdʒ] Garage **10**
garden [ˈgɑːdn] Garten **3**
gate [geɪt] Tor **15**
German [ˈdʒɜːmən] deutsch; Deutsch; Deutsche(r) **1**
Germany [ˈdʒɜːməni] Deutschland **1**
get (got, got) [get, gɒt, gɒt] bekommen **6**
get (got, got) [get, gɒt, gɒt] werden **7**
get (got, got) [get, gɒt, gɒt] holen / besorgen, machen / vorbereiten **7**
get a good look at s.o. [ˌget ə gʊd ˈlʊk æt] jdn gut sehen können **15**
get ahead [get əˈhed] vorankommen **14**
get home [get ˈhəʊm] nach Hause kommen **4**
get in [get ˈɪn] herein- / hineinkommen **8**
get into conversation [ˌget ɪntə kɒnvəˈzeɪʃn] ins Gespräch kommen **8**
get off [get ˈɒf] aussteigen (aus) **17**
get on [get ɒn] einsteigen (in) **17**
get on (with) [get ɒn (wɪð)] zurecht- / auskommen mit **13**
get out of [get aʊt əv] aussteigen (aus) **19**
get some fresh air [get səm freʃ ˈeər] frische Luft schnappen **8**
get straight through [get streɪt ˈθruː] direkt durchkommen **9**
get to [ˈget tʊ] ankommen in **5**
get to know [get tə ˈnəʊ] kennenlernen **15**
get up [get ˈʌp] aufstehen **4**
girl [gɜːl] Mädchen **16**
girlfriend [ˈgɜːlfrend] Freundin **9**
give (gave, given) [gɪv, geɪv, gɪvn] geben, schenken **8**
give away [gɪv əˈweɪ] verschenken **9**
Give my best wishes to … [gɪv maɪ ˈbest wɪʃɪz tʊ] Schöne Grüße an … **12**
Give my love to … [gɪv maɪ ˈlʌv tʊ] Ganz liebe Grüße an … **12**
give up s.th. [gɪv ˈʌp] etw. aufgeben, aufhören (mit) **14**
glass [glɑːs] Glas **8**

glasses *Pl* ['glɑːsɪz] Brille **15**
glove [glʌv] Handschuh **15**
go (went, gone) [gəʊ, went, gɒn] gehen, fahren **3**
go abroad [gəʊ ə'brɔːd] ins Ausland fahren **6**
go away [gəʊ ə'weɪ] verreisen, wegfahren **6**
go by plane [gəʊ baɪ 'pleɪn] mit dem Flugzeug fliegen **6**
go by taxi / train [gəʊ baɪ 'tæksi / 'treɪn] mit dem Taxi / Zug fahren **6**
go cycling [gəʊ 'saɪklɪŋ] Rad fahren gehen **5**
go dancing [gəʊ 'dɑːnsɪŋ] tanzen gehen **5**
go direct [gəʊ dɪ'rekt] durchfahren **17**
go down [gəʊ 'daʊn] zurückgehen **19**
go for a walk [ˌgəʊ fər‿ə'wɔːk] spazieren gehen **5**
go hiking [gəʊ 'haɪkɪŋ] wandern gehen **5**
go home [gəʊ 'həʊm] nach Hause gehen **4**
go on [gəʊ 'ɒn] andauern **13**
go on a camping holiday [gəʊ ɒn ə 'kæmpɪŋ 'hɒlɪdeɪ] einen Campingurlaub machen **6**
go on a diet [ˌgəʊ ɒn ə 'daɪət] eine Diät machen **9**
go on holiday [ˌgəʊ ɒn 'hɒlɪdeɪ] in Urlaub fahren **6**
go out [gəʊ 'aʊt] ausgehen **4**
go out for a drink [gəʊ ˌaʊt fər‿ə 'drɪŋk] etw. trinken gehen **5**
go out for a meal [gəʊ ˌaʊt fər‿ə miːl] essen gehen **5**
go right [gəʊ 'raɪt] gut laufen **13**
go running [gəʊ 'rʌnɪŋ] laufen gehen **5**
go shopping [gəʊ 'ʃɒpɪŋ] einkaufen gehen, Einkäufe machen **5**
go swimming [gəʊ 'swɪmɪŋ] schwimmen gehen **5**
go to a fitness center [ˌgəʊ tʊ ə 'fɪtnəs sentə] in ein Fitnesscenter gehen **5**
go to a movie [ˌgəʊ tʊ ə 'muːvi] ins Kino gehen **5**
go to bed [gəʊ tʊ 'bed] ins Bett gehen **4**
go to the sauna [gəʊ tʊ ðə 'sɔːnə] in die Sauna gehen **5**
go to the theater [gəʊ tʊ ðə 'θiːətə] ins Theater gehen **5**
go to work [gəʊ tʊ wɜːk] zur Arbeit gehen / fahren **4**
go well [gəʊ 'wel] gut laufen **13**
go wrong [gəʊ 'rɒŋ] schief gehen **6**
God [gɒd] Gott **14**
going to ['gəʊɪŋ tu] werden, vorhaben **9**
golden wedding anniversary [gəʊldn 'wedɪŋ ænɪˌvɜːsəri] goldene Hochzeit **17**
gone [gɔn] weg, verschwunden **6**
good [gʊd] gut **1**
good at ['gʊd æt] gut in **14**
good for you [ˌgʊd fə 'juː] gesund **14**
Good luck! [ˌgʊd 'lʌk] Viel Glück! **20**
goodbye [gʊd'baɪ] auf Wiedersehen **2**
good-looking ['gʊdlʊkɪŋ] gutaussehend **15**
gradually ['grædʒuəli] allmählich **8**
grand- [grænd] Groß- **16**
grandmother ['grændmʌðə] Großmutter **15**
grandparents ['grændpeərənts] Großeltern **16**
grape [greɪp] Traube **14**
grass [grɑːs] Gras **16**
grateful ['greɪtfʊl] dankbar **20**
great [greɪt] großartig, wunderbar **5**
green [griːn] grün **15**
grey [greɪ] grau **15**
group [gruːp] Gruppe **13**
grow (grew, grown) [grəʊ, gruː, grəʊn] (an)wachsen **7**
grow up [grəʊ 'ʌp] aufwachsen **19**
guess [ges] schätzen, raten **13**
guest room ['gest ruːm] Gästezimmer **10**
guide [gaɪd] Führer(in) **20**
guidebook ['gaɪdbʊk] Reiseführer **6**
guy [gaɪ] Kerl **11**
gym [dʒɪm] Fitnessstudio **14**

H

had better [həd 'betə] sollte(-st, -t, -n) (lieber, besser) **15**
hair [heə] Haar, Haare **15**
hair drier ['heə draɪə] Föhn **16**
half *Adj* [hɑːf] halb **8**
half *Subs* [hɑːf] Hälfte **8**
half a pint [hɑːf ə 'paɪnt] ein halbes Pint (0,28 Liter) **8**
half past eight [hɑːf pɑːst 'eɪt] halb neun **4**
hall [hɔːl] Flur **10**
halves [hɑːvz] Hälften, Halbe (Plural von half) **8**
ham [hæm] Schinken **14**
hamburger ['hæmbɜːgə] Hamburger, Frikadelle **2**
Hamburger ['hæmbɜːgə] Hamburger(in) **2**
hand [hænd] Hand **11**
handy ['hændi] praktisch, griffbereit **1**
hang (hung, hung) [hæŋ, hʌŋ, hʌŋ] hängen **20**
hang on [hæŋ 'ɒn] dranbleiben **20**
hang s.th. up [hæŋ 'ʌp] etw. aufhängen **19**
happen ['hæpn] geschehen, passieren **6**
Happy / Merry Christmas! [ˌhæpi / meri 'krɪsməs] Frohe / Fröhliche Weihnachten! **9**
Happy birthday! [ˌhæpi 'bɜːθdeɪ] Herzlichen Glückwunsch zum Geburtstag! **12**
Happy Easter! [ˌhæpi 'iːstə] Frohe Ostern! **9**
Happy New Year! [ˌhæpi njuː 'jɪə] Ein gutes neues Jahr! **9**

Happy Thanksgiving! [ˌhæpi θæŋks'gɪvɪŋ] Alles Gute zum Erntedankfest! **9**
harbour ['hɑːbə] Hafen **6**
hard [hɑːd] hart, schwer, schwierig **4, 7**
hardly ['hɑːdli] kaum **10**
hassle ['hæsl] Mühe, Umstände **11**
hate [heɪt] hassen, sehr ungern tun **5**
have (had, had) (got) [hæv, hæd, hæd ('gɔt)] haben **2**
have a break [hæv ə 'breɪk] Pause machen **4**
have a complaint [hæv ə kəm'pleɪnt] sich beschweren **6**
have a good command of s.th. [hæv ə gʊd kə'mɑːnd] etw. gut beherrschen **13**
have a look [hæv ə 'lʊk] nachsehen **16**
Have a nice day. [hæv ə naɪs 'deɪ] Schönen Tag (noch)! **2**
Have a nice holiday. [hæv ə naɪs 'hɒlɪdeɪ] Schönen Urlaub! **12**
have a party [hæv ə 'pɑːti] ein Fest / eine Party feiern **18**
Have a safe journey home. [hæv ə seɪf ˌdʒɜːni 'həʊm] Kommen Sie gut nach Hause! **12**
have a shower [hæv ə 'ʃaʊə] duschen **4**
have a temperature [hæv ə 'temprətʃə] Fieber haben **11**
have access to the internet [hæv 'ækses tʊ ðɪ 'ɪntənet] Zugang zum Internet haben **18**
have any idea [hæv enɪ aɪ'dɪə] eine Ahnung haben **8**
have breakfast [hæv 'brekfəst] frühstücken **4**
have dinner [hæv 'dɪnə] (zu) Abend essen **4**
have lunch [hæv 'lʌntʃ] (zu) Mittag essen **4**
have s.th. done [hæv 'dʌn] etw. machen lassen **15**
have to ['hæv tʊ] müssen **5**
Have you met ...? [hæv ju met] Kennen Sie / Kennst du / Kennt ihr ... schon? **12**
he [hiː] er **1**
head [hed] Kopf **11**
headache ['hedeɪk] Kopfschmerzen **11**
health [helθ] Gesundheit **10**
health club ['helθ klʌb] Fitnessklub **10**
hear (heard, heard) [hɪə, hɜːd, hɜːd] hören **8**
heart condition ['hɑːt kənˌdɪʃn] Gesundheitszustand des Herzens, Herzleiden **17**
heating ['hiːtɪŋ] Heizung **19**
heaven ['hevn] Himmel **3**
heavy ['hevi] schwer, stark **9**
hey! [heɪ] He! Hallo! **1**
helicopter ['helɪkɒptə] Hubschrauber **20**
hello ['heləʊ] guten Tag, Hallo **1**
help *Subs* [help] Hilfe **9**
help *V* [help] helfen **5**
help out [help 'aʊt] aushelfen **12**
Help yourself. [help jʊə'self] Bedienen Sie sich!, Bedient euch!, Bedien dich! **12**
helpful ['helpfʊl] hilfsbereit **8**
her [hɜː] ihr(e) **1**
her [hɜː] sie, ihr **4**
here [hɪə] hier **1**
Here you are. ['hɪə ju ˌɑː] Bitte schön. **8**
hero ['hɪərəʊ] Held, Star **10**
hers [hɜːz] ihre(r, s) **11**
herself [hɜː'self] sich (selbst) **16**
hi [haɪ] hi, hallo **1**
Hi, there! ['haɪ ðeə] Ach hallo! **10**
high [haɪ] hoch **17**
hiker ['haɪkə] Wanderer **17**
hiking ['haɪkɪŋ] Wandern **17**
hill [hɪl] Hügel **16**
him [hɪm] ihn, ihm **4**
himself [hɪm'self] (er) selbst **16**
himself [hɪm'self] sich (selbst) **16**
hinterland ['hɪntələnd] Hinterland **1**
hire car ['haɪə kɑː] Mietauto **11**
his [hɪz] sein(e) **1**
his [hɪz] seine(r, s) **11**
hit ... against [hɪt ə'genst] stoßen ... an **11**
hit it off [hɪt ɪt 'ɒf] sich prächtig verstehen **19**
hold the fort [ˌhəʊld ðə 'fɔːt] die Stellung halten **6**
hole [həʊl] Loch **16**
holiday ['hɒlɪdeɪ] Urlaub **6**
home [həʊm] Zuhause, Heim, Wohnung **12**
home-swapping ['həʊm swɒpɪŋ] Wohnungstausch **12**
honest ['ɒnəst] ehrlich **11**
honey ['hʌni] Honig **14**
hope [həʊp] (er)hoffen **12**
hospital ['hɒspɪtl] Krankenhaus **3**
hot [hɒt] heiß, warm **4**
hotel [həʊ'tel] Hotel **3**
hour ['aʊə] Stunde **6**
house [haʊs] Haus **10**
househusband ['haʊshʌzbənd] Hausmann **7**
housewife ['haʊswaɪf] Hausfrau **7**
how? ['haʊ] wie? **5**
How about ...? ['haʊ əbaʊt] Was ist mit ...?, Wie wäre es mit ...?, Wie wäre es, wenn ...? **7**
How are you? [haʊ 'ɑː ju] Wie geht's? **5**
how long? [haʊ 'lɒŋ] wie lange? **8**
How much is that? [haʊ mʌtʃ ɪz ðæt] Was kostet das? **5**
huge [hjuːdʒ] riesig **17**
hundred ['hʌndrəd] hundert **2**
hungry ['hʌŋgri] hungrig **14**
hurry ['hʌri] (sich be)eilen **6**
hurt [hɜːt] verletzt **20**
hurt (hurt, hurt) [hɜːt, hɜːt, hɜːt] sich wehtun **11**

husband ['hʌzbənd] Ehemann **1**
hyphen ['haɪfn] (Binde-)Strich **2**

I

I [aɪ] ich **1**
I beg your pardon. [aɪ ˌbeg jʊə 'pɑːdn] Ich muss doch sehr bitten! **19**
I don't believe it! [aɪ 'dəʊnt bɪˌliːv ɪt] Das ist doch nicht zu fassen! **19**
I don't think so. [ˌaɪ dəʊnt 'θɪŋk səʊ] Ich glaube nicht. **12**
I might say [ˌaɪ maɪt 'seɪ] ich möchte mal sagen **14**
I see [aɪ 'siː] hier: ich verstehe **1**
I suppose so. [ˌaɪ sə'pəʊz səʊ] Ja, vermutlich., Ich nehme es an. **13**
I work in marketing. [ˌaɪ wɜːk ɪn 'mɑːkətɪŋ] Ich arbeite im Marketing. **7**
I'd like ['aɪd laɪk] Ich möchte / hätte gern **8**
I'm a stranger here myself. [ˌaɪm ə 'streɪndʒə hɪə maɪˌself] Ich bin selbst fremd hier. **3**
I'm afraid [aɪm ə'freɪd] ich fürchte, leider **8**
I'm in advertising. [aɪm ɪn 'ædvətaɪzɪŋ] Ich bin in der Werbebranche. **7**
I'm on the administrative side. [aɪm ɒn ðiː əd'mɪnɪstrətɪv saɪd] Ich bin in der Verwaltung. **7**
I'm sorry. [aɪm 'sɒri] (Das) tut mir leid. **6**
ice-cream [ˌaɪs'kriːm] (Speise-)Eis **14**
ice-hockey ['aɪshɒki] Eishockey **5**
idea [aɪ'dɪə] Idee **5**
identity card [aɪ'dentəti kɑːd] (Personal-)Ausweis **2**
if [ɪf] wenn, falls **8**
if [ɪf] ob **13**
if only ... [ɪf 'əʊnli] wenn (doch) nur ... **10**
If you can't beat them, join them. [ɪf ju kɑːnt ˌbiːt ðəm 'dʒɔɪn ðəm] Wenn du nicht gegen den Strom schwimmen kannst, schwimm mit ihm. **18**
ill [ɪl] krank **7, 9**
illness ['ɪlnəs] Krankheit **11**
imagine [ɪ'mædʒɪn] sich vorstellen **14**
immediately [ɪ'miːdiətli] sofort **16**
impression [ɪm'preʃn] Eindruck **13**
improve [ɪm'pruːv] (sich) verbessern **12**
in [ɪn] in, auf (örtl.) **1**
in [ɪn] am, in (zeitl.) **5**
in 1958 [ɪn ...] (im Jahre) 1958 **9**
in a minute [ɪn ə 'mɪnɪt] gleich **8**
in all weathers [ɪn ˌɔːl 'weðəz] bei Wind und Wetter **8**
in case [ɪn 'keɪs] falls **16**
in fact [ɪn 'fækt] genau gesagt, in Wirklichkeit **6**
in front of [ɪn 'frʌnt əv] vor **3**
in German [ɪn 'dʒɜːmən] auf Deutsch **2**
in his / her early forties [ɪn hɪz/hɜː ˌɜːli 'fɔːtiz] Anfang vierzig **15**
in his / her late twenties [ɪn hɪz/hɜː leɪt 'twentiz] Ende zwanzig **15**
in his / her mid-thirties [ɪn hɪz/hɜː mɪd 'θɜːtiz] Mitte dreißig **15**
in hospital [ɪn 'hɒspɪtl] im Krankenhaus **5**
in my opinion [ɪn maɪ ə'pɪnjən] meiner Meinung nach **13**
in one piece [ɪn wʌn 'piːs] heil, ganz **12**
in our place [ɪn aʊə 'pleɪs] bei uns (zu Hause) **12**
in real estate [ɪn 'rɪəl əˌsteɪt] im Immobiliengeschäft **12**
in reply to [ɪn rɪ'plaɪ tu] als Antwort auf **13**
in the direction of [ɪn ðə dɪ'rekʃn əv] in Richtung **11**
in the evening [ɪn ðɪ 'iːvnɪŋ] am Abend, abends **4**
in the middle of nowhere [ɪn ðə ˌmɪdl əv 'nəʊweə] am Ende der Welt **16**
in the morning [ɪn ðə 'mɔːnɪŋ] am Morgen, morgens **4**
in the name of [ɪn ðə 'neɪm əv] auf den Namen **14**
in time [ɪn 'taɪm] rechtzeitig **11**
incident ['ɪnsɪdənt] Zwischenfall, Vorfall **20**
included [ɪn'kluːdɪd] inbegriffen **14**
information [ɪnfə'meɪʃn] Information **3**
infrared [ˌɪnfrə'red] infrarot **15**
injured ['ɪndʒəd] verletzt **20**
inland [ɪn'lænd] ins Landesinnere, im Landesinneren **3**
install [ɪn'stɔːl] installieren **15**
instead [ɪn'sted] stattdessen **18**
instead of [ɪn'sted əv] (an)statt **14**
instructions [ɪn'strʌkʃnz] Anweisungen, Anleitung **12**
insurance [ɪn'ʃʊərəns] Versicherung **2**
insurance number [ɪn'ʃʊərəns ˌnʌmbə] Versicherungsnummer **2**
insured [ɪn'ʃʊəd] versichert **15**
interest ['ɪntrəst] Interesse **16**
interesting ['ɪntrəstɪŋ] interessant **1**
internet ['ɪntənet] Internet **18**
interview *Subs* ['ɪntəvjuː] Vorstellungsgespräch **10, 13**
interview *V* ['ɪntəvjuː] interviewen, befragen **13**
interviewer ['ɪntəvjuːə] Interviewer(in) **13**
into ['ɪntu] in (... hinein) **3**
introduce s.o. to s.o. [ˌɪntrə'djuːs] jdn jdm vorstellen, jdn mit jdm bekannt machen **1, 12**
invitation [ɪnvɪ'teɪʃn] Einladung **13**
invite [ɪn'vaɪt] einladen **12**

involved in [ɪn'vɒlvd ɪn] beteiligt an **11**
Ireland ['aɪələnd] Irland **1**
island ['aɪlənd] Insel **16**
..., isn't it? [ɪznt ɪt] ..., nicht wahr?
it [ɪt] es **1**
it can't be helped [ɪt ˌkɑːnt bi 'helpd] daran lässt sich nichts mehr ändern **19**
It depends. [ɪt dɪ'pendz] Das / Es kommt darauf an. **8**
It didn't work out. [ɪt ˌdɪdnt wɜːk 'aʊt] Es hat nicht geklappt. **12**
It is ... degrees. [ɪt ɪz '... dɪˌgriːz] Es sind ... Grad. **8**
it says [ɪt 'sez] da steht **19**
it takes [ɪt 'teɪks] es dauert, man braucht **8**
it's ...'s birthday [ˌɪts ...'bɜːθdeɪ] ... hat Geburtstag **12**
It's a pleasure. [ˌɪts ə 'pleʒə] bitte, gern geschehen **8**
it's fun [ɪts 'fʌn] es macht Spaß **4**
It's heaven! [ɪts 'hevn] Es ist himmlisch! **3**
It's Tony here [ɪts 'təʊni hɪə] Hier spricht Tony. **9**
Italian [ɪ'tæljən] italienisch; Italienisch; Italiener(in) **1**
Italy ['ɪtəli] Italien **1**
its [ɪts] sein, ihr **1**
itself [ɪt'self] sich (selbst) **16**

J

jacket ['dʒækɪt] Jacke, Jackett **15**
jam [dʒæm] Marmelade **14**
January ['dʒænjʊəri] Januar **9**
jazz [dʒæz] Jazz **11**
jeans *Pl* [dʒiːnz] Jeans **16**
jewellery ['dʒʊəlri] Schmuck, Juwelen **15**
job [dʒɒb] Arbeit, Stelle, Beruf **4**
job application ['dʒɒb æplɪˌkeɪʃn] Bewerbung **13**
jobless ['dʒɒbləs] arbeitslos **7**
join a company [ˌdʒɔɪn ə 'kʌmpəni] in ein Unternehmen eintreten **13**
journey ['dʒɜːni] Reise **8**
judo ['dʒuːdəʊ] Judo **5**
juice [dʒuːs] Saft **14**
July [dʒʊ'laɪ] Juli **9**
June [dʒuːn] Juni **8, 9**
just [dʒʌst] nur, einfach, gerade **1**
just [dʒʌst] gerade (erst) (zeitl.) **12**

K

karaoke [ˌkæri'əʊki] Karaoke **8**
keen [kiːn] eifrig **15**
keep (kept, kept) (on) doing s.th. [ˌkiːp, kept, kept ɒn 'duːɪŋ] weitermachen, etw. immer wieder tun **14**
keep s.o. doing s.th. [kiːp 'duːɪŋ] jdn immer etw. tun lassen **15**
key [kiː] Schlüssel **16**
kid [kɪd] Kind **13**
kill [kɪl] töten **16**
kilometer *AE* [kɪ'lɒmɪtə] Kilometer **6**
kilometre *BE* [kɪ'lɒmɪtə] Kilometer **6**
kind *Adj* [kaɪnd] freundlich, nett **8**
kind *Subs* [kaɪnd] Art **13**
kindergarten ['kɪndəˌgɑːtn] Kindergarten **1**
kiss *Subs* [kɪs] Kuss **17**
kiss *V* [kɪs] küssen **17**
kissogram girl ['kɪsəgræm ˌgɜːl] verkleidete junge Frau, die einen Glückwunsch mit Küsschen überbringt **17**
kitchen ['kɪtʃɪn] Küche **4**
knee [niː] Knie **11**
knife [naɪf] Messer **14**
knock unconscious [nɒk ʌn'kɒnʃəs] bewusstlos schlagen **17**
know (knew, known) [nəʊ, njuː, nəʊn] wissen **2**

L

lake [leɪk] See **16**
lamb [læm] Lammfleisch **14**
lamp [læmp] Lampe **15**
land [lænd] landen **20**
landlord ['lændlɔːd] Wirt, Vermieter **8, 10**
language ['læŋgwɪdʒ] Sprache **1**
language in use ['læŋgwɪdʒ ɪn juːs] Sprachgebrauch **1**
laptop ['læptɒp] Laptop, tragbarer Computer **6**
large [lɑːdʒ] groß **16**
last [lɑːst] letzte(r, s) **5**
last minute [ˌlɑːst 'mɪnɪt] last minute **1**
late [leɪt] spät **4**
lately ['leɪtli] in letzter Zeit, neulich **12**
later ['leɪtə] später **6**
laugh [lɑːf] lachen **6**
lay (laid, laid) [leɪ, leɪd, leɪd] legen **20**
lazy ['leɪzi] faul **14**
lead (led, led) [liːd, led, led] leiten, führen **13**
leader ['liːdə] Leiter(in), Führer(in) **13**
learn [lɜːn] lernen **12**
leave (left, left) [liːv, left, left] hinterlassen, vererben **15**
leave (left, left) [liːv, left, left] verlassen, zurücklassen, (weg)gehen, abfahren, abstellen **6, 14**
leave home [liːv 'həʊm] aus dem Haus gehen **4**
leave s.th. out [liːv 'aʊt] etw. weglassen **19**
leave school [liːv 'skuːl] von der Schule abgehen **13**
left [left] links, linke(r, s) **3**
left-hand ['lefthænd] linke(r, s) **11**

leg [leg] Bein **11**
lend (lent, lent) [lend, lent, lent] (aus)leihen **18**
Lent [lent] Fastenzeit **9**
less [les] weniger **9**
lesson ['lesn] Stunde, Lektion **5**
let (let, let) [let, let, let] lassen **1**
Let me introduce you to ... [let mi: ˌɪntrə'dju:s ju tu] Ich mache Sie mit ... bekannt. **1**
Let me see. [let mi: 'si:] Lassen Sie mich mal sehen / nachdenken. **3**
let s.o. know [let 'nəʊ] jdn informieren, jdm Bescheid geben **12**
let's ... [lets] lass / lasst uns ... **15**
lie [laɪ] lügen **20**
lie (lay, lain) [laɪ, leɪ, leɪn] liegen **20**
lie down [laɪ 'daʊn] sich hinlegen **16**
life [laɪf] Leben **4**
lift *BE* [lɪft] Aufzug, Fahrstuhl **10**
light *Adj* [laɪt] leicht **8**
light *Adj* [laɪt] hell **15**
light *Subs* [laɪt] Licht **15**
like *Präp* [laɪk] wie **1**
like *V* [laɪk] mögen, gern haben / tun **4**
like this [laɪk 'ðɪs] so, auf diese Art **16**
limp [lɪmp] humpeln **11**
line [laɪn] Linie **10**
list [lɪst] Liste **8**
listen to ['lɪsn tu] (zu)hören **4**
listener ['lɪsnə] (Zu-)Hörer(in) **17**
listening skills ['lɪsnɪŋ skɪlz] Hörverstehen **13**
little ['lɪtl] klein **7**
live [lɪv] leben, wohnen **5**
live up to s.th. [lɪv 'ʌp] etw. gerecht werden **12**
living room ['lɪvɪŋ ru:m] Wohnzimmer **10**
local ['ləʊkl] örtlich, am Ort **15**
local call [ˌləʊkl 'kɔ:l] Ortsgespräch **9**
lock [lɒk] Schloss (zum Absperren) **15**
long [ˌlɒŋ] lang **4**
Long time no see. [ˌlɒŋ taɪm nəʊ 'si:] Lange nicht gesehen. **10**
long-distance call [ˌlɒŋ'dɪstəns kɔ:l] Ferngespräch **9**
look [lʊk] aussehen **7**
look [lʊk] (hin)sehen / schauen **7**
look after [lʊk 'ɑ:ftə] aufpassen auf, sich kümmern um **15**
look at ['lʊk æt] (sich) ansehen / anschauen **6**
look for ['lʊk fə] suchen **10**
look forward to [lʊk 'fɔ:wəd tu] sich freuen auf **14**
look s.th. up [lʊk 'ʌp] etw. nachschlagen **19**
look through ['lʊk θru:] durchsehen, durchlesen **9**
look up [lʊk 'ʌp] hochschauen **19**
loosen up [ˌlu:sn 'ʌp] auflockern **18**
lose (lost, lost) [lu:z, lɒst, lɒst] verlieren **9**
lose 5 kg [ˌlu:z faɪv 'kɪləgræmz] 5 kg abnehmen **9**
lottery ['lɒtəri] Lotterie **17**
loud [laʊd] laut **15**
love [lʌv] lieben, sehr gern haben / tun **5**
Love (from) ... [lʌv (frəm)] Liebe / Schöne Grüße von ... **3**
lovely ['lʌvli] schön, hübsch, herrlich **12**
low [ləʊ] niedrig, tief **10**
Lower- ['ləʊə] Unter- (bei Ortsnamen) **19**
luckily ['lʌkɪli] zum Glück **5**
luggage *BE* ['lʌgɪdʒ] Gepäck **16**
lunch [lʌntʃ] Mittagessen **4**
lunch-break ['lʌntʃbreɪk] Mittagspause **4**
luxury ['lʌkʃəri] Luxus, Luxus- **7**

M

made of ['meɪd əv] gemacht aus **14**
magazine [ˌmægə'zi:n] Zeitschrift **16**
maiden name ['meɪdn neɪm] Geburtsname **2**
mail [meɪl] Post **16**
mail-order ['meɪlɔ:də] Versand(haus) **12**
main course [ˌmeɪn 'kɔ:s] Hauptgericht **14**
mainly ['meɪnli] hauptsächlich **8**
make (made, made) [meɪk, meɪd, meɪd] machen, zubereiten **4**
make a complaint [ˌmeɪk ə kəm'pleɪnt] sich beschweren **6**
make a fool of oneself [ˌmeɪk ə 'fu:l əv wʌnself] sich lächerlich machen **14**
make friends with s.o. [ˌmeɪk 'frendz] sich mit jdm anfreunden **12**
make one's way to ... [ˌmeɪk wʌnz 'weɪ tu] sich auf den Weg machen nach ... **6**
make s.o. do s.th. [ˌmeɪk 'du:] jdn etw. machen lassen, jdn zwingen etw. zu tun **15**
make sure [ˌmeɪk 'ʃʊə] darauf achten, sich vergewissern, sicherstellen **15**
make up one's mind [ˌmeɪk ʌp wʌnz 'maɪnd] sich entscheiden **10**
Make yourself at home. [ˌmeɪk jʊəself æt 'həʊm] Fühlen Sie sich / Fühlt euch / Fühl dich wie zu Hause! **12**
male [meɪl] männlich **2**
man [mæn] Mann **6**
manage to do s.th. ['mænɪdʒ] es schaffen etw. zu tun **12**
manager ['mænɪdʒə] Manager(in), Leiter(in), (Hotel-)Direktor(in) **17**
many ['meni] viele **1**
map [mæp] (Land-)Karte **16**
March [mɑ:tʃ] März **9**
marital status [ˌmærɪtl 'steɪtəs] Familienstand **2**

market ['mɑːkɪt] Markt **4**
marmalade ['mɑːməleɪd] Marmelade (aus Zitrusfrüchten) **14**
marriage ['mærɪdʒ] Heirat **2**
marriage certificate ['mærɪdʒ səˌtɪfɪkət] Heiratsurkunde **2**
married ['mærɪd] verheiratet **2**
match [mætʃ] Spiel **5**
May *Subs* [meɪ] Mai **9**
may *V* [meɪ] dürfen **14**
may (do) [meɪ ('duː)] vielleicht (tun) **15**
maybe ['meɪbiː] vielleicht **7**
me [miː] mich, mir **1**
meal [miːl] Mahlzeit **4**
mean (meant, meant) [miːn, ment, ment] bedeuten, meinen, sagen wollen **7**
meat [miːt] Fleisch **4**
medical insurance [ˌmedikl ɪn'ʃʊərəns] Krankenversicherung **11**
medicine ['medsən] Medizin, Arzneimittel **11**
medium-dry [ˌmiːdiəm 'draɪ] halbtrocken **8**
meet (met, met) [miːt, met, met] kennenlernen, (sich) treffen **1**
meeting ['miːtɪŋ] Treffen, Sitzung **4**
member ['membə] Mitglied **15**
mend [mend] stopfen, flicken, reparieren **19**
mention ['menʃn] erwähnen **20**
menu ['menjuː] Speisekarte **14**
message ['mesɪdʒ] Nachricht, Botschaft **9**
meter *AE* ['miːtə] Meter **3**
metre *BE* ['miːtə] Meter **3**
Mexico ['meksɪkəʊ] Mexiko **18**
mice [maɪs] Mäuse **5**
middle ['mɪdl] Mitte **16**
middle-aged [ˌmɪdl'eɪdʒd] im mittleren Alter **15**
midnight ['mɪdnaɪt] Mitternacht **4**
might [maɪt] könnte(-st, -t, -n) **8**
mile [maɪl] Meile **3, 11**
milk [mɪlk] Milch **9, 14**
million ['mɪljən] Million **18**
millionaire [ˌmɪljə'neə] Millionär(in) **4**
mind [maɪnd] etw. dagegen haben **14**
mine [maɪn] meine(r, s) **4, 11**
minus ['maɪnəs] Minus(zeichen), minus **2, 8**
minute ['mɪnɪt] Minute **4**
miss [mɪs] vermissen **14**
miss [mɪs] verfehlen, verpassen **3, 6**
mistake ['mɪsteɪk] Fehler **6**
misunderstanding [ˌmɪsʌndə'stændɪŋ] Missverständnis **19**
mobile (phone) [ˌməʊbaɪl 'fəʊn] Handy **1**
model ['mɒdl] Modell **18**
modern ['mɒdən] modern **1**
Mom *AE* [mɒm] Mama, Mutti **5**
Monday ['mʌndeɪ] Montag **5**
money ['mʌni] Geld **7**
more [mɔː] mehr **2**
morning ['mɔːnɪŋ] Morgen **4**
most (Sundays) [məʊst ('sʌndeɪz)] an den meisten (Sonntagen) **5**
mother ['mʌðə] Mutter **1**
mountain ['maʊntɪn] Berg **16**
mouth [maʊθ] Mund **11**
move [muːv] umziehen **10**
move [muːv] (sich) bewegen **16**
movie ['muːvi] Film **7**
Mr ['mɪstə] Herr **3**
Mrs ['mɪsɪz] Frau **3**
Ms [mɪz] Frau **3**
much [mʌtʃ] viel **3**
Mum *BE* [mʌm] Mama, Mutti **5**
museum [mjuː'ziːəm] Museum **3**
music ['mjuːzɪk] Musik **4**
must [mʌst] müssen **1**
mustn't (must not) ['mʌsnt] nicht dürfen **11**
my [maɪ] mein(e) **1**
My impression is / was that ... [ˌmaɪ ɪm'preʃn ɪz/wɒz ðæt] Ich habe / hatte den Eindruck, dass ... **13**
My view is that ... ['maɪ vjuː ɪz ðət] Meiner Ansicht nach ... **13**
myself [maɪ'self] (ich) selbst **3**
myself [maɪ'self] mich / mir (selbst) **16**

N

name *Subs* [neɪm] Name **1**
name *V* [neɪm] (be)nennen **19**
nation ['neɪʃn] Nation **18**
nationality [ˌnæʃə'næləti] Nationalität, Staatsbürgerschaft **2**
native speaker [ˌneitɪv 'spiːkə] Muttersprachler(in) **13**
nature ['neɪtʃə] Natur **16**
nature reserve [ˌneɪtʃə rɪ'zɜːv] Naturschutzgebiet **20**
navigation system [ˌnævɪ'geɪʃn sɪstəm] Navigationssystem **19**
near [nɪə] in der Nähe von **3**
nearby [ˌnɪə'baɪ] in der Nähe **15**
nearly ['nɪəli] fast, beinahe **13**
necessary ['nesəsri] nötig, notwendig **11**
neck [nek] Nacken **11**
need [niːd] benötigen, brauchen **5**
needn't (need not) ['niːdnt] nicht müssen, nicht brauchen **11**
neighbour ['neɪbə] Nachbar(in) **6**
neighbourhood watch [neɪbəhʊd 'wɒtʃ] Nachbarschaftsinitiative zur Verbrechensbekämpfung **15**
Neither have I. [ˌnaɪðə hæv 'aɪ] Ich auch nicht. **16**

nervous ['nɜːvəs] nervös **7**
Nether- ['neðə] Nieder-, Unter- (bei Ortsnamen) **19**
never ['nevə] nie **4**
new [njuː] neu **1**
New England [ˌnjuː 'ɪŋglənd] Neuengland (USA) **16**
New Year's Day [ˌnjuː jɪəz 'deɪ] Neujahr(stag) **9**
New Year's Eve [ˌnjuː jɪəz 'iːv] Silvester **9**
Newfoundland ['njuːfəndlənd] Neufundland **5**
news [njuːz] Nachricht(en) **16**
newspaper ['njuːzpeɪpə] Zeitung **18**
next [nekst] nächste(r, s) **4**
next door [ˌnekst 'dɔː] nebenan **12**
next to ['nekst tu] neben **3**
nice [naɪs] nett, schön **1**
Nice to meet you. [ˌnaɪs tə 'miːt ju] Nett Sie / dich kennenzulernen. **1**
niece [niːs] Nichte **19**
night [naɪt] Nacht **4**
nine [naɪn] neun **2**
nine and a half [ˌnaɪn ənd ə 'hɑːf] neuneinhalb **6**
nineteen [naɪn'tiːn] neunzehn **2**
nineteenth (19th) [naɪn'tiːnθ] neunzehnte(r, s) **9**
ninety ['naɪnti] neunzig **2**
ninth (9th) [naɪnθ] neunte(r, s) **9**
no ['nəʊ] nein **1**
No problem. [nəʊ 'prɒbləm] Kein Problem. **3**
nobody ['nəʊbədi] niemand, keiner **10**
noise [nɔɪz] Lärm, Geräusch **18**
noisy ['nɔɪzi] laut **10**
none [nʌn] keine(r, s) **19**
non-smoking section [nɒn'sməʊkɪŋ sekʃn] Nichtraucherbereich **14**
noone ['nəʊwʌn] niemand, keiner **10**
nope *ugs* [nəʊp] nö, nee **18**
nor ... [nɔː] ... auch nicht **16**
normally *Adv* ['nɔːməli] normalerweise **4**
north [nɔːθ] Norden, Nord-, nördlich **3**
North America [nɔːθ ə'merɪkə] Nordamerika **1**
North Germany [nɔːθ 'dʒɜːməni] Norddeutschland **1**
nose [nəʊz] Nase **11**
not [nɒt] nicht **1**
not ... any [nɒt 'æni] kein(e, n) **9**
not ... any more [ˌnɒt enɪ 'mɔː] nicht mehr **11**
not ... anybody / anyone [ˌnɒt 'enɪbɒdi / 'enɪwʌn] niemand, keiner **10**
not ... anything [ˌnɒt 'enɪθɪŋ] nichts **10**
not ... anywhere [nɒt 'enɪweə] nirgends, nirgendwo **10**
not ... at all [ˌnɒt ət 'ɔːl] überhaupt nicht ... **7**
Not at all. [ˌnɒt æt 'ɔːl] Bitte. **8**
not even [nɒt 'iːvn] (noch) nicht einmal **11**
not exactly [nɒt ɪg'zæktli] nicht gerade **10**
not mind [nɒt 'maɪnd] nichts dagegen haben **14**
not only ... but [nɒt 'əʊnli ... bʌt] nicht nur ..., sondern auch **6**
not quite [nɒt 'kwaɪt] nicht ganz **13**
not quite so good [nɒt ˌkwaɪt səʊ 'gʊd] nicht ganz so gut **13**
not yet [nɒt 'jet] noch nicht **12**
notebook ['nəʊtbʊk] Notebook, Laptop **7**
nothing ['nʌθɪŋ] nichts **5, 6**
nothing else [ˌnʌθɪŋ 'els] nichts anderes / mehr **6**
notice ['nəʊtɪs] bemerken **13**
nought [nɔːt] Null **2**
November [nəʊ'vembə] November **9**
now [naʊ] jetzt, nun **1**
Now or never! [naʊ ɔː 'nevə] Jetzt oder nie! **16**
nowhere ['nəʊweə] nirgendwo, nirgends **16**
number ['nʌmbə] Nummer, Zahl **2**
nurse [nɜːs] Krankenschwester **11**

O

... o'clock [ə'klɒk] ... Uhr **4**
occurrence [ə'kʌrəns] Ereignis **11**
October [ɒk'təʊbə] Oktober **9**
of [ɒv] von **1**
of all time [əv 'ɔːl ˌtaɪm] aller Zeiten **10**
of course [əv 'kɔːs] natürlich **6**
of medium height [əv 'miːdiəm ˌhaɪt] mittelgroß **15**
of your own free will [ˌəv jʊər‿əʊn friː 'wɪl] freiwillig **14**
off *Adv* [ɒf] hin- / herunter, weg, los **11**
offer ['ɒfə] (an)bieten **4**
office ['ɒfɪs] Büro **1**
often ['ɒf(tə)n] oft **1**
oh [əʊ] ach, oh **1**
oh [əʊ] Null **2**
oh dear! [ˌəʊ 'dɪə] o je! **7**
oh right [ˌəʊ 'raɪt] ach so **1**
OK [əʊ'keɪ] O.K., alles klar, in Ordnung **2**
old [əʊld] alt **1**
old-fashioned [ˌəʊld'fæʃnd] altmodisch, veraltet **19**
on [ɒn] an, auf (örtl.) **3**
on [ɒn] an **16**
on (Monday) [ɒn ('mʌndeɪ)] am (Montag) **5**
on 6th June [ɒn ðə sɪksθ əv 'dʒuːn] am 6. Juni **9**
on either side [ɒn ˌaɪðə 'saɪd] auf beiden Seiten **11**
on January 1st [ɒn 'dʒænjəri ðə fɜːst] am 1. Januar **9**
on the internet [ɒn ðɪ 'ɪntənet] im Internet **8**

on the left [ɒn ðə 'left] links, auf der linken Seite **3**
on the right [ɒn ðə 'raɪt] rechts, auf der rechten Seite **3**
on the sales side [ɒn ðə 'seɪlz saɪd] im Verkauf **7**
on the technical side [ɒn ðə 'teknɪkl saɪd] im technischen Bereich **4, 7**
on the weekend *AE* [ɒn ðə 'wiːkend] am Wochenende **5**
on time [ɒn 'taɪm] pünktlich **6**
once [wʌns] einmal **16**
one [wʌn] eins, ein(e) **2**
onion ['ʌnjən] Zwiebel **14**
online [ɒn'laɪn] online, mit dem Internet verbunden **18**
only ['əʊnli] nur **5**
open ['əʊpn] öffnen, aufmachen **17**
operate ['ɒpəreɪt] tätig sein **20**
operation [ˌɒpə'reɪʃn] Operation **14**
opinion [ə'pɪnjən] Meinung **13**
opportunity [ˌɒpə'tjuːnəti] Gelegenheit **13**
opposite *Präp* ['ɒpəzɪt] gegenüber **3**
opposite *Adj* ['ɒpəzɪt] entgegengesetzt **11**
or [ɔː] oder **1**
orange ['ɒrɪndʒ] Orange, Apfelsine **14**
orange juice ['ɒrɪndʒ dʒuːs] Orangensaft **7**
order ['ɔːdə] bestellen **12**
organize ['ɔːgənaɪz] organisieren **5**
organized ['ɔːgənaɪzd] organisiert **5**
original [ə'rɪdʒɪnl] ursprünglich **17**
other ['ʌðə] andere(r, s) **1**
outfit ['aʊtfɪt] Outfit, Kleidung **11**
ought to ['ɔːt tu] sollte(-st, -t, -n) **15**
our ['aʊə] unser(e) **1**
ours ['aʊəz] unsere(r, s) **11**
ourselves [ˌaʊə'selvz] uns (selbst) **16**
out [aʊt] draußen **10**
out of *Präp* ['aʊt əv] aus (… heraus / hinaus) **10**
out of town [ˌaʊt əv 'taʊn] außerhalb der Stadt **10**
outlook ['aʊtlʊk] Aussicht(en) **8**
outside *Präp* [ˌaʊt'saɪd] (draußen) vor **3**
outside *Adv* [ˌaʊt'saɪd] draußen **7**
over ['əʊvə] über **2**
over there [əʊvə 'ðeə] da / dort drüben **7**
owner ['əʊnə] Besitzer(in), Eigentümer(in) **10**

P

p.m. [piː 'em] nachmittags / abends (Uhrzeit) **4**
pack [pæk] packen **6**
pack a (suit)case [pæk ə '(suːt)keɪs] einen Koffer packen **6**
package ['pækɪdʒ] Paket **12**
package tour ['pækɪdʒ ˌtuə] Pauschalrundreise **6**
packet ['pækɪt] Päckchen **9**
pain [peɪn] Schmerz(en) **11**
painting ['peɪntɪŋ] Malen, Mal- **16**
pair [peə] Paar **16**
pantomime ['pæntəmaɪm] kleines Theaterstück **19**
pants *Pl* [pænts] Hose (AE), Unterhose (BE) **16**
paper ['peɪpə] Papier **16**
paper ['peɪpə] Zeitung **18**
parents ['peərənts] Eltern **1**
park *Subs* [pɑːk] Park **3**
park *V* [pɑːk] parken **11**
part [pɑːt] Teil **8**
partner ['pɑːtnə] Partner(in) **1**
parts [pɑːts] Gebiete **8**
party ['pɑːti] Party **9**
pass [pɑːs] vorbeigehen / -fahren (an) **19**
pass an exam [ˌpɑːs ən ɪg'zæm] eine Prüfung bestehen / ablegen **12**
pass s.o. over to s.o. [pɑːs 'əʊvə] jdn an jdn weiterreichen **20**
passenger ['pæsɪndʒə] Passagier(in), Fahrgast **17**
passport ['pɑːspɔːt] (Reise-)Pass **2**
passport number ['pɑːspɔːt ˌnʌmbə] (Reise-)Passnummer **2**
past [pɑːst] nach (Uhrzeit) **4**
past *Adv* [pɑːst] vorbei **17**
pavement *BE* ['peɪvmənt] Bürgersteig **11**
pay (paid, paid) [peɪ, peɪd, peɪd] (be)zahlen **11**
pen [pen] Füller, Kugelschreiber, Stift **16**
pence ['pens] Plural von penny **8**
pencil ['pensl] Bleistift **16**
pensioner ['penʃənə] Rentner(in) **17**
people ['piːpl] Menschen, Leute, Personen **4**
pepper ['pepə] Pfeffer **14**
per cent [pə'sent] Prozent **13**
perform [pə'fɔːm] aufführen, (mit)spielen **19**
perhaps [pə'hæps] vielleicht **16**
person ['pɜːsn] Person, Mensch **10**
personal ['pɜːsnl] persönlich **13**
pet [pet] Haustier **19**
petrol ['petrəl] Benzin **16**
phone [fəʊn] telefonieren, anrufen **5**
phone box ['fəʊn bɒks] Telefonhäuschen **17**
phone call ['fəʊn kɔːl] Telefongespräch, Anruf **2**
phone number ['fəʊn nʌmbə] Telefonnummer **2**
photo ['fəʊtəʊ] Foto **9**
photographer [fə'tɒgrəfə] Fotograf(in) **15**
pick s.th. / s.o. up [pɪk 'ʌp] etw. aufheben, jdn / etw. abholen **19**
picnic ['pɪknɪk] Picknick **9**
picture ['pɪktʃə] Bild **6**
pie [paɪ] Pastete **14**

piece [piːs] Stück **9**
pillow ['pɪləʊ] Kopfkissen **16**
pity: That's a pity. ['pɪtiː ˌðæts ə 'pɪti] Das ist schade. **12**
pizza ['piːtsə] Pizza **3**
place [pleɪs] Ort, Stelle, Platz, Wohnung **2**
place of birth [pleɪs əv 'bɜːθ] Geburtsort **2**
plan *Subs* [plæn] Plan **5**
plan *V* [plæn] planen **4**
plane [pleɪn] Flugzeug **6**
plate [pleɪt] Teller **14**
platform ['plætfɔːm] Bahnsteig **17**
play [pleɪ] spielen **5**
player ['pleɪə] Spieler(in) **17**
pleasant ['pleznt] angenehm **17**
please [pliːz] bitte **2**
plus [plʌs] plus **8**
pocket ['pɒkɪt] (Hosen- / Jacken-)Tasche **16**
point at s.th. / s.o. ['pɔɪnt æt] auf etw. / jdn zeigen **15**
police *Pl* [pə'liːs] Polizei **6**
police officer [pə'liːs ˌɒfɪsə] Polizeibeamter, -beamtin **6**
police station [pə'liːs steɪʃn] Polizeirevier **3**
politically correct [pəˌlɪtɪkli kə'rekt] politisch korrekt **14**
pool [puːl] Pool **6**
poor [pɔː] arm **15**
porch [pɔːtʃ] Veranda **7**
pork [pɔːk] Schweinefleisch **14**
portion ['pɔːʃn] Portion **9**
position [pə'zɪʃn] Stelle, Position **13**
post [pəʊst] Post (als Einrichtung) **12**
post office ['pəʊst ɒfɪs] Post(amt) **3**
postcard ['pəʊstkɑːd] Postkarte **3**
postcode ['pəʊstkəʊd] Postleitzahl **2**
potato [pə'teɪtəʊ] Kartoffel **14**
pound [paʊnd] Pfund **8**
practical ['præktɪkl] praktisch **16**
practice *AE* ['præktɪs] üben **14**
practise *BE* ['præktɪs] üben **14**
preceding [prɪ'siːdɪŋ] vorangegangene(r, s) **20**
prefer [prɪ'fɜː] vorziehen, lieber haben / tun **7**
prejudiced ['predʒədɪst] vorurteilsbehaftet **14**
present *Adj* ['preznt] gegenwärtig, jetzig **13**
present *Subs* ['preznt] Geschenk **12**
presenter [prɪ'zentə] Moderator(in), Showmaster(in) **18**
pretty *Adj* ['prɪti] hübsch **16**
pretty *Adv* ['prɪti] ziemlich **20**
prevent [prɪ'vent] verhindern, vorbeugen **15**
price [praɪz] Preis **8**
printer ['prɪntə] Drucker **7**
private ['praɪvət] privat **5**
private life [praɪvət 'laɪf] Privatleben **14**
prize [praɪz] Preis, Prämie **17**
probably ['prɒbəbli] wahrscheinlich **8**
problem ['prɒbləm] Problem **7**
produce [prə'djuːs] produzieren, herstellen, (an)fertigen **18**
product ['prɒdʌkt] Produkt, Erzeugnis **7**
product range ['prɒdʌkt reɪndʒ] Produktreihe, -serie **7**
profession [prə'feʃn] Beruf **7**
professional [prə'feʃnl] beruflich, Berufs- **13**
program *AE* ['prəʊgrəm] (Fernseh-)Sendung **18**
programme *BE* ['prəʊgræm] (Fernseh-)Sendung **18**
project ['prɒdʒekt] Projekt **8**
project leader ['prɒdʒekt liːdə] Projektleiter(in) **13**
promise ['prɒmɪs] versprechen **18**
promote s.th. [prə'məʊt] für etw. werben **7**
pub [pʌb] Kneipe **3**
pull s.th. down [pʊl 'daʊn] etw. abreißen **19**
pumpkin pie [ˌpʌmkɪn 'paɪ] Kürbiskuchen **9**
push [pʊʃ] (an)schieben, (be)drängen **7**
put (put, put) [pʊt, pʊt, pʊt] (hin)stellen, (hin)legen **8**
put down [pʊt 'daʊn] ab- / hinstellen **8**
put on [pʊt 'ɒn] anziehen **16**
put (s.o.) through [pʊt 'θruː] (jdn) durchstellen (am Telefon) **9, 19**
put s.th. away [pʊt ə'weɪ] etw. wegstellen **19**
put s.th. down to s.th. [pʊt 'daʊn] etw. auf etw. zurückführen **19**
put s.th. right [pʊt 'raɪt] etw. richtigstellen **19**
put up with s.th. [pʊt ʌp 'wɪð] etw. ertragen, etw. mitmachen **19**

Q

qualification [ˌkwɒlɪfɪ'keɪʃn] Qualifikation **13**
qualify ['kwɒlɪfaɪ] (sich) qualifizieren **13**
quarter ['kwɔːtə] Viertel **4**
quarter past [ˌkwɔːtə 'pɑːst] Viertel nach (Uhrzeit) **4**
question ['kwestʃn] Frage **7**
question tag ['kwestʃn tæg] Frageanhängsel **15**
queue [kjuː] (Warte-)Schlange **17**
quick [kwɪk] schnell **7**
quiet ['kwaɪət] ruhig, still **10**
quite [kwaɪt] ziemlich **13**
quiz [kwɪz] Quiz, Ratespiel **18**

R

radio ['reɪdiəʊ] Radio **11**
railroad station *AE* ['reɪlrəʊd steɪʃn] (Fern-)Bahnhof **3**
railway station *BE* ['reɪlweɪ steɪʃn] (Fern-)Bahnhof **3**
rain *Subs* [reɪn] Regen **7**
rain *V* [reɪn] regnen **7**

rainy ['reɪni] regnerisch, verregnet **8**
range [reɪndʒ] (Produkt-)Reihe, Serie **7**
range of customers [reɪndʒ əv 'kʌstəməz] Zielgruppe, Kundenkreis **13**
rarely ['reəli] selten **7**
rather ['rɑːðə] lieber **13**
reach [riːtʃ] erreichen **8**
read (read, read) [riːd, red, red] lesen **4**
reading skills ['riːdɪŋ skɪlz] Leseverstehen **13**
real [riːl] echt **15**
realize ['rɪəlaɪz] erkennen, einsehen, sich klar machen **15**
really *Adv* ['rɪəli] wirklich **4**
reason (for) ['riːzn (fɔː)] Grund (für) **14**
receipt [rɪ'siːt] Quittung **17**
receive [rɪ'sɪːv] erhalten **20**
recently ['riːsntli] in letzter Zeit, neulich **12**
receptionist [rɪ'sepʃənɪst] Sprechstundenhilfe **11**
recognize ['rekəgnaɪz] (wieder)erkennen **19**
recommend [ˌrekə'mend] empfehlen **14**
record *Subs* ['rekɔːd] Rekord **10**
record *V* [rɪ'kɔːd] aufnehmen **18**
recording studio caterer [rɪ'kɔːdɪŋ stjuːdiəʊ ˌkeɪtərə] Koch / Köchin bei einem Tonstudio-Catering-Service **4**
red [red] rot **15**
reference ['refrəns] (Arbeits-)Zeugnis **13**
register ['redʒɪstə] sich anmelden **2**
registration form [ˌredʒɪ'streɪʃn fɔːm] Anmeldeformular **2**
regular ['regjʊlə] regelmäßige(r, s) **20**
related [rɪ'leɪtɪd] verwandt **1**
relative ['relətɪv] Verwandte(r) **15**
relax [rɪ'læks] (sich) entspannen **4**
remember [rɪ'membə] sich erinnern (an), denken an **7**
remind s.o. of s.th. [rɪ'maɪnd] jdn an etw. erinnern **14**
rent [rent] mieten **6**
repair [rɪ'peə] reparieren **11**
repeat [rɪ'piːt] wiederholen, nachsprechen **2**
reply *Subs* [rɪ'plaɪ] Antwort **13**
reply *V* [rɪ'plaɪ] erwidern **20**
report *Subs* [rɪ'pɔːt] Bericht **7**
report *V* [rɪ'pɔːt] berichten, melden **15**
reporter [rɪ'pɔːtə] Reporter(in) **17**
rescue ['reskjuː] Rettung, Rettungs- **20**
reservation [ˌrezə'veɪʃn] Reservierung **6**
reserve [rɪ'zɜːv] reservieren **6**
resolution [ˌrezə'luːʃn] (guter) Vorsatz **9**
responsibility [rɪˌspɒnsə'bɪləti] Verantwortung **13**
responsible [rɪ'spɒnsəbl] verantwortlich **13**
rest [rest] Rest **1**
restaurant ['restrɒnt] Restaurant **3**
restroom(s) *AE* ['restruːmz] Toilette **10**
résumé ['rezjuːmeɪ] Lebenslauf **13**
retired person [rɪ'taɪəd pɜːsn] Rentner(in) **12**
return *Subs* [rɪ'tɜːn] Rückfahrkarte, hin und zurück **17**
return *V* [rɪ'tɜːn] zurückkehren **19**
reveal [rɪ'viːl] enthüllen **10**
right [raɪt] richtig **1**
right [raɪt] rechts **3**
ring (rang, rung) [rɪŋ, ræŋ, rʌŋ] klingeln **5, 9**
ring s.o. back [rɪŋ 'bæk] jdn zurückrufen **19**
ring s.o. up [rɪŋ 'ʌp] jdn anrufen **19**
risk *Subs* [rɪsk] Risiko, Gefahr **8**
risk *V* [rɪsk] riskieren **14**
river ['rɪvə] Fluss **16**
road [rəʊd] (Land-)Straße **3**
roll [rəʊl] Brötchen **14**
roof [ruːf] Dach **15**
room [ruːm] Zimmer **6**
round *Präp* [raʊnd] um **7**
round *Adj* [raʊnd] rund **15**
round *Subs* [raʊnd] Runde **19**
round here [raʊnd 'hɪə] hier in der Nähe **19**
rumba ['rʌmbə] Rumba (südamerik. Tanz) **18**
run (ran, run) [rʌn, ræn, rʌn] laufen **5**
run into s.th. [rʌn 'ɪntu] in etw. hineinfahren **11**
running costs ['rʌnɪŋ kɒsts] laufende Kosten **17**

S

safe [seɪf] sicher **12**
salad ['sæləd] Salat **14**
salary ['sæləri] Gehalt, Lohn **13**
salesman ['seɪlzmən] Verkäufer, Vertriebsmitarbeiter **7**
saleswoman ['seɪlzwʊmən] Verkäuferin, Vertriebsmitarbeiterin **7**
salt [sɔːlt] Salz **14**
sandwich ['sænwɪdʒ] Sandwich **14**
Santa Claus [ˌsæntə 'klɔːz] Weihnachtsmann **9**
Saturday ['sætədeɪ] Samstag **5**
sauna ['sɔːnə] Sauna **5**
sausage ['sɒsɪdʒ] Wurst, Würstchen **14**
Saver ['seɪvə] Sparpreis (Fahrkarte) **17**
saxophone ['sæksəfəʊn] Saxofon **5**
say (said, said) [seɪ, sed, sed] sagen **2**
schedule ['ʃedjuːl] Termin-, Zeitplan **5**
school [skuːl] Schule **4**
school friend ['skuːlfrend] Schulfreund(in) **4**
school-leaving certificate [skuːl'liːvɪŋ səˌtɪfɪkət] Schulabschlusszeugnis **13**
scientist ['saɪəntɪst] Wissenschaftler(in) **7**
scissors *Pl* ['sɪzəz] Schere **16**
Scotland ['skɒtlənd] Schottland **1**
sea [siː] Meer **16**

search engine ['sɜːtʃ endʒɪn] Suchmaschine **18**
seat [siːt] (Sitz-)Platz **14**
seat-belt ['siːtbelt] Sicherheitsgurt **11**
seaweed ['siːwiːd] Seetang **14**
second *Subs* ['seknd] Sekunde **9**
second (2nd) ['seknd] zweite(r, s) **9**
second-class carriage [ˌseknd klɑs 'kærɪdʒ] Waggon zweiter Klasse **17**
secretary ['sekrətri] Sekretär(in) **7**
security [sɪ'kjʊərəti] Sicherheit(s-) **15, 20**
see (saw, seen) [siː, sɔː, siːn] sehen **6**
see you soon [ˌsiː juː 'suːn] bis bald **3**
seem [siːm] (er)scheinen, den Anschein haben **7**
seldom ['seldəm] selten **7**
sell (sold, sold) [sel, səʊld, səʊld] (sich) verkaufen **7**
seminar ['semɪnɑː] Seminar **2**
send (sent, sent) [send, sent, sent] (ver)senden, (ab)schicken **7**
send best wishes [send best 'wɪʃɪz] grüßen lassen **15**
send for ['send fə] kommen lassen, rufen **11**
senior citizen [ˌsiːniə 'sɪtɪzn] Senior(in) **13**
separate ['seprət] getrennte(r, s), Zusatz- **11**
separately ['seprətli] einzeln, getrennt **17**
September [sep'tembə] September **9**
serious ['sɪəriəs] ernst(haft) **11**
serve an apprenticeship [sɜːv ən ə'prentisʃɪp] eine Berufsausbildung / Lehre machen **13**
service ['sɜːvɪs] Bedienung, Service **14**
service ['sɜːvɪs] Verbindung, Zug **17**
set meal [set 'miːl] Menü **14**
set off [set 'ɒf] aufbrechen **19**
seven ['sevn] sieben **2**
seventeen [ˌsevn'tiːn] siebzehn **2**
seventeenth (17th) [ˌsevn'tiːnθ] siebzehnte(r, s) **9**
seventh (7th) ['sevnθ] siebte(r, s) **9**
seventy ['sevnti] siebzig **2**
several ['sevrəl] einige, mehrere **17**
sex [seks] Geschlecht **2**
shade [ʃeɪd] Schatten **8**
Shall I / we ... ['ʃæl aɪ/wiː] Soll ich / Sollen wir ...? **11**
share [ʃeə] teilen **19**
sharpen ['ʃɑːpn] schärfen **19**
she [ʃiː] sie **1**
sheet [ʃiːt] Blatt (Papier) **11**
shine (shone, shone) [ʃaɪn, ʃɒn, ʃɒn] scheinen **7**
shirt [ʃɜːt] Hemd **16**
shoe [ʃuː] Schuh **16**
shop [ʃɒp] Laden, Geschäft **3**
shopping ['ʃɒpɪŋ] Shopping, Einkaufen **1**
short [ʃɔːt] kurz **10**
shorts [ʃɔːts] Shorts, kurze Hose(n) **16**
should [ʃʊd] sollte(-st, -t, -n) **15**
shoulder ['ʃəʊldə] Schulter **11**
shout [ʃaʊt] rufen, schreien **15, 20**
show *Subs* [ʃəʊ] Show **4**
show (showed, shown) *V* [ʃəʊ, ʃəʊd, ʃəʊn] zeigen **18**
show s.o. round [ʃəʊ raʊnd] jdn herumführen **19**
sick [sɪk] krank, übel **11**
side [saɪd] Seite, Bereich **4**
sign [saɪn] Zeichen, Schild **13, 19**
signed [saɪnd] unterschrieben, gezeichnet **9**
since [sɪns] seit **13**
Sincerely yours [sɪnˌsɪəli 'jʊəz] Mit freundlichen Grüßen **3**
sing (sang, sung) [sɪŋ, sæŋ, sʌŋ] singen **17**
singer ['sɪŋə] Sänger(in) **17**
single *Adj* ['sɪŋgl] alleinstehend **2**
single *Subs* ['sɪŋgl] einfache Fahrkarte, einfach **17**
sister ['sɪstə] Schwester **1**
sit (sat, sat) [sɪt, sæt, sæt] sitzen **7**
sit back [sɪt 'bæk] sich zurücklehnen **14**
sit down [sɪt 'daʊn] sich (hin)setzen **16**
situation [ˌsitju'eɪʃn] Situation, Lage **7**
six [sɪks] sechs **2**
sixteen [ˌsɪk'stiːn] sechzehn **2**
sixteenth (16th) [sɪk'stiːnθ] sechzehnte(r, s) **9**
sixth (6th) [sɪksθ] sechste(r, s) **9**
sixty ['sɪksti] sechzig **2**
size [saɪz] Größe **16**
skier ['skiːə] Skifahrer(in) **10**
skill [skɪl] Fertigkeit **13**
sky [skaɪ] Himmel **8**
skyscraper ['skaɪskreɪpə] Wolkenkratzer **18**
sleep (slept, slept) [sliːp, slept, slept] schlafen **4**
sleep late [sliːp 'leɪt] lange schlafen **4**
slim [slɪm] schlank **15**
slow [sləʊ] langsam **2, 10**
small [smɔːl] klein **10**
smell [smel] riechen **10**
smile [smaɪl] lächeln **14**
smoke [sməʊk] rauchen **9**
snack [snæk] Snack **14**
snake [sneɪk] Schlange **6**
snow *Subs* [snəʊ] Schnee **7**
snow *V* [snəʊ] schneien **7**
snowboard ['snəʊbɔːd] Snowboard **1**
snowy ['snəʊi] verschneit **8**
so [səʊ] also, daher **2**
so [səʊ] so **8**
So are you. [ˌsəʊ ɑː 'juː] Du / Sie (aber) auch **7, 16**
so far [səʊ 'fɑː] bisher **12**
so that [səʊ 'ðæt] damit, so dass **14**

soap [səʊp] Seife **16**
social ['səʊʃl] sozial, gesellschaftlich **15**
sock [sɒk] Socke **16**
sofa ['səʊfə] Sofa **1**
some [sʌm] einige, etwas **5**
somebody ['sʌmbədi] jemand **10**
someone ['sʌmwʌn] jemand **5**
something ['sʌmθɪŋ] etwas **4**
sometime ['sʌmtaɪm] irgendwann **11**
sometimes ['sʌmtaɪmz] manchmal **1**
somewhere ['sʌmweə] irgendwo **10**
son [sʌn] Sohn **1**
song [sɒŋ] Lied **19**
soon [su:n] bald **11**
sorry ['sɒri] Entschuldigung, tut mir leid **2**
Sorry? ['sɒri] Wie bitte? **2**
sort [sɔ:t] Art, Sorte **10**
sound [saʊnd] sich anhören, klingen **7**
soup [su:p] Suppe **14**
southwest [saʊθ'west] Südwest- **8**
Spain [speɪn] Spanien **1**
Spanish ['spænɪʃ] spanisch; Spanisch; Spanier(in) **1**
spare room [speə 'ru:m] Gästezimmer **10**
speak (spoke, spoken) [spi:k, spəʊk, spəʊkn] sprechen **2**
speak to ['spi:k tu] sprechen mit **8**
speaking ['spi:kɪŋ] am Apparat **9**
speaking skills ['spi:kɪŋ skɪlz] Sprechfertigkeit **13**
special *Adj* ['speʃl] besondere(r, s) **9**
special *Subs* ['speʃl] Menü **14**
special offer [speʃl 'ɒfə] Sonderangebot **17**
speciality [ˌspeʃi'æləti] Spezialität **14**
spell [spel] buchstabieren, schreiben **2**
spend (spent, spent) [spend, spent, spent] verbringen; ausgeben **6, 7**
split second [splɪt 'seknd] Bruchteil einer Sekunde **11**
spooky ['spu:ki] gespenstisch **16**
spoon [spu:n] Löffel **14**
sport [spɔ:t] Sport **5**
sports centre ['spɔ:ts sentə] Sportzentrum **3**
square [skweə] viereckig **15**
stadium ['steɪdiəm] Stadion **5**
stairs [steəz] Treppe **10**
stand (stood, stood) [stænd, stʊd, stʊd] stehen **17**
stand up [stænd 'ʌp] aufstehen **19**
star [stɑ:] Star **1**
start *Subs* [stɑ:t] Anfang **15**
start *V* [stɑ:t] starten, anmachen **12**
start *V* [stɑ:t] anfangen, beginnen **14**
start work [stɑ:t 'wɜ:k] anfangen zu arbeiten **4**
starter ['stɑ:tə] Vorspeise **14**
state [steɪt] erklären, feststellen **20**
States, the [steɪts] die (Vereinigten) Staaten **1**
station ['steɪʃn] Bahnhof **3**
statistics [stə'tɪstɪks] Statistik **2**
Statue of Liberty [ˌstætju əv 'lɪbəti] Freiheitsstatue **18**
stay [steɪ] übernachten, bleiben **6**
stay up [steɪ 'ʌp] aufbleiben **19**
steal (stole, stolen) [sti:l, stəʊl, stəʊln] stehlen **6**
steep [sti:p] steil **16**
steering column ['stɪərɪŋ kɒləm] Lenksäule **11**
still [stɪl] (immer) noch **6**
still in one piece [ˌstɪl ɪn wʌn 'pi:s] noch heil **12**
stocking ['stɒkɪŋ] Strumpf **9**
stomach ['stʌmək] Magen, Bauch **11**
stomachache ['stʌməkeɪk] Bauch-, Magenschmerzen **11**
stone [stəʊn] Stein **19**
stop *Subs* [stɒp] Halt(estelle), Station **17**
stop *V* [stɒp] anhalten, aufhören (mit) **6**
stopwatch ['stɒpwɒtʃ] Stoppuhr **16**
store [stɔ:] speichern **6**
straight [streɪt] direkt, gerade(aus) **11**
straight on [streɪt 'ɒn] geradeaus **19**
straightaway [ˌstreɪtə'weɪ] sofort **19**
strange [streɪndʒ] seltsam **10**
stranger ['streɪndʒə] Fremde(r) **3, 15**
straw [strɔ:] Stroh **19**
street [stri:t] Straße **2**
stress [stres] Stress **13, 19**
stressed [stresd] gestresst **7**
stressed out [ˌstresd 'aʊt] völlig gestresst **18**
stretcher ['stretʃə] Trage **20**
strong [strɒŋ] stark, kräftig **8**
study ['stʌdi] studieren **13**
stupid ['stju:pɪd] dumm **6**
subject ['sʌbdʒɪkt] Thema, (in Briefkopf) Betreff **7**
suburban train [səˌbɜ:bn 'treɪn] Nahverkehrszug, S-Bahn **17**
subway *AE* ['sʌbweɪ] U-Bahn **3**
subway station *AE* ['sʌbweɪ steɪʃn] U-Bahnhof **3**
successful [sək'sesfʊl] erfolgreich **13**
such [sʌtʃ] solch ein(e), solche(r, s) **12**
suddenly ['sʌdnli] plötzlich **16**
suffer from ['sʌfə frəm] leiden an **11**
sugar ['ʃugə] Zucker **2**
suggest [sə'dʒest] vorschlagen **14**
suggestion [sə'dʒestʃn] Vorschlag **18**
suit [su:t] Anzug **16**
suitcase ['su:tkeɪs] Koffer **6**
summer ['sʌmə] Sommer **7**
sun [sʌn] Sonne **7**
sunburn ['sʌnbɜ:n] Sonnenbrand **6**

Sunday ['sʌndeɪ] Sonntag **5**
sunglasses *Pl* ['sʌnglɑːsɪz] Sonnenbrille **16**
sunny ['sʌni] sonnig **8**
sunshine ['sʌnʃaɪn] Sonnenschein **8**
supermarket ['suːpəmɑːkɪt] Supermarkt **3**
sure [ʃʊə] klar, gewiss, sicher **2**
Sure. [ʃʊə] (Aber) Sicher., (Na) Klar. **18**
surf [sɜːf] surfen (in) **18**
surname ['sɜːneɪm] Familienname **2**
surprise [sə'praɪz] überraschen **17**
surprised [sə'praɪzd] überrascht **6**
survival [sə'vaɪvl] Überleben **13**
survival skills training [sə'vaɪvl skɪlz treɪnɪŋ] Überlebenstraining **13**
survive [sə'vaɪv] überleben, überstehen **17**
sweet [swiːt] süß, lieb **2, 12**
swim (swam, swum) ['swɪm] schwimmen **5**
swimming ['swɪmɪŋ] Schwimmen **5**
swimsuit ['swɪmsuːt] Badeanzug **16**
Swiss [swɪs] schweizerisch; Schweizer(in) **1**
switch on / off [swɪtʃ 'ɒn/ɒf] ein- / ausschalten **15**
Switzerland ['swɪtsələnd] die Schweiz **1**
system ['sɪstəm] System **19**

T

table ['teɪbl] Tisch **14**
take (took, taken) [teɪk, tʊk, teɪkn] (mit)nehmen **3**
take (took, taken) [teɪk, tʊk, teɪkn] dauern, brauchen **8**
take a break [teɪk ə 'breɪk] Pause machen **4**
take a seat [teɪk ə 'siːt] Platz nehmen **14**
take it easy [teɪk ɪt 'iːzi] es langsam angehen lassen **8**
take off [teɪk 'ɒf] abnehmen, ausziehen **14**
take over [teɪk 'əʊvə] übernehmen **18**
take photos [teɪk 'fəʊtəʊz] Fotos machen **9**
take pictures [teɪk 'pɪktʃəz] Bilder / Fotos machen **9**
take s.th. out [teɪk 'aʊt] etw. herausnehmen **19**
talk (about) ['tɔːk (əbaʊt)] reden (über) **14**
tall [tɔːl] groß (gewachsen) **15**
taste *Subs* [teɪst] (Vor-)Geschmack **18**
taste *V* [teɪst] schmecken **10**
taxi ['tæksi] Taxi **1**
tea ['tiː] Tee **4**
tea-break ['tiːbreɪk] Teepause **4**
teach (taught, taught) [tiːtʃ, tɔːt, tɔːt] unterrichten, beibringen **13**
teacher ['tiːtʃə] Lehrer(in) **4**
team [tiːm] Team, Mannschaft **1**
teenager ['tiːneɪdʒə] Teenager **6**
teeth [tiːθ] Zähne **11**
tell (told, told) [tel, təʊld, təʊld] sagen, erzählen **3**
temperature ['temprətʃə] Temperatur **8**
ten [ten] zehn **2**
tenant ['tenənt] Mieter(in) **10**
tennis ['tenɪs] Tennis **6**
tennis court ['tenɪs kɔːt] Tennisplatz **6**
tent [tent] Zelt **16**
tenth (10th) [tenθ] zehnte(r, s) **9**
terrible ['terəbl] schrecklich **6**
terribly expensive [ˌterəbli ɪk'spensɪv] schrecklich teuer **10**
testimonial [ˌtestɪ'məʊnɪəl] (Arbeits-)Zeugnis **13**
text message ['tekst mesɪdʒ] SMS **14**
than [ðæn] als (in Vergleichen) **9**
thank for [θæŋk fɔː] dafür danken, dass ... **14**
thank goodness [θæŋk 'gʊdnəs] Gott sei Dank **15**
thank s.o. for doing s.th. [θæŋk fə 'duːɪŋ] jdm dafür dankbar sein, dass er etw. tut **14**
thank you ['θæŋkju] danke schön **2**
thanks [θæŋks] danke **1**
thanks very much [ˌθæŋks veri 'mʌtʃ] danke sehr, vielen Dank **8**
Thanksgiving *AE* [ˌθæŋks'gɪvɪŋ] Erntedank **9**
that [ðæt] das, jene(r, s) **1**
that [ðæt] dass **6**
that [ðæt] der, die, das **6**
That makes a change. [ðæt meɪks ə 'tʃeɪndʒ] Das ist mal was anderes. **11**
that way ['ðæt weɪ] dort entlang, dahin **19**
That's a pity. [ˌðætsə 'pɪti] Das ist schade. **12**
That's all right. [ðæts ɔːl'raɪt] Das ist schon in Ordnung., Bitte. **3, 8**
That's it! ['ðætsɪt] Genau! **3**
That's OK. [ðæts əʊ'keɪ] Das ist schon in Ordnung., Bitte. **3, 8**
That's right. [ðæts 'raɪt] Das ist richtig., Das stimmt. **1**
That's very kind / nice / sweet of you. [ˌ ðæts veri 'kaɪnd / 'naɪs / 'swiːt əv jʊ] Das ist sehr freundlich / nett / lieb von dir / euch / Ihnen. **12**
the [ðə] der, die, das, die (Pl) **1**
the British [ðə 'brɪtɪʃ] die Briten **18**
the Irish [ðɪ'aɪrɪʃ] die Iren **18**
The line is engaged / busy. [ðə ˌlaɪn ɪz ɪn'geɪdʒd/bɪzi] Da ist besetzt. **9**
the other way round [ðɪ ˌʌðə weɪ 'raʊnd] andersherum, umgekehrt **17**
the same [ðe seɪm] der- / die- / dasselbe, der / die / das gleiche **5**
theater *AE* ['θɪətə] Theater **4**
theatre *BE* ['θɪətə] Theater **4**

their [ðeə] ihr(e) **1**
theirs [ðeəz] ihre(r, s) **11**
them [ðem] sie, ihnen **4**
themselves [ðəm'selvz] sich (selbst) **16**
then [ðen] dann **2**
there [ðeə] dort, da **3**
there is / are [ðeər‿'ɪz / ðeə‿'rɑː] es gibt **3**
there's one [ðeəz wʌn] es gibt eine(n) **3**
there were six of us [ˌðeə wɜː'sɪks əv ʌs] wir waren zu sechst **15**
these [ðiːz] diese **1**
they [ðeɪ] sie **1**
they made their way to ... [ðeɪ meɪd ðeə weɪ tʊ] sie machten sich auf den Weg nach ... **6**
they say ... [ðeɪ seɪ] da steht ... **19**
they took their time [ðeɪ tʊk ðeə 'taɪm] sie ließen sich Zeit **6**
thick [θɪk] dick **16**
thin [θɪn] dünn **15**
thing [θɪŋ] Ding, Sache **1**
things [θɪŋz] hier: die Lage, die Situation **7**
things like that [ðɪŋz laɪk 'ðæt] so etwas **7**
think (thought, thought) [θɪŋk, θɔːt, θɔːt] meinen / glauben, überlegen, (nach)denken **7**
think s.th. over [θɪŋk 'əʊvə] über etw. nachdenken **13**
third (3rd) [θɜːd] dritte(r, s) **9**
thirsty ['θɜːsti] durstig **14**
thirteen ['θɜːtiːn] dreizehn **2**
thirteenth (13th) [θɜː'tiːnθ] dreizehnte(r, s) **9**
thirtieth (30th) ['θɜːtiəθ] dreißigste(r, s) **9**
thirty ['θɜːti] dreißig **2**
thirty-one [θɜːtɪ'wʌn] einunddreißig **2**
this [θɪs] dies, diese(r, s) **1**
This is ... ['ðɪs ɪz] Hier spricht **9**
this morning [ðis 'mɔːnɪŋ] heute Morgen **7**
this way ['ðis weɪ] hier entlang, hierhin **19**
those ['ðəʊz] jene **1**
thought [θɔːt] Gedanke **14**
thousand ['θaʊznd] Tausend **2**
three [θriː] drei **2**
throat [θrəʊt] Hals **11**
through [θruː] (hin)durch **9**
through train ['θruː treɪn] durchgehender Zug, direkte Verbindung **17**
throw (threw, thrown) [θrəʊ, θruː, θrəʊn] werfen **19**
throw s.th. away [θrəʊ ə'weɪ] etw. wegwerfen **19**
thunder ['θʌndə] Donner **8**
thunderstorm ['θʌndəstɔːm] Gewitter **8**
Thursday ['θɜːsdeɪ] Donnerstag **5**
ticket ['tɪkɪt] (Eintritts-, Fahr-)Karte, Lottoschein, Los **17**
ticket office ['tɪkɪt ɒfɪs] Fahrkartenschalter **17**
tights *Pl* ['taɪts] Strumpfhose **16**
till ['tɪl] (solange) bis **8**
time ['taɪm] Zeit **3**
time ['taɪm] Mal **5**
timetable ['taɪmteɪbl] Fahrplan **17**
tip [tɪp] Trinkgeld **14**
tired ['taɪəd] müde **10**
to [tʊ] zu, nach (örtl.) **1**
to [tʊ] vor (Uhrzeit) **4**
to himself [tʊ hɪm'self] vor sich hin **3**
toast [təʊst] Toast(brot) **14**
today [tə'deɪ] heute **6**
toe [təʊ] Zeh **11**
together [tə'geðə] zusammen **8, 15**
toilet ['tɔɪlɪt] Toilette **10**
tomato [tə'mɑːtəʊ] Tomate **14**
tomorrow [tə'mɒrəʊ] morgen **8**
tonight [tə'naɪt] heute Abend / Nacht **8**
too [tuː] auch **1**
too [tuː] (all)zu **5, 7**
tooth [tuːθ] Zahn **11**
toothache ['tuːθeɪk] Zahnschmerzen **11**
toothbrush ['tuːθbrʌʃ] Zahnbürste **16**
toothpaste ['tuːθpeɪst] Zahnpasta **16**
toss a coin [tɒs ə 'kɔɪn] eine Münze werfen **10**
tour guide ['tʊə gaɪd] Reiseleiter(in) **13**
tourist ['tʊərɪst] Tourist(in) **3**
tourist information ['tʊərɪst ɪnfəˌmeɪʃn] Touristeninformation **3**
tow [təʊ] (ab)schleppen **16**
towards [tə'wɔːdz] gegen, in Richtung (von) **8**
towards the end of the week [tə'wɔːdz ðɪ end əv ðə wi ːk] zum Ende der Woche hin **8**
towel ['taʊəl] Handtuch **16**
town [taʊn] Stadt **2**
town center *AE* [taʊn 'sentə] Stadtmitte, Zentrum **3**
town centre *BE* [taʊn 'sentə] Stadtmitte, Zentrum **3**
traffic ['træfɪk] Verkehr **3**
traffic lights ['træfɪk laɪts] Ampel **3**
train *Subs* [treɪn] Zug, Bahn **6**
train *V* [treɪn] trainieren **5**
training ['treɪnɪŋ] Training **5**
training institute ['treɪnɪŋ ɪnstɪtjuːt] Ausbildungseinrichtung **2**
transatlantic [ˌtrænzət'læntɪk] Transatlantik- **10**
travel *Subs* ['trævl] Reisen **5**
travel *V* ['trævl] reisen **5**
travel agent ['trævl eɪdʒnt] Reisebüro(angestellter) **5**
traveller ['trævələ] Reisende(r) **17**
tree [triː] Baum **16**
trip [trɪp] Reise **5**
trousers *Pl* ['traʊzəz] Hose(n) **16**
truck [trʌk] Lastwagen **16**

true [truː] wahr **18**
trustworthy ['trʌstwɜːði] vertrauenswürdig **20**
try (out) [traɪ ('aʊt)] versuchen, (aus)probieren **5, 14**
try s.th. on [traɪ 'ɒn] etw. anprobieren **19**
Tuesday ['tjuːzdeɪ] Dienstag **5**
Tunisia [tjuː'nɪziə] Tunesien **6**
turkey ['tɜːki] Truthahn **9**
turn [tɜːn] (ab)biegen **3**
turn round [tɜːn 'raʊnd] sich umdrehen **19**
turn s.th. down [tɜːn 'daʊn] etw. herunterdrehen, leiser machen **19**
turn s.th. off [tɜːn 'ɔf] etw. ausschalten **19**
turn s.th. on [tɜːn 'ɔn] etw. einschalten **19**
turn s.th. up [tɜːn 'ʌp] etw. aufdrehen, etw. lauter machen **11**
TV (television) [tiː'viː ('teləvɪʒn)] Fernseher; Fernsehen **18**
twelfth (12th) [twelfth] zwölfte(r, s) **9**
twelve [twelv] zwölf **2**
twentieth (20th) ['twentiəθ] zwanzigste(r, s) **9**
twenty ['twenti] zwanzig **2**
twenty-first (21st) [ˌtwentɪ'fɜːst] einundzwanzigste(r, s) **9**
twenty-nine [ˌtwentɪ'naɪn] neunundzwanzig **2**
twenty-one [ˌtwentɪ'wʌn] einundzwanzig **2**
twenty-second (22nd) [ˌtwentɪ'seknd] zweiundzwanzigste(r, s) **9**
twenty-third (23rd) [ˌtwentɪ'θɜːd] dreiundzwanzigste(r, s) **9**
twenty-three [ˌtwentɪ'θriː] dreiundzwanzig **2**
twenty-two [ˌtwentɪ'tuː] zweiundzwanzig **2**
two [tuː] zwei **1**
two hundred [tuː 'hʌndrəd] zweihundert **2**
two hundred and one [tuː ˌhʌndrəd ənd 'wʌn] zweihunderteins, zweihundertein(e) **2**
typical ['tɪpɪkl] typisch **12**
tyre ['taɪə] Reifen **16**

U

ugly ['ʌgli] hässlich **15**
UK, the [juː'keɪ] das Vereinigte Königreich, Großbritannien **1**
umbrella [ʌm'brelə] Regenschirm **16**
uncle ['ʌŋkl] Onkel **16**
under ['ʌndə] unter **2**
underground *BE* ['ʌndəgraʊnd] U-Bahn **3**
underground station *BE* ['ʌndəgraʊnd ˌsteɪʃn] U-Bahnhof **3**
underscore ['ʌndəskɔː] Unterstrich **2**
understand (understood, understood) [ˌʌndə'stænd, ˌʌndə'stʊd, ˌʌndə'stʊd] verstehen **2**
unemployment [ˌʌnɪm'plɔɪmənt] (die) Arbeitslosigkeit **7**
unfit [ʌn'fɪt] untrainiert, nicht fit **14**
unit ['juːnɪt] Lektion **1**
United States, the [juːˌnaɪtɪd 'steɪts] die Vereinigten Staaten **1**
unsettled [ʌn'setld] unbeständig **8**
until [ʌn'tɪl] (solange / die ganze Zeit) bis **13**
unusual [ˌʌn'juːʒl] ungewöhnlich **10**
up [ʌp] hinauf **7**
up there [ʌp 'ðeə] da / dort oben **7**
Upper- ['ʌpə] Ober- (bei Ortsnamen) **19**
upstairs [ˌʌp'steəz] oben (in einem höheren Stockwerk) **10**
upstate New York [ˌʌpsteɪt njuː 'jɔːk] nördlicher / ländlicher Teil des Bundesstaates New York **16**
up-to-date [ˌʌp tʊ 'deɪt] aktuell, up to date **11**
US [ˌjuː'es] US-, amerikanisch(e) **1**
us [ʌs] uns **4**
USA [ˌjuːes'eɪ] die USA, die Vereinigten Staaten von Amerika **1**
use [juːz] verwenden, benutzen; Verwendung, Benutzung, Gebrauch **18**
used to do s.th. ['justə duː] etw. früher immer / regelmäßig getan haben **14**
useful ['juːsfʊl] nützlich **13**
usual ['juːʒl] gewöhnlich, üblich **15**
usually *Adv* ['juːʒli] gewöhnlich, meist(ens) **4**

V

vacation [və'keɪʃn] Urlaub **7**
valley ['væli] Tal **16**
VAT (value-added tax) [ˌviːeɪ'tiː] Mehrwertsteuer **17**
vegetables ['vedʒtəblz] Gemüse **4**
vegetarian *Adj* [ˌvedʒɪ'teəriən] vegetarisch **4**
vegetarian *Subs* [ˌvedʒɪ'teəriən] Vegetarier(in) **4**
very ['veri] sehr **1**
via ['vaɪə] über **5**
video ['vɪdiəʊ] Video(film) **15**
view [vjuː] Aussicht, Ausblick **3**
view [vjuː] Ansicht **13**
village ['vɪlɪdʒ] Dorf **16**
visit ['vɪzɪt] besuchen **5**
vocabulary [və'kæbjələri] Vokabular, Wortschatz **1**
vodka ['vɒdkə] Wodka **9**
voice [vɔɪs] Stimme **8**
voice mail ['vɔɪs meɪl] Voice-Mail **9**
volume ['vɒljuːm] Lautstärke **11**

W

wait (for) ['weɪt (fə)] warten (auf) **10**
Wait and see. [ˌweɪt ənd 'siː] Abwarten (und Tee trinken)! **14**
wait up [weɪt 'ʌp] aufbleiben **19**

waiter ['weɪtə] Kellner **4**
waitress ['weɪtrəs] Kellnerin **7**
wake (woke, woken) up [weɪk, wəʊk, wəʊkn 'ʌp] aufwachen, aufwecken **4**
Wales [weɪlz] Wales **1**
walk *Subs* [wɔːk] Spaziergang, Wanderweg **3**
walk *V* [wɔːk] (zu Fuß) gehen **6**
walking boots ['wɔːkɪŋ buːts] Wanderschuhe **16**
wall [wɔːl] Mauer, Wand **15**
want ['wɒnt] wollen **6**
want to know [wɒnt tə neʊ] wissen wollen **19**
warden ['wɔːdn] Parkaufseher **20**
warm [wɔːm] warm **8**
warm s.o. / oneself up [ˌwɔːm 'ʌp] jdn / sich aufwärmen **19**
warn [wɔːn] warnen **17**
was distracted [wɒz dɪ'stræktɪd] wurde abgelenkt **11**
wash (s.th.) up [wɒʃ ʌp] (etw.) abwaschen, spülen **19**
watch *Subs* [wɒtʃ] (Armband-)Uhr **16**
watch *V* [wɒtʃ] (an-, zu-)sehen **5**
watch TV [wɒtʃ tiː'viː] fernsehen **4**
water *Subs* ['wɔːtə] Wasser **16**
water *V* ['wɔːtə] gießen **16**
waterfall ['wɔːtəfɔːl] Wasserfall **20**
water-related ['wɔːtə rɪˌleɪtɪd] wasserbezogen **13**
wave [weɪv] winken **17**
way [weɪ] Weg **3**
way [weɪ] Art und Weise **17**
we [wiː] wir **1**
wear (wore, worn) [weə, wɔː, wɔːn] tragen (am Körper), anhaben, anziehen **11**
weather ['weðə] Wetter **8**
web [web] Web, Netz, Internet **18**
wedding anniversary ['wedɪŋ ænɪˌvɜːsri] Hochzeitstag **12**
Wednesday ['wenzdeɪ] Mittwoch **5**
week [wiːk] Woche **4**
weekend [ˌwiːk'end] Wochenende **5**
weekly ['wiːkli] wöchentlich, Wochen- **18**
welcome ['welkʌm] begrüßen **13**
welcome to … ['welkʌm tʊ] willkommen in / bei … **1**
well *Adv* [wel] gut **5**
Well, … [wel] Nun, … **1**
west [west] West-, Westen **3**
westerly ['westəli] aus westlicher Richtung **8**
wet *Adj* [wet] nass **8**
wet *V* [wet] anfeuchten, nass machen **19**
wham [wæm] wumm **11**
what? [wɒt] was?, wie? **2**
What about …? ['wɒt əbaʊt] Was ist mit …?, Wie wäre es mit…?, Wie wäre es, wenn …? **1**
What do you do? [ˌwɒt du ju 'duː] Was machen Sie beruflich? **7**
What do you mean? [ˌwɒt du ju 'miːn] Was soll das (denn) heißen?, Was meinst du (denn) damit? **11**
what it's like [ˌwɒt ɪts 'laɪk] wie es ist **6**
What seems to be the matter? [wɒt ˌsiːmz tʊ biː ðə 'mætə] Wo fehlt's denn? **11**
What size? [wɒt 'saɪz] Welche Größe? **16**
What time of day? [wɔt ˌtaɪm əv 'deɪ] Zu welcher Tageszeit? **5**
what? [wɔt] was? **2**
What's the date today? [wɒts ðə 'deɪt tədeɪ] Welches Datum haben wir heute? **9**
What's it like? [wɒts ɪt 'laɪk] Wie ist es (beschaffen)? **6**
What's the matter? [wɒts ðə 'mætə] Was ist denn (los)? **11**
What's the problem? [wɒts ðə 'prɒbləm] Was ist denn los? **7**
What's the temperature? [wɒts ðə 'temprətʃə] Wie viel Grad haben wir? **8**
What's the time? [wɒts ðə 'taɪm] Wie viel Uhr / Wie spät ist es? **4**
What's up (with you)? *ugs* [wɒts ʌp wɪð 'juː] Was ist (mit dir / Ihnen) los? **7**
What's your address? [wɒts jɔːr‿ə'dres] Wie ist Ihre / deine Adresse? **2**
when [wen] wenn, als **4**
when? [wen] wann? **4**
where? [weə] wo? **2**
Where are you from? [weər'jʊ 'frɔm] Woher kommst du / kommen Sie? **2**
whether ['weðə] ob **20**
which *Rel.pron* [wɪtʃ] der, die, das **6**
which? [wɪtʃ] welche(r, s)? **18**
while *Konj* [waɪl] während **15**
while I'm about it [waɪl aɪm ə'baʊt ɪt] wenn ich schon mal dabei bin **19**
whisper ['wɪspə] flüstern **20**
white [waɪt] weiß **15**
whitewater ['waɪtwɔːtə] Wildwasser **13**
Whitsun *BE* ['wɪtsn] Pfingsten **9**
who? [huː] wer?, wen? **15**
who *Rel.pron* [huː] der / die / das **6**
who *Rel.pron* [huː] der, die, welcher, welche **5**
whole ['həʊl] ganze(r, s) **6**
whose? [huːz] wessen? **9**
why? [waɪ] warum? weshalb? **2**
Why don't we …? [waɪ dəʊnt wiː] Warum … wir nicht? **18**
Why not? [waɪ 'nɒt] Warum nicht? **18**
wide [waɪd] breit, weit **13**
wife [waɪf] Ehefrau **1**
wild(s) [waɪld(z)] Wildnis **13, 16**
will [wɪl] werden **8**

win (won, won) [wɪn, wʌn, wʌn] gewinnen, siegen **17**
wind [wɪnd] Wind **8**
window ['wɪndəʊ] Fenster **15**
wine [waɪn] Wein **9**
winning ticket [ˌwɪnɪŋ 'tɪkɪt] Siegerlos **17**
winter ['wɪntə] Winter **8**
wish [wɪʃ] wünschen **17**
with [wɪð] mit **2**
with four of us all [wɪð fɔːr əv ʌs ɔːl] wir vier, alle vier **6**
with risks of thunderstorms [wɪð rɪsks əv 'θʌndəstɔːmz] mit Gewitterneigung **8**
without [wɪ'ðaʊt] ohne **14**
without a moment's hesitation [wɪ'ðaʊt ə ˌməʊmənts hezɪ'teɪʃn] ohne zu zögern **17**
witness ['wɪtnəs] Zeuge, Zeugin **9**
woman ['wʊmən] Frau **6**
woman police officer [ˌwʊmən pə'liːs ˌɒfɪsə] Polizeibeamtin **6**
won't = will not [wəʊnt (will nɔt)] nicht werden **8**
wonder ['wʌndə] sich fragen, gern wissen wollen **8**
wonderful ['wʌndəfʊl] wunderbar **3**
word [wɜːd] Wort **1**
work *Subs* [wɜːk] Arbeit **4**
work *V* [wɜːk] arbeiten **4**
work *V* [wɜːk] funktionieren **15**
work for a company [wɜːk fər‿ə 'kʌmpəni] bei einer Firma arbeiten **7**
work hard [wɜːk hɑːd] viel arbeiten **4**
work out [wɜːk'aʊt] trainieren, Fitnesstraining machen **7**
worker ['wɜːkə] Arbeiter(in) **17**
working conditions ['wɜːkɪŋ kənˌdɪʃnz] Arbeitsbedingungen **13**
world [wɜːld] Welt **10**
worry (about) ['wʌri (əˌbaʊt)] sich Sorgen machen (über), beunruhigt sein (wegen) **14**
worse [wɜːs] schlechter **10**
worst [wɜːst] schlechteste(r, s), schlimmste(r, s) **10**
would [wʊd] würde(-st, -t, -n) **10**
would like [wʊd'laɪk] gerne möchten **8**
wrist [rɪst] Handgelenk **11**
write (wrote, written) [raɪt, rəʊt, rɪtn] schreiben **6, 7**
writer ['raɪtə] Schriftsteller(in) **17**
wrong [rɒŋ] falsch, nicht in Ordnung **6, 16**

Y

yeah *ugs* [jeə] ja **14**
year [jɪə] Jahr **1**
yellow ['jeləʊ] gelb **16**
yes [jes] ja **1**
yesterday ['jestədi] gestern **6**
yet? [jet] schon? (in Fragen) **12**
you [juː] du, dich, Sie, ihr, euch **1**
you [juː] man **16**
you bet [juː bet] aber sicher; und wie; das kannst du mir aber glauben **16**
You can't miss it. [jʊ kɑːnt 'mɪs ɪt] Sie können / Du kannst ihn / sie / es nicht verfehlen. **3**
you see [juː siː] wissen Sie; nämlich **8**
you're kidding [jɔː 'kɪdɪŋ] das ist doch nicht dein Ernst **16**
You've got the wrong number. [juːv gɒt ðə rɒŋ 'nʌmbə] Sie haben sich verwählt. **9**
young [jʌŋ] jung **10**
youngster ['jʌŋkstə] Kind, Jugendliche(r) **13**
you're welcome [jɔː 'welkəm] bitte (schön), gern geschehen **3**
your [jɔː] dein(e), Ihr(e), euer, eure **1**
yours [jɔːz] deine(r, s), eure(r, s) **11**
Yours faithfully *BE* [jɔːz 'feɪθfʊli] Mit freundlichen Grüßen **3**
Yours sincerely *BE* [jɔːz sɪn'sɪəli] Mit freundlichen Grüßen **3**
Yours truly *AE* [jɔːz 'truːli] Mit freundlichen Grüßen **3**
yourself [jɔː'self] dich / dir (selbst), euch (selbst), (Sie) sich (selbst) **16**
yourselves [jɔː'selvz] euch (selbst), (Sie) sich (selbst) **16**

Z

zero ['zɪərəʊ] Null **2**